PRETO NO BRANCO

A marca FSC é a garantia de que a madeira utilizada na fabricação do papel interno deste livro provém de florestas de origem controlada e que foram gerenciadas de maneira ambientalmente correta, socialmente justa e economicamente viável.

O Greenpeace — entidade ambientalista sem fins lucrativos —, em sua campanha pela proteção das florestas no mundo todo, recomenda às editoras e autores que utilizem papel certificado pelo FSC.

GEORGE PELECANOS

PRETO NO BRANCO

Tradução:
BETH VIEIRA

COMPANHIA DAS LETRAS

Título original:
Right as Rain

Projeto gráfico da capa:
João Baptista da Costa Aguiar

Foto da capa:
Thyago Nogueira

Preparação:
Carlos Alberto Bárbaro

Revisão:
Marise Simões Leal
Ana Maria Barbosa

Dados Internacionais de Catalogação na Publicação (CIP)
(Câmara Brasileira do Livro, SP, Brasil)

Pelecanos, George
  Preto no branco / George Pelecanos ; tradução Beth Vieira. — São Paulo : Companhia das Letras, 2006.

  Título original: Right as rain.
  ISBN 85-359-0790-4

  1. Corrupção policial — Ficção 2. Detetives afro-americanos — Ficção 3. Investigadores particulares — Washington (D.C.) — Ficção 4. Racismo — Ficção 5. Strange, Derek (Personagem fictício) — Ficção I. Título.

06-0240   CDD-813

          Índice para catálogo sistemático:
  1. Romances : Literatura norte-americana 813

2006

Todos os direitos desta edição reservados à
EDITORA SCHWARCZ LTDA.
Rua Bandeira Paulista, 702, cj. 32
04532-002 — São Paulo — SP
Telefone: (11) 3707-3500
Fax: (11) 3707-3501
www.companhiadasletras.com.br

PRETO NO BRANCO

1

O que preocupava Derek Strange, vendo Jimmy Simmons ali sentado em frente a sua escrivaninha, com as banhas saltando para fora da cadeira, era que ele pegasse algum badulaque do tampo da mesa e atirasse longe. Ou então que se pusesse a berrar feito um danado de um bebê. Strange não saberia dizer qual das duas alternativas seria a pior. Havia objetos naquela mesa que significavam um bocado para ele: presentes recebidos ao longo dos anos de determinadas mulheres, provas de gratidão por parte de clientes e um ou dois suvenires do Redskins ainda dos anos sessenta. Mas ver um homem chorar também não era bolinho.

"Me diz de novo, Derek." O lábio de Simmons tremia, e montanhas de água ameaçavam irromper dos cantos dos olhos congestionados. "Me diz de novo que cara tem o filho-da-puta."

"Está tudo no relatório."

"Eu vou matar ele, tá entendendo? E logo depois que eu matar ele, vou acabar com a raça dele de novo."

"O que você tá dizendo não faz muito sentido, Jimmy."

"Quinze anos de casado, de repente a minha mulher resolve dar pra outro cara, e você vem me falar em fazer sentido? *Cacete!*"

Jimmy Simmons deu um murro no tampo da mesa, bem do lado de um jogador de futebol americano feito de gesso, com a cabeça articulada por uma mola embutida no pescoço. O jogador, originalmente um branco cujo ros-

7

to o filho de Janine, Lionel, pintara de marrom-escuro, usava a antiga calça dourada e a malha cor de vinho dos bons tempos e levava uma bola aninhada nos braços. A cabeça bamboleou e o objeto inclinou a partir da base. Strange estendeu o braço mais que depressa, agarrou o jogador do Redskins e endireitou-o antes que tombasse.

"Vai com calma. Se você me quebrar um desses, não vai dar nem pra pôr na conta porque esses bonecos não têm preço, compreendeu?"

"Me desculpe, Derek." Uma lágrima se soltou do olho direito e escorreu pela bochecha gorda. "Que merda."

"Toma aqui, olha." Strange tirou um lenço de papel de uma caixa que havia sobre a escrivaninha e entregou-o a Simmons, que enxugou com certa ternura o próprio rosto. Um gesto delicado para alguém cujos últimos dias pesando menos de cento e trinta quilos eram uma memória distante.

"Eu preciso saber que cara tem o sujeito", insistiu ele. "Preciso saber o nome dele."

"Está tudo no relatório", Strange repetiu, empurrando um envelope de papel pardo por sobre o tampo da mesa. "Mas veja lá, hein? Não me vá tomar nenhuma providência idiota, ouviu bem?"

Simmons abriu o envelope e, com muita cautela e vagar, foi puxando o conteúdo lá de dentro, com a mesma prudência com que uma criança se aproximaria pela primeira vez de um caixão de defunto. Strange acompanhou o movimento dos olhos de Simmons passando pelas fotografias e pelo relatório escrito.

Ele não tinha levado muito tempo para descobrir o que Denice Simmons estava aprontando. Fora pura questão de ficar de campana, um dos servicinhos mais simples, tolos e corriqueiros entre os prestados por sua agência. Seguira Denice duas vezes até o apartamento do namorado, em Springfield, Virgínia, e aguardara na rua até ela sair e voltar para casa, no centro de Washington. Na terceira, um domingo à noite em que Jimmy Simmons estava em

Atlantic City, participando de uma feira de eletrônica, fez campana como nas outras ocasiões, esperou que ela saísse, mas nem sinal de Denice. Quando as luzes se apagaram na janela do terceiro andar, onde o sujeito morava, Strange percebeu que não precisava mais de prova nenhuma. Preencheu a papelada pela manhã, foi buscar as fotos que tinha mandado revelar num serviço de entrega rápida e convocou Jimmy Simmons para ir ao escritório no mesmo dia.

"Faz quanto tempo?", perguntou o marido, sem erguer os olhos dos documentos.

"Uns três meses, eu diria."

"Como é que você sabe?"

"Por acaso a Denice tinha mais algum assunto pendente por aquelas bandas?"

"Ela trabalha aqui em Washington. Não tem nenhum amigo em Virgínia..."

"Então. Lembra daquelas contas do cartão de crédito que você me forneceu? Há uns três meses, três meses e meio, a Denice vem pondo gasolina num posto de lá, perto da estação Franconia. O posto fica a um quilômetro e meio, se tanto, do apartamento do nosso garotão."

"E eu que pensei que ela fosse mais esperta." Simmons quase esboçou um sorriso de afeto. "A Denice nunca curtiu pagar o próprio combustível. Sempre abastece no cartão, assim quem paga sou eu, quando vem a conta. Ela é pão-dura com a grana dela. Gozado uma mulher ser assim. E, mesmo sabendo que quem vai bancar a conta sou eu, ela vai atrás de gasolina barata, ainda que isso signifique ter de dar a maior volta e rodar mais. Aposto que, se você for conferir, aquele posto deve vender gasolina a preço de banana."

"Um dólar e um centavo a comum", disse Strange.

Simmons se levantou da cadeira, a barriga e o rosto bamboleando como se a carne estivesse sendo soprada por uma súbita rajada de vento. "A gente se vê qualquer hora, Derek. E eu acerto com você assim que receber a conta."

"A Janine manda rapidinho."

"Tá bom. E obrigado por tudo."

"Eu detesto quando as coisas acabam desse jeito, Jimmy."

Simmons colocou na cabeçorra imensa um chapelão enfeitado com uma pena vermelha. "Você fez seu trabalho."

Strange continuou sentado em sua sala, esperando ouvir a saída de Simmons. Isso levaria alguns minutos, tantos quantos o cliente gastasse flertando com Janine e Janine se livrando dele. Ouviu a porta da frente fechar. Levantou então de trás da escrivaninha e vestiu um casaco de couro preto acolchoado com uma camada fininha de penugem de ganso. Pegou uma barra de cereais de cima da mesa, que Janine comprara para ele, e enfiou no bolso.

Na recepção, deu uma parada na mesa de Janine Baker. Atrás dela, um terminal de computador exibia um dos muitos sites da internet especializados em buscas. A roupa de cores fortes que ela usava contrastava com a pele escura e sadia. O vermelho do batom realçava o vermelho do vestido. Era uma mulher bonita, de meia-idade, olhar límpido, seios firmes, quadris largos e pernas esguias.

"Dessa vez foi rapidinho", disse ele.

"Ele não estava pra muita brincadeira hoje, não. Disse que eu estava muito bonita, mas..."

"E está mesmo."

Janine corou. "Mas não passou disso. Fiquei com a impressão de que ele estava meio desanimado."

"Eu acabei de dar a notícia. A mulher anda botando chifre nele com um sujeito que trabalha com autopeças. O cara vende bateria pra carro numa Pep Boys que tem no norte de Virgínia."

"Como será que eles se conheceram? Será que ela estava parada, com a bateria arriada, na beira da estrada?"

"Só se o nosso amigo trabalhasse pros bons samaritanos."

"Então quer dizer que o cara encostou pra dar uma faturada?"

"Janine, Janine..."

"Esse é o mesmo sujeito com quem ela andou transando faz uns dois anos?"

"Não, esse é outro. E também não é o mesmo com quem ela andou saindo três anos antes disso."

"E o que ele vai fazer a respeito?"

"Ele me deu uma idéia geral de tudo que pretende fazer com o sujeito. Mas no fim só vai fazer a Denice sofrer um bocadinho. Nada físico, nada que envolva força física. Jimmy jamais encostaria um dedo na mulher. O que eles vão fazer é encenar uma espécie de cerimônia de contrição durante alguns dias, com muito me desculpe pra lá, me perdoe pra cá, mas ele acaba deixando barato. Até surgir o próximo."

"Por que ele continua com ela?"

"Porque gosta dela. E eu acho que ela também gosta do marido. De modo que, ou muito me engano, ou não existe a menor chance pra você e o Grande Jimmy. Desconfio que ele não vai sair de casa tão cedo."

"Não tem importância. Eu espero."

Strange abriu um sorriso. "Assim dá pra ele engordar mais um pouco, né?"

"Se ele engordar mais, nós vamos ter de instalar um daqueles portões de garagem na entrada, caso contrário, ele não passa."

"Se ele engordar mais, o Fat Albert, a Roseanne, a Liz Taylor e o Sinbad é que vão se reunir pra contar piada de gordo pra ele."

"Se ele engordar mais..."

"Olha só que coisa, Janine. Você sabe qual é o nome disso que a gente tá fazendo?"

"Não. Qual é?"

"*Fazer as dúzias.*"

"Não brinca."

"Pois é. Tinha um branco na NPR, ontem, sendo entrevistado a respeito de um livro que ele escreveu sobre a cultura afro-americana. Segundo o sujeito, esse negócio de "*do the dozens*", essa gozação, essa achincalhação bem-humorada que a gente faz há gerações é a *precursora* do rap."

"Quer dizer que até isso tem nome? E eu aqui achando que a gente tava só tirando um sarro do Jimmy."

"Não é brincadeira, não, pode acreditar." Strange abotoou o blusão. "E vê se manda aquela conta pro Simmons, tá?"

"Já entreguei pra ele."

"Você é fantástica, mesmo, Janine. Nem sei por que eu me dou ao trabalho de achar que preciso te lembrar." Strange indicou com a cabeça uma das duas mesas vazias que ficavam em lados opostos da sala. "Por onde anda o Ron?"

"Tentando localizar aquele devedor, o vigarista que deu o golpe de dois mil dólares na velhinha."

"Na que mora numa travessa da Princeton?"

"Justamente. Aonde você vai?"

"Estou indo ver a mãe do Chris Wilson."

Strange atravessou a porta da frente, os ombros largos e musculosos sacudindo de leve sob o couro negro da jaqueta, a cabeça salpicada de cinza, bem como a barba, aparada bem rente.

Voltou-se assim que a mão tocou a maçaneta. "Alguma coisa mais que você queira?" Tinha sentido o olhar de Janine nas costas.

"Não... por quê?"

"Se precisar de mim, ou se o Ron precisar de alguma coisa, me avisa pelo bipe."

Fechou a porta e saiu na calçada da 9th, um trechinho comercial de rua entre a Upshur e a Kansas, quase encostada na Georgia Avenue. Sorriu, pensando em Janine. Tinham se conhecido numa boate dez anos antes, época em que começaram a ter um caso, uma porque ambos queriam que houvesse um caso, e outra porque o caso estava ali dando sopa.

Janine tinha um filho, Lionel, de um casamento anterior, e isso o assustara. Caramba, tudo que envolvesse compromisso o assustava, mas ser o pai de um jovem no mundo atual, isso o assustava mais do que qualquer outra coisa. Apesar dos temores, o tempo que haviam passado juntos parecia ter sido bom tanto para Strange como para Janine, e ele não arredara pé, sabedor de que tudo que é bom também é raro e que, salvo por algum motivo muito forte e imediato, nunca se deve desistir na metade. O caso fora adiante sem tropeços durante vários meses.

Quando perdeu seu gerente, a idéia de contratar Janine lhe veio naturalmente, já que, além de estar desempregada, ela era inteligente e tinha uma aptidão nata para organização. Ambos concordaram em romper o relacionamento amoroso assim que ela assumiu o cargo, e logo depois Janine começou a namorar sério com outro homem. Para Strange, não poderia ter havido saída melhor nem alívio maior, já que aquele namoro lhe permitia escapulir pela porta dos fundos sem fazer alarde, de manso, do jeitinho que gostava de se safar. O tal do namorado largou Janine logo depois.

Não fazia muito tempo, Strange e Janine tinham recomeçado. Mas o relacionamento não excluía a existência de terceiros, pelo menos não da parte dele. E o fato de ele ser o patrão e ela a funcionária não preocupava nem um nem outro, não no sentido ético. O amor que faziam apenas preenchia uma necessidade, e Strange se afeiçoara ao menino. Bem que os amigos disseram que ele estava procurando sarna para se coçar, mas Strange gostava de fato dela. E, depois de tantos anos, Janine ainda conseguia fazer despertar a natureza. Além disso, gostava de provocá-la, de deixar claro que ele sabia que ela continuava interessada. Mantinha as coisas mais animadinhas dentro da rotina sufocante do dia-a-dia.

Ele parou na calçada alguns instantes e olhou para cima, para o luminoso amarelo sobre a porta: "Investigações Strange", com metade das letras das duas palavras aumentadas pela lente de uma lupa. Adorava aquele logotipo.

Não passava um dia sequer que não olhasse para aquela placa e, vendo seu nome, não se sentisse quase íntegro.

Construíra o negócio sozinho e fizera algo de positivo no lugar onde nascera. Os meninos do bairro viam um negro girar a chave na fechadura da porta da frente todas as manhãs, e quem sabe isso ficasse registrado em algum lugar lá dentro, quem sabe incutisse algo na cabeça da garotada, quer eles percebessem ou não. Estava no ramo fazia vinte e cinco anos, e os acidentes de percurso tinham sido apenas isso, acidentes de percurso. O negócio era o que ele era. Era ele todo e todo dele.

Strange dirigia bem afundado atrás do volante de seu Caprice preto-e-branco, modelo 89, escutando uma fita do Blackbyrds no gravador enquanto descia a Georgia na direção sul. A seu lado, no banco, ia uma minilanterna Maglite, um guia Rand McNally de ruas e um canivete Leatherman com ferramentas variadas que, em geral, usava guardado na bainha e enganchado na cinta. Costumava usar uma faca Buck da mesma maneira, presa na lateral do quadril, sempre que estava tratando de algum caso. O binóculo 10 × 50, o celular, um gravador acionado por voz, pilhas sobressalentes para as lanternas e a câmera ficavam no porta-luvas, protegidos por uma fechadura dupla. No porta-malas havia um arquivo de papelão contendo informações sobre os casos em andamento. E também uma caixa de aço de ferramentas da Craftsman dentro da qual guardava uma lanterna Maglite mais pesada, uma Canon AE-1 com teleobjetiva de quinhentos milímetros, óculos de fabricação russa para visão noturna, uma fita métrica de aço de trinta metros também da Craftsman, um rolo de fita isolante e diversas outras ferramentas, sempre da marca Craftsman, úteis para uma eventual falha mecânica ou troca de pneu. Quando possível, Strange comprava Craftsman — tinham garantia para a vida toda, e ele não era dos mais delicados no trato com elas.

Cruzou Petworth. Em Park View, pegou a Irving Street no sentido leste, dobrou na Michigan Avenue no sentido nordeste, passou pelo Hospital das Crianças, pela Universidade Católica e seguiu pela Brookland.

Estacionou diante da casa modesta de Leona Wilson, uma construção de tijolinho aparente entre a 12th e a Lawrence. Manteve o motor ligado, à espera de que terminasse o solo de flauta de "Walking in Rhythm", ainda que pudesse escutá-lo quando quisesse. Tinha ido até ali porque prometera a Leona Wilson que iria, mas não estava com a mínima pressa de fazer a visita.

No entanto, viu a cortina se mexendo na janela da sala. Desligou, saltou do carro, trancou a porta e caminhou pela alameda de concreto até a frente da casa. A porta já estava se abrindo quando ele se aproximou.

"Senhora Wilson", disse ele, estendendo a mão.

"Senhor Strange."

2

"O senhor vai me ajudar?"

Estavam sentados lado a lado, na sala de estar, num sofá protegido por uma capa e rodeados por um ruído suave de lenha crepitando na lareira. Strange tomava café numa caneca; Leona Wilson bebericava um chá com mel e limão.

Ela era alguns anos mais nova que ele, mas parecia dez anos mais velha. Strange se lembrava de tê-la visto na igreja, antes da morte do filho, e sua aparência mudara da água para o vinho. Havia muito pouca carne naquele esqueleto alto, de ossos grandes, e uma bolsa de pele castanha balançava solta debaixo do queixo. Leona usava calça e camisa marrons e um velho par de sapatos sem salto. No conjunto, dava a impressão de desleixo, de alguém que se arrumara às pressas. O último botão da camisa caíra, e um broche mantinha a gola fechada em cima de um peito chato onde sobressaíam os arcos dos ossos. O cabelo embranquecera e não estava lá muito bem penteado. A dor lhe roubara a vaidade.

Strange colocou a caneca sobre a mesinha de vidro a sua frente. "Não sei direito se tenho como ajudar a senhora. A investigação policial foi tão minuciosa quanto possível. Afinal, o caso teve muita repercussão."

"O meu Christopher era bom." Leona Wilson falava devagar, com um propósito em mente. Rolava bem os erres na língua. Tinha sido professora de uma escola primária do D.C. por trinta anos. Strange sabia que ela havia ensinado gramática e pronúncia da maneira como aprende-ra, da maneira como ele também aprendera, tendo nascido e sido criado em Washington, D.C.

"Tenho certeza que sim."

"Os jornais disseram que ele era conhecido pela brutalidade. Deram a entender que meu filho estava apontando uma arma para um branco sem motivo nenhum quando os outros policiais o alcançaram. Mas eu não acredito nisso. Christopher era duro, quando necessário, mas nunca foi violento."

"Eu tenho um grande amigo na polícia, senhora Wilson. Ele me falou que o Chris era um ótimo profissional e um jovem excelente."

"O senhor por acaso conhece aquele monumento lá do centro? O Memorial do Policial?"

"Conheço, claro."

"Existem quase quinze mil nomes gravados naquele muro, nomes de policiais que foram mortos em serviço. Quinze mil, desde que começaram a fazer as estatísticas no país todo. E o senhor sabia que o Departamento de Polícia negou meu pedido para que o nome do meu filho fosse gravado naquele muro? O senhor sabia disso, senhor Strange?"

"Fiquei sabendo, sim senhora."

"A única coisa que me resta agora é a lembrança do meu filho. E eu quero que outras pessoas também se lembrem dele pelo que ele era. Pelo que ele realmente era. Porque eu conheço o meu filho. E o meu Christopher era *bom*."

"Eu não tenho nenhum motivo pra duvidar do que a senhora me diz."

"Quer dizer então que vai me ajudar?" Ela se inclinou para a frente. Deu para sentir seu hálito, e era medonho.

"Essa não é minha especialidade. Eu checo antecedentes. Revelo fraudes de seguro. Comprovo fidelidade e provo infidelidades. Trabalho pra alguns advogados e converso com testemunhas em processos que tramitam no cível. E sou pago pra depor em tribunal. Localizo devedores e tenho um funcionário mais jovem que de vez em quando sai atrás de algum golpista. Muito ocasionalmente localizo uma criança desaparecida, ou acho os pais biológicos de um filho adotado. O que eu não faço é resolver casos de assassinato ou contrariar o resultado de inquéritos feitos pela polícia. Assassinato não é meu negócio. Aliás, fora a polícia, assassinato não é negócio pra ninguém, se quer saber o que eu acho."

"O policial branco que matou meu filho. Por acaso alguém se preocupou em levantar a ficha dele do mesmo jeito que levantaram a do meu filho?"

"Bom, se não me engano... Quer dizer, não sei se a senhora se lembra, mas saiu muita coisa nos jornais sobre ele. Dizendo que não tinha feito os treinos de tiro nos últimos dois anos, apesar de todo policial ser obrigado a fazer o treinamento a cada seis meses e passar nos testes. Que ele tinha entrado para a corporação durante o frenesi de contratações que houve no final dos anos oitenta, junto com todos aqueles outros candidatos sem maiores qualificações. Que também tinha fama de brutamontes e que inclusive havia várias queixas contra ele. Sem querer ofender, acho que eles fuçaram em tudo que havia pra fuçar, no que diz respeito aos antecedentes do rapaz."

"E no fim puseram a culpa na arma dele."

"De fato, eles falaram sobre os pontos negativos daquela arma em especial, é verdade... a Glock possui um gatilho leve e não tem segurança externa."

"Eu quero que o senhor vá mais fundo. Que descubra mais coisas a respeito do policial que matou meu filho. Estou convencida de que ele é a chave de tudo."

"Senhora Wilson..."

"O Christopher tinha orgulho de ser da polícia; ele teria morrido sem pestanejar... ele acabou morrendo em serviço *sem pestanejar*. Mas os jornais deram a entender que ele tinha culpa no cartório. Que ele estava apontando a arma para um inocente, que não se identificou como policial quando aquele policial branco o abordou. Disseram que estava alcoolizado... O Christopher *não era* nenhum bêbado, senhor Strange."

E tampouco um anjo, pensou Strange. Não conhecia um único policial e, para falar a verdade, não conhecia ninguém que fosse tão puro quanto aquela criatura descrita por Leona Wilson.

"Eu sei."

A mão de Leona Wilson tremeu quando ela levou a xícara até a boca. Strange sabia que esse era o primeiro estágio do mal de Parkinson. Lembrou da mãe naquela casa de repouso e se levantou do sofá.

Caminhou até a lareira, onde uma luz piscava devagar por trás de achas de plástico, enquanto o falso fogo crepitava ritmicamente. Um fio de eletricidade corria por baixo das achas até uma tomada na parede.

Espiou então as fotografias emolduradas sobre o consolo. Viu Leona ainda jovem e o menino Christopher de pé, sob as asas protetoras da mãe, e uma outra foto de Leona e o marido, que Strange sabia já ter morrido. Havia mais um punhado de fotografias de Christopher, de beca de formatura, de farda e também ajoelhado num campo de futebol, com os companheiros do time e o placar do Gonzaga ao fundo, um Christopher de olhar severo, sem o menor esboço de sorriso, fitando direto as lentes da câmera. Um garoto do colegial já com a expressão de um policial.

Viu a foto, meio desbotada pelo tempo, de uma moça no começo da adolescência. Strange sabia que Chris Wilson tinha uma irmã. Ela aparecera no noticiário da televisão, uma mocinha bonita, magra feito um caniço, mulata clara, com a pele manchada, meio doentia. Lembrava-se de ter achado esquisito aquilo de ela fazer questão de enxugar lágrimas que não existiam. Talvez, depois de dias e dias de pesar, tivesse virado um hábito, levar a manga até os olhos. Talvez ela quisesse continuar chorando, mas não tivesse sobrado mais nenhuma lágrima.

Strange pensou na proposta, de costas para Leona.

Seria um trabalho fácil, tudo o que precisava fazer era interrogar de novo os envolvidos e refazer alguns passos. Tinha de manter o escritório funcionando. Não estava em condições de recusar trabalho.

"Meus honorários."

"Como disse?"

Ele se virou para encará-la. "A senhora não me perguntou quanto eu cobro."

"Tenho certeza de que será algo razoável."

"Eu cobro trinta dólares por hora, mais as despesas. Uma coisa dessas leva tempo e..."

"Eu tenho dinheiro. Houve um acordo extrajudicial, como o senhor sabe. Mais o seguro de Christopher, os benefícios pós-morte, quero dizer, e a aposentadoria. Estou certa de que ele teria gostado que eu usasse o dinheiro pra isso."

Strange voltou ao sofá. Leona Wilson se levantou e esfregou a palma de uma das mãos nos dedos curvos da outra. Era uma mulher quase da altura dele e olhava direto em seus olhos.

"Vou precisar ver algumas coisas dele."

"Pode ver o que quiser no quarto dele."

"Ele morava aqui?"

"Morava."

"E a sua filha?"

"Minha filha não mora mais comigo."

"E onde eu posso encontrá-la?"

"Eu não vi nem falei mais com a Sondra depois do dia em que enterrei meu filho."

O bipe de Strange, preso no cinto, tocou. Ele desprendeu o aparelho e conferiu o visor. "Será que eu podia usar seu telefone?"

"Está bem ali."

Strange fez a chamada e repôs o fone no gancho. Colocou seu cartão ao lado do telefone. "Preciso ir andando."

Leona Wilson endireitou o corpo e afastou uma mecha de cabelo grisalho para trás da orelha. "Vai à igreja, no domingo?"

"Vou fazer o possível."

"E eu vou rezar pelo senhor."

"Muito obrigado." Pegou o blusão das costas de uma cadeira e acrescentou: "Eu vou gostar muito mesmo, se a senhora rezar".

Strange desceu pela South Dakota Avenue até a Rhode Island e dobrou à esquerda. Toda a sua animação se desfizera em poeira. Tirou a fita dos Blackbyrds do gravador e apertou o botão do rádio para ir direto ao 1450. Joe "Águia Negra" Madison estava respondendo às chamadas na WOL AM, uma estação só de falatório. O relacionamento de Strange com a WOL vinha desde meados dos anos sessenta, quando o formato da rádio passara a ser o que os jornais chamavam de "rhythm & blues". Nos tempos daqueles dois DJS, Bobby Bennett e Jim Kelsey, que se auto-intitulavam Irmãos Negros. Era ouvinte da WOL havia mais ou menos, minha nossa, uns trinta e cinco anos. E se perguntou, como sempre fazia quando pensava no passado, onde é que tinham ido parar aqueles anos todos.

Virou à esquerda na 20th, sentido nordeste.

A postura de Leona Wilson mudara depois de ele dizer que aceitava. E não era imaginação, não — os anos pareciam ter largado dela ali mesmo, diante dos olhos de Strange. Como se a possibilidade de vir a ter esperança tivesse lhe dado uma injeção rápida de juventude.

"Você é um bom sujeito, Derek." Era como se, falando alto, pudesse tornar aquilo verdade.

Ele fora bem sincero com Leona Wilson, quer dizer, tanto quanto alguém conseguiria ser com uma mulher tão tenaz. E lhe parecia justo que ela tivesse aquela esperança temporária em troca da esmagadora decepção permanente que viria em seguida. Consigo mesmo, Strange disse que essa era a verdade.

De todo modo, precisava do dinheiro. O caso de Chris Wilson era um serviço para mil, dois mil dólares quem sabe.

Nas imediações do parque Langdon, Strange avistou o Acura de Ron Lattimer parado, de motor ligado, fumaça branca saindo do cano de escapamento. Strange estacionou o Caprice atrás, pegou os binóculos e o canivete Leatherman, saltou do carro e entrou pelo lado do passageiro no cupê vermelho.

Lattimer estava na fase final da casa dos vinte, um camarada alto, esbelto, com físico de atleta. Usava um terno de grife, camisa feita sob medida e gravata pintada a mão. Tomava um café da Starbucks e, com a outra mão, tamborilava um ritmo qualquer no volante. O aquecimento do carro estava a todo vapor, e um hip-hop tirado a jazz saía do sistema estéreo embutido no painel.

"Tá bem quentinho aí, tá, Ron?"

"Tá, sim, tá confortável, aqui dentro."

"Você está fazendo campana num dia de inverno, Ron. Quantas vezes eu já não falei que nessas horas é preciso deixar o motor desligado? Porque a fumaça que *sai* pelo escapamento dá na vista, Ron. Já não basta você ter um carro vermelho que diz pra todo mundo: olhem pra mim, reparem *em mim*?"

"Tá muito frio pra deixar o aquecimento desligado", disse Lattimer.

"Se você pusesse o casacão que tem aí no banco de trás, não sentiria tanto frio."

"Isso aí é *cashmere*, Derek. Você acha que eu vou usar um troço desses dentro do carro? Amassar o sobretudo, estragar ele todinho, até ficar parecendo que eu comprei lá na Burlington Coat Factory, ou em alguma dessas lojas porcarias?"

Strange respirou fundo e soltou o ar bem devagar. "E quanto ao café, quantas vezes eu já não avisei? A melhor coisa é manter uma garrafa de água no carro e tomar uns golinhos, só um pouquinho de cada vez, sempre que estiver com muita sede. Café passa direto pelo organismo, rapaz, *você* sabe disso. E você sabe o que vai acontecer quando ficar com uma puta vontade de mijar e não der mais pra agüentar? Você vai sair do carro, à procura de um pouco de privacidade, tentando achar uma árvore pra se esconder atrás, e, enquanto isso, o cara vai se esgueirar pela porta dos fundos da casa. E aí? O que você faz, hein?"

"No dia em que eu perder o rastro de alguém por causa de um Americano, Derek..."

"Ah, bom, quer dizer que agora é *Americano*. E eu aqui, velho e por fora, achando que você tava tomando um mero café."

Lattimer teve de dar uma risadinha. "Sempre tentando me passar um sermão."

"Eu tenho minhas razões. Você tem potencial pra ser alguém na profissão, um dia. Se eu conseguisse fazer você esquecer um pouco do seu *estilo de vida* pra se concentrar no trabalho, você estaria feito." Strange fez um gesto de cabeça na direção do aparelho de som. "Desliga essa merda que eu não consigo pensar com esse barulho."

"O Tribe Called Quest é *show*."

"Desliga assim mesmo e me diga o que conseguimos."

Lattimer desligou o som. "O Leon tá lá naquela casa, na segunda a partir da última à direita, na direção da Mills."

Strange espiou pelos binóculos. "Certo. Como é que você achou o cara?"

"Sabe aquele endereço furado que ele deu pra velha? Pois é, ele não aparecia por lá fazia um ano mais ou menos. Mas um dos vizinhos com quem eu conversei conhecia a família — o Leon e ele cresceram na mesma área. O tal vizinho me contou que a mãe e o pai do Leon tinham morrido já fazia uns anos. Eu fui checar lá no registro da H Street, em Chinatown. Pela data do atestado de óbito cheguei ao obituário da mãe dele que saiu no jornalzinho da morgue, e desse obituário constavam os nomes de todos os membros da família. E só a avó e o Leon continuavam vivos. Ele não tem irmão nenhum, quer dizer, é o único herdeiro da dileta vovó. Vai daí que eu imaginei que, vigarista como ele é, nosso Leon está crente que vai ficar com tudo que a boa velhinha tem, mas, para que isso aconteça, é preciso fazer umas visitas regulares."

"E é a casa da avó que estamos vigiando?"

"Exato. Estou de olho nela faz uma semana. E hoje finalmente o Leon deu o ar da graça. Aquela ali é a lata-velha dele, aquele Pontiac Astra amarelo com as marcas de ferrugem, estacionado na frente da casa. Traseira mais horrorosa, a desse carro."

"Igualzinha à do Vega da Chevrolet."

"E o pessoal pagava mais caro por aquela coisa ali só pelo nome Pontiac escrito na carroceria?"

"Alguns sim. Bom trabalho."

"Obrigado, chefe. E agora, como é que você vai lidar com o caso?"

Strange pensou por alguns momentos. "Acho que a melhor coisa a fazer é pegar o cara na frente da avó."

"Eu tava pensando a mesma coisa."

"Vamos lá."

Saltaram do Acura, Lattimer pegou o casaco do banco traseiro e foi vestindo enquanto caminhavam ao longo do parque Langdon na direção da Mills Avenue. Viram dois rapazes ainda bem novos, em idade escolar, que estavam sentados num banco do parque, de anoraques enormes, olhar feio para eles; e os moleques não desviaram a vista quando Strange deu uma encarada neles.

"Espera só um segundinho, Derek", disse Lattimer, pondo certo gingado no andar e olhando de esguelha para Strange. "Estou precisando achar uma árvore..."

"Não me diga."

Ultrapassaram o parque e já estavam na Mills. Lattimer disse: "Quer que eu vá pela viela?".

"Vai, isso mesmo. Estou meio sem vontade de correr hoje, a menos que seja muito necessário. Meus joelhos e o frio não se dão muito bem."

"Eu também não estou muito a fim de correr, não. Você sabe como eu transpiro rápido, assim que começo a me mexer, mesmo com um frio destes."

"Se bem que eu acho que ele não vai a parte alguma, mas nunca se sabe. Aliás, por falar nisso..."

Lattimer viu Strange puxar o Leatherman do bolso e abrir uma das lâminas no momento em que se aproximaram do Astra amarelo de Leon. Sem parar de andar, Strange tirou umas moedas do bolso e deixou-as cair na rua, ao lado da porta do carro. Abaixou-se num joelho para apanhá-las e, enquanto estava lá embaixo, furou o pneu dianteiro esquerdo com o canivete. Pegou as moedas, fechou o canivete e já estava com ele no bolso ao se erguer.

"A gente se vê daqui a pouco."

Subiu os degraus que levavam até a entrada da casa, enquanto Lattimer se dirigia para o beco de trás. Esperou meio minuto, dando tempo para que Lattimer chegasse aos fundos da casa, em seguida bateu na porta.

Strange viu um rosto em miniatura espiando por trás de uma cortina de renda, depois ouviu chaves girando na fechadura. A porta se abriu, e uma mulher muito miúda, com a pele encarquilhada e o cabelo branquinho apareceu na soleira. A velha examinou Strange de alto a baixo.

Olhou para trás, por cima do ombro, para a sala muito bem mobiliada que se abria a partir do saguão de entrada. Depois ergueu a voz: "Leon! Tem um policial aqui na porta querendo falar com você".

"Muito obrigado, minha senhora. E diga pra ele não correr, sim? Meu parceiro está na viela dos fundos e ele vai ficar fulo da vida, se tiver que se mexer. É que o suor mancha as roupas bacanas dele."

Strange levou Leon Jeffries da cozinha para o pequeno terraço envidraçado dos fundos. A varandinha dava vista para um trecho ressequido de quintal e para o beco. Depois de levá-lo até lá, Strange acenou para que Lattimer fosse ter com eles. Logo em seguida Leon admitiu ter esfolado a velhinha de Petworth com um esquema de pirâmide.

"E o que é que vocês vão fazer comigo agora?", perguntou ele, um sujeitinho feroz de meia-idade, com olhos castanhos-clarinhos. Usava um paletó de risca-de-giz com calça preta e uma camisa lilás de colarinho aberto.

"Você precisa devolver o dinheiro pra nossa cliente, Leon", disse Strange. "E depois fica tudo beleza."

"O plano era devolver o dinheiro pra ela, com juros. Mas só que isso leva um certo tempo. Olha só, eu trabalho da seguinte maneira, eu uso o investimento da pessoa seguinte pra pagar o... o investimento da pessoa anterior, em parcelas. É meio que assim que o pessoal consegue se equilibrar com vários cartões de crédito."

"Só que essa é uma treta *legal*, Leon. E nós estamos falando aqui de um esquema pra fraudar velhinhas que confiaram em você. Como é que você acha que um corpo de jurados vai encarar esse assunto?"

"Um corpo de jurados pra uma coisinha à toa dessas?"

"Você tem ficha, Leon?", Lattimer perguntou.

"Eu nunca fui em cana."

"Traduzindo, tem ficha, sim", falou Lattimer. "E se essa ficha cai na mesa de um juiz — deixa pra lá esse papo de júri — e se esse juiz tá de mau humor porque comeu a marca errada de lingüiça no café-da-manhã, alguma encrenca parecida, você tá *ferrado*, rapaz."

"Nós estamos precisando do dinheiro da cliente agora", disse Strange. "Ela não quer mais nada, só isso. E é uma boa mulher, algo que você com toda a certeza interpretou como fraqueza, mas a gente até deixa esse pormenor de lado, se você entregar os dois mil dólares que tirou dela aqui mesmo, no ato."

"Primeiro eu tenho de arranjar um emprego. Porque no presente momento, percebe, eu não tô com essa bola toda."

"E vai usar essa roupinha na entrevista?", Lattimer perguntou.

Leon, magoado, ergueu os olhos para ele e tocou na

lapela da camisa lilás. "Isto aqui é camisa de grife. É Yves Saint Laurent."

"Direto da fábrica de Cingapura, talvez. Um sujeito da sua idade já devia estar vestindo cem por cento algodão; não essa mistura de sessenta-quarenta por cento que você tá usando."

Strange interveio: "Como é que nós vamos fazer com essa questão do dinheiro, Leon?".

"Eu não tenho um puto de um tostão, cara; já falei!"

Um pouco de cuspe espirrou da boca de Leon e parte dele foi parar na região do peito do sobretudo de Lattimer. Ele agarrou o vigarista pelas lapelas do paletó e puxou-o para si.

"Você cuspiu no meu cashmere, cara!"

"Deixa quieto, Ron", falou Strange. Lattimer soltou Leon.

"Está tudo bem aí?" Era a voz de um homem idoso, falando do quintal da casa à esquerda. Havia um pinheiro plantado ao lado da varanda que bloqueava a visão do sujeito dono da voz.

"Está tudo ótimo", respondeu Strange bem alto, falando na direção do velho. "Nós somos da polícia."

"São *nada*!", berrou Leon.

"Por favor, vá pra dentro de casa", continuou Strange. "A situação está sob controle."

Strange aprumou o corpo de forma a ficar bem juntinho de Leon. Leon recuou um passo e coçou a ponte do nariz quebrado.

"E então", disse ele, cheio de arrogância.

"E então *uma ova*", falou Lattimer.

"Olha só", interveio Strange. "O que eu e meu parceiro aqui vamos fazer agora é entrar aí dentro e conversar com a sua avó. A gente vai explicar pra ela todo esse malentendido em que você se meteu. Acho que a sua avó vai entender a situação e dar o que a gente precisa. Tenho certeza de que esta casa já está paga e, pelo jeitão das coisas em volta, não vai ser um sacrifício muito grande pra ela fazer o cheque. Eu sei que ela não quer te ver na cadeia. A pena é que tenha que consertar os erros que você comete, mas a vida é assim mesmo."

"E eu aposto que não vai ser a primeira vez", disse Lattimer.

"Vocês tão é me prensando na parede. Isso é extorsão. E é ilegal!" Leon olhou primeiro para Lattimer, depois para Strange, e endireitou o corpo franzino. "E não é só isso. Primeiro, vêm e insultam minhas roupas. E agora querem me fazer passar vergonha na frente da vó!"

"Mais cedo ou mais tarde", disse Strange, "todos temos que pagar."

Strange se separou de Lattimer, foi até a biblioteca Martin Luther King Jr. na 9th Street e subiu até a Sala Washingtoniana, no terceiro andar. Retirou dois cartuchos de microfilme da gaveta de aço onde ficava guardado, em ordem cronológica, o material policial publicado pelos jornais. Encaixou o cartucho e reviu os artigos numa tela iluminada; quando encontrava algo que julgava ser de interesse para o caso, colocava umas moedas numa fenda, para tirar cópias fotostáticas. Depois de hora e meia desligou a máquina, porque os olhos tinham começado a arder; quando saiu da biblioteca, a cidade já estava escura.

Do lado de fora da MLK, ligou para a secretária eletrônica de Janine e deixou um recado: precisava do endereço atualizado de um camarada. Deu o nome do sujeito para ela.

"Ei, como vão as coisas, Strange?", disse um cara que passava pelos telefones.

"E você, como *vai*?"

"Faz uma data que eu não te vejo."

"Eu continuo por aqui."

Antes de ir para casa, parou no Raven, um bar da Mount Pleasant, para tomar uma cerveja. Depois foi a pé até a Sportsman's Liquors, na mesma rua, e comprou uma embalagem com meia dúzia de latinhas. Em seguida pegou o carro, e em poucos minutos já estava parando em frente ao sobrado da Buchanan Street, numa travessa da Georgia.

Tomou outra cerveja e relaxou mais ainda. Ligou para uma conhecida sua, mas ela não estava em casa.

Subiu até o escritório, um quarto pegado ao seu, transformado em gabinete, e leu o material que pegara da biblioteca. Havia uma série de artigos no *Washington Post* e um artigo no *Washington City Paper*. Enquanto examinava os recortes, um boxer castanho chamado Greco dormia com o focinho apoiado na ponta de suas botas.

Quando acabou de ler, ligou o computador e conferiu seu portfólio de ações para ver como tinha se saído no dia. A caixa de *Ennio Morricone: A Fistful of Film Music* estava sobre a escrivaninha. Strange tirou o disco um da caixa e colocou na CPU. Os primeiros acordes de "Per Qualche Dollaro in Piu" ressoaram pela sala. Strange aumentou só um tiquinho o volume das caixas Yamaha, acomodou-se na cadeira reclinável com as mãos cruzadas sobre o peito, fechou os olhos e sorriu.

Strange adorava faroeste. Desde menino tinha paixão pelo gênero.

3

Ele trancou a porta da frente da loja, conferiu para ver se estava mesmo fechada e em seguida subiu a Bonifant Street, na direção da Georgia, com a gola do blusão preto de couro levantada para proteger o pescoço do frio. Passou na frente da loja de armas, ponto de encontro de uma rapaziada negra de Washington e de certos brancos ali do pedaço, aspirantes a barra-pesada, todo mundo sopesando na mão as automáticas e conferindo o funcionamento de armas que dali a algumas horas estariam à disposição dos interessados no mercado negro. Durante o dia, Integras e Accords com *spoilers* e rodas de liga leve costumavam estacionar na frente do estabelecimento, mas já era noite, a rua se acalmara, e eram poucos os carros de um tipo ou de outro parados junto à guia. Passou por um restaurante africano e um tailandês, pela Vinyl Ink, uma loja de discos que ainda vendia as velhas bolachas, pela joalheria e relojoaria que atendia os hispânicos e, em seguida, por dois típicos exemplares dos mil e um pequenos salões de beleza e tinturarias que compunham o comércio da região central de Silver Spring.

Atravessou a rua antes de chegar ao Quarry House, um dos dois ou três bares das redondezas que freqüentava. Àquela altura já podia até sentir o gosto da primeira cerveja, a boca quase salivando só de pensar nela, o que o levou a se perguntar se esse seria um dos sintomas de quem tinha problemas com álcool. Uma vez, isso quando ainda usava farda, participara de um seminário em que tinham dito que quem fica olhando o relógio para saber se já pode beber, ou quem mantém um registro mental de quantos drinques tomou é alcoólatra, ou alcoólatra em potencial. Entretanto ele era um sujeito em paz com os próprios motivos para desejar o primeiro trago e não se deixava alarmar. Gostava de bares e do companheirismo que existia neles; não havia nisso nada mais complicado ou sinistro. E, de toda a forma, jamais se permitiria ser um alcoólatra; já tinha problemas de sobra para enfrentar, não precisava de mais nenhum.

Cortou caminho pelo estacionamento do banco e passou em frente ao novo bar irlandês que funciona no primeiro andar de um prédio na esquina da Thayer com a Georgia, sem diminuir o passo. Da direção oposta vinha vindo um preto e, ainda que tanto um como outro pudessem ter cedido passagem, nenhum dos dois desviou, provocando uma colisão de ombros. Ambos continuaram sem um pedido de desculpa ou uma palavra de ameaça.

Na calçada leste da Georgia, ao passar em frente ao Rosita, onde a jovem chamada Juana trabalhava, teve o cuidado de acelerar o passo e não olhar pela vitrine toda colorida de enfeites natalinos e néons sensuais da Tecate e de outras marcas de cerveja; não queria parar, não ainda. Primeiro, queria andar. Logo depois vieram uma loja de penhores, outro restaurante tailandês, uma casa de *pollo*, uma loja de artigos para artistas, a floricultura... em seguida, após cruzar a Silver Spring Avenue, a estação do corpo de bombeiros, o World Building e a antiga sorveteria Gifford, transformada num centro de recuperação. Passada a Sligo Avenue, entrou na Selim, onde as oficinas mecânicas e os espaços de aiquidô davam para os trilhos do trem.

Colocou trinta e cinco centavos na fenda de um telefone público, instalado entre uma *pho house* vietnamita e a loja de peças para automóveis Napa. Discou o número do Rosita, e seu amigo Raphael, o dono do restaurante, atendeu.

"Olá, compañero, aqui é..."

"Eu sei quem é. Tem muito pouco gringo ligando a esta hora da noite. Além do mais, essa sua voz é inconfundível, todo mundo reconhece com a maior facilidade. E eu sei com quem você quer falar."

"Ela está trabalhando?"

"Está."

"E foi escalada pra fechar, hoje?"

"Foi. De modo que ainda tem um tempo. Você está na rua? Estou ouvindo barulho de trânsito."

"Estou. Saí pra dar uma andada."

"Então vá dar sua andada que eu deixo uma no gelo pra você, amigo."

"Te vejo daqui a pouco."

Pôs o fone de volta no gancho, atravessou a rua e pegou a passarela para pedestres que cruzava a Georgia por cima. Foi até o meio e olhou para baixo, para os carros saindo do túnel, indo na direção norte, e para os carros sumindo dentro do túnel, indo na direção sul. Concentrou-se nas linhas pintadas no meio da rua e nos carros se movendo em fila entre o pontilhado amarelo. Olhou para o norte, viu a iluminação pública da Georgia, circundada por um halo gelado, e o próprio hálito, manchando o escuro da noite. Ele crescera naquela cidade, ela era dele e, para ele, era linda.

Algum tempo depois, atravessou o resto da passarela e foi até a cerca erguida não fazia nem um ano, do outro lado. Ela servia para evitar que os pedestres entrassem na área da estação ferroviária por ali, pelo pontilhão. Olhou em volta como quem não quer nada, tomou impulso, pulou a cerca e caiu do outro lado. E viu-se então próximo à pequena estação de trem, uma construção atarracada de tijolinho aparente, de janelas fechadas por tapumes, que abrigava alguns bancos e uma bilheteria. Desceu uma escadaria escura bem ao lado e entrou num túnel para pedestres iluminado por lâmpadas fluorescentes que corria por baixo das linhas do metrô e da B & O. O túnel cheirava a nicotina, urina e vômito de cerveja, mas estava vazio naquele momento e, do outro lado, depois de galgar mais um lanço de escadas, saiu na passarela que corria a oeste dos trilhos.

Dali foi caminhando rente à cerca da antiga fábrica de refrigerantes Canada Dry e, a certa altura, virou o corpo, com as mãos enterradas nos bolsos do jeans, para observar a aproximação de um trem da Linha Vermelha que vinha no sentido cidade—interior. Sua vista, a distância, já não era mais a mesma, e as luzes ao longo da Georgia Avenue apareciam borradas, estrelas brancas interrompidas por um vermelho aqui, um verde acolá.

Olhou para o outro lado dos trilhos, onde ficava a bilheteria, enquanto o trem em movimento erguia vento e poeira. Fechou os olhos.

Pensou no seu faroeste predileto, *Era uma vez no Oeste*. Três pistoleiros aguardam na plataforma de uma estação de trem deserta, enquanto rolam os créditos de abertura. É uma seqüência longuíssima que se torna ainda mais penosa devido à aproximação em tempo real da locomotiva e de um acompanhamento sonoro quase cômico em seu exagero. No fim, o trem acaba chegando. Um personagem chamado Harmonica salta e pára diante dos homens que estão ali para matá-lo. As sombras de todos se alongam ao sol poente. Harmonica e os outros três têm uma conversa rápida e conclusiva. A violência que se segue é rápida e mortal.

Parado ali à noite, na plataforma da estação de trem de Silver Spring, muitas vezes lhe parecia estar à espera daquele outro trem. Sob muitos aspectos, sentia que estivera à espera a vida inteira.

Depois de um tempo, voltou pelo caminho por onde viera e tomou o rumo do Rosita. Estava pronto para uma cerveja e, também, para conversar com Juana. Sentia curiosidade pela moça já fazia um tempinho.

Juana Burkett se achava de pé, no canto do balcão, à espera da marguerita com gelo mas sem sal que Enrique, o barman, preparava, na hora em que entrou o branco de blusão preto de couro. Acompanhou o progresso dele pelo salão, contornando as mesas, um homem de estatura média, físico em forma e cabelos castanhos ondulados batendo quase nos ombros. Escanhoado, com apenas uma sombra de barba no rosto, e um gingado natural.

Ele se acomodou junto ao balcão curto e reto e, de início, não olhou para ela, embora Juana soubesse ser a razão de ele estar ali. Haviam conversado muito rapidamente numa loja de livros e discos usados da Bonifant, onde Juana entrara à procura de um exemplar de *Velhos marinheiros*. Raphael tinha contado a ela que daquele dia em diante o cara que trabalhava no sebo não parou mais de pedir notícias dela, dizendo que qualquer hora daria uma passada pelo restaurante. Da primeira vez, havia ficado com a impressão de que ele não lhe era estranho e, de novo, se viu tomada pela mesma sensação. O cara estava examinando o ambiente, fingindo um interesse casual na decoração, até que por fim seus olhos pousaram naquela que era o foco primeiro de seu olhar. Ergueu o queixo de leve e lançou-lhe um sorriso simpático e sereno.

Enrique colocou a marguerita na bandeja de bebidas de Juana, ela acrescentou uma rodela de limão e um pauzinho de mexer e foi até a mesa para quatro, junto à vidraça da frente. Serviu a marguerita e as cervejas pretas que estavam na bandeja e anotou os pedidos de comida que os dois casais sentados à mesa fizeram, dando uma única espiada na direção do balcão, enquanto escrevia. Viu Raphael parando ao lado do cara de blusão preto de couro, os dois trocando um aperto de mão.

Juana voltou para a área de serviço e pôs a comanda virada para cima na beira da boqueta, onde a mão do boqueteiro pegou o pedido e empalou numa lança. Ao ouvir que Raphael o chamava, contornou o balcão para ir até ele, que continuou de pé, ao lado do cara sentado, uma das mãos descomprometidas em volta de uma garrafa gelada de cerveja Dos Equis.

"Está lembrada dele?", Raphael perguntou.

"Claro", disse ela, e nesse momento Raphael se afastou, deixando-a ali plantada, assim sem mais nem menos, para ir cumprimentar um casal que ocupava uma mesa encostada à parede. Teria de lembrá-lo dos bons modos, assim que se encontrassem a sós.

"E aí", falou ele, com uma voz pausada e grave. "Achou seu Jorge Amado?"

"Achei sim. Obrigada."

"Nós recebemos *Tereza Batista* na semana passada. Faz parte daquela série de bolso lançada pela Avon, alguns anos atrás..."

"Eu já li." A resposta saiu um tanto rápida demais. Estava nervosa e demonstrava o fato; não era do seu feitio agir dessa forma na frente de um homem. Olhou por cima dos ombros. Faltava só aquela mesa para encerrar a noite, e o pessoal parecia satisfeito com os drinques pedidos. Pigarreou e disse: "Escute...".

"Não tem erro", falou ele, girando na banqueta para encará-la. Tinha uma boca larga, com dois vincos fazendo parênteses dos lados, e um queixo forte. Os olhos eram verdes, francos, avariados, e de certa forma carentes; foram eles que fizeram a cabeça dela, e que a deixaram um pouquinho assustada, também.

"Não tem erro *o quê?*"

"Não precisa ficar parada aqui do meu lado, se não quiser. Pode voltar ao trabalho, se preferir."

"Não, tudo bem. Quer dizer, eu estou bem. É só que..."

"Juana, correto?" Ele se debruçou à frente e virou a cabeça de lado.

O rapaz estava avançando muito rápido, e passou pela cabeça da moça que aquilo que tomara como confiança, no andar dele, podia muito bem ser presunção.

"Não me lembro de ter lhe dito meu nome, no dia em que nos conhecemos."

"Foi o Raphael quem me contou."

"E agora você vai me dizer que gosta do som. Que meu nome tem música, correto?"

"De fato, *tem* música. Mas não era isso que eu ia dizer."

"Então o que era?"

"Eu ia lhe perguntar se gosta de ostra."

"Gosto."

"Quer ir comigo lá no Crisfield, depois que terminar aqui?"

"Assim, sem mais nem menos? Eu nem sequer sei..."

"Olhe aqui." Ele ergueu a mão direita, com a palma aberta. "Pensei em você um monte de vezes, desde o dia em que entrou na livraria. Pensei em você o dia *todo*, hoje. E como não sou de fazer muito rodeio, deixe eu perguntar mais uma vez: Você... gostaria... de *sair* comigo depois do trabalho para comer alguma coisa?"

"Juana!", gritou o boqueteiro, com a cabeça enfiada na boqueta. "Está pronto!"

"Com licença", disse ela.

Juana foi até a beirada da boqueta e pegou uma terrina pequena de *chili com queso*, encheu um cestinho vermelho de plástico com batatas fritas e levou o aperitivo até os dois casais. Enquanto punha o *chili* e os salgadinhos na mesa, deu uma olhada para o balcão, mas se arrependeu no mesmo instante. O sujeito estava sorrindo para ela. Juana fez um movimento de cabeça para afastar os cabelos compridos do rosto, constrangida, e se arrependeu de ter feito também esse gesto. Voltou rapidinho para o balcão.

"Você é muito confiante mesmo, hein?", falou, assim que se aproximou dele, surpresa de sentir os braços cruzados sobre o peito.

"Eu sou seguro, se é isso que está querendo dizer."

"Seguro demais, talvez."

Ele encolheu os ombros. "Você gosta do que está vendo, caso contrário não teria ficado parada aí tanto tempo. E com toda a certeza não teria voltado. Eu gosto do que eu vejo. É isso que eu vim *fazer* aqui. E, olhe, o Raphael me conhece. Não precisa ficar com medo que eu não tenho garras nem viro lobisomem. Portanto, por que não experimenta?"

"Você só pode estar bêbado." E Juana apontou com um gesto de cabeça a garrafa na mão dele.

"De vinho e amor." Ele viu a expressão perplexa no rosto dela e acrescentou: "É uma fala de um filme de faroeste".

"Certo."

Ele lançou uma espiada para os braços cruzados da moça. "Você vai amassar todo o seu uniforme, se continuar se espremendo desse jeito."

Ela descruzou os braços devagar e deixou que caíssem do lado. Começou a sorrir, tentou se reprimir e sentiu um repuxão na extremidade do lábio.

"Isto não é um uniforme." A voz já estava bem mais suave e perdera o tom hostil. "É só uma velha camisa de algodão."

Eles se examinaram mutuamente por alguns momentos, sem dizer nada, enquanto a música gravada de *mariachi* dançava pelo salão e pelo bar.

"O que eu estava tentando lhe dizer, antes que você me interrompesse... é que eu nem sequer sei qual é o seu nome."

"É Terry Quinn."

"Terry Quinn", ela repetiu, experimentando o som.

"Católico irlandês, se você estiver fazendo a ficha."

E Juana disse: "É, tem música".

4

"Onde você deixou seu carro?", Juana perguntou.

"Acho melhor a gente ir no seu, esta noite", disse Quinn.

"O meu está no estacionamento. Vamos cortar caminho por aqui."

Seguiram pela passagem coberta existente entre o restaurante Rosita e a loja de penhores. Aproximaram-se do bronze esculpido por Fred Folsom "do prefeito de Silver Spring", Norman Lane, instalado bem no centro dela. Ao passar pelo busto, Quinn deu um tapinha na cabeça da escultura, sem nem pensar no que estava fazendo.

"Você faz isso sempre?"

"Faço", disse Quinn, "pra dar sorte. O pessoal das oficinas aqui de trás, alguns deles, pelo menos, meio que adotaram o prefeito. Quando Lane era vivo, muita gente o admirava. Olha lá." E apontou uma placa pendurada sobre uma porta comercial, na viela onde tinham acabado de entrar. A placa mostrava uma caricatura de Lane com um distintivo no peito que dizia "Não Esquente". "Isto aqui agora se chama Beco do Prefeito."

"Você conhecia ele?"

"Eu sabia quem ele era. Paguei uma bebida pra ele, uma vez, no Captain White. Outro lugar que já não existe mais. Ele era um bêbado, mais nada. Mas eu desconfio que quando fizeram a homenagem, a intenção era dizer que, apesar de tudo o que ele foi, ainda assim foi um homem."

"Minha nossa, que frio." Juana puxou as lapelas do casaco para bem junto do peito e virou para Quinn, enquanto andavam. "Eu conheço você de algum lugar, sabia? E não é da livraria, não. Já vi você antes, só que nunca fomos apresentados, disso eu tenho certeza."

"Andei aparecendo nos noticiários, no ano passado. Na televisão e até nos jornais."

"Vai ver foi isso."

"Provavelmente foi."

"Meu carro é aquele lá."

"Aquele Fusca velho?"

"O que é que tem ele? Não serve pra você?"

"Não, não. Gostei."

"Que carro é o seu?"

"No momento estou oscilando entre algumas marcas."

"E isso seria igual a oscilar entre alguns empregos?"

"Igualzinho."

"Você me convidou pra sair e nem carro tem?"

"Qual o problema? Você só vai bancar a gasolina." Quinn subiu o zíper do blusão. "Eu me encarrego das ostras e das cervejas."

Eles estavam no bar do Crisfield, o velho Crisfield da Georgia, não o Crisfield de grife que abriu em Colesville, comendo ostras acompanhadas por salada de repolho e algumas Heineken. Quinn incrementou o molho com raiz-forte e reparou que Juana ainda pôs Tabasco.

"Humm", disse ela, engolindo um bocado e estendendo a mão para a tigela de biscoitos salgados, em busca de um refrigério.

"Uma dúzia de ostras com molho e uma salada de repolho", falou Quinn. "Nada melhor neste mundo. Estão boas, não estão?"

"Estão."

Todas as banquetas do balcão em forma de U se achavam ocupadas, e o salão à direita, lotado. A atmosfera era não ter atmosfera: paredes de azulejos brancos com fotos de celebridades locais na moldura, mesas de madeira com toalhas de papel individuais sob os pratos, molho de salada industrializado para todo mundo ver nas prateleiras... e ainda assim o lugar lotava quase todas as noites, apesar de a gerência não estar exatamente dando nada de graça. O Crisfield era um dos marcos do D. C., um lugar onde gerações de washingtonianos se reuniram durante anos e anos para comer e conversar.

"Conseguiu tirar uma boa grana, esta noite?", Quinn perguntou.

"Depois de dar a gorjeta que cabia ao barman... dinheiro pra valer mesmo, não. Saí com quarenta e cinco dólares."

"Mas se você continuar saindo com quarenta e cinco dólares toda noite, não vai dar pra fazer faculdade."

"Eu fiz um empréstimo estudantil pra isso. O trabalho de garçonete é pra pagar as minhas despesas pessoais. O Raphael lhe contou que eu quero fazer Direito?"

"Ele me contou tudo que sabia sobre você. Não se preocupe. Não é grande coisa. Me passa o Tabasco, por favor."

As mãos de ambos roçaram uma na outra, quando Juana lhe entregou o vidro. Era quente, a mão dela, e ele gostou do jeito dos dedos — afilados, femininos, fortes.

"Obrigado."

Havia dois negros, sentados na ponta oposta do balcão em U, de seus trinta e poucos anos, não mais — se Quinn tivesse de chutar a idade deles —, encarando sem maiores pudores tanto ele como Juana. Muitas cabeças tinham se virado quando eles entraram no restaurante, algumas, a seu ver, só por causa de Juana. A maioria tinha apenas dado uma espiada rápida, mas aqueles dois não largavam mão. Bem, que se fodam, pensou ele. Se a coisa fosse continuar funcionando de alguma forma — e ele já estava sentindo que queria que funcionasse —, então teria de passar por cima de encaradas como aquela. Ainda assim, não gostou nem um pouco da ousadia da dupla.

"Isso não é justo", disse Juana.

"O *que* não é justo?"

"Você aí me fazendo um monte de perguntas, sabendo inclusive algumas coisas a meu respeito, e eu aqui sem saber nada de você."

Você aí. Ele gostou do jeito como ela disse isso.

"Esse seu sotaque."

"Que sotaque?"

"Sua voz sobe e desce, feito música. De onde é? Do Brooklyn?"

"Do Bronx." Juana tirou uma ostra do garfo e deixou que marinasse no molho. — E o seu, de onde é? Das Carolinas, algo assim?"

"Daqui de Washington."

"Pois pra mim você tem sotaque sulista. Com aquela coisa de falar arrastado e tudo o mais."

"Mas nós *estamos* no Sul. Ao sul da Linha Mason—Dixon, de todo modo."

Quinn virou para olhá-la. O cabelo de Juana era preto, ondulado e muito comprido, fazendo uma onda nos ombros magros e outra na curva ascendente dos seios pequenos. E a bunda também era bem bonita; ele já dera uma boa espiada no restaurante, num momento em que ela havia se curvado para servir os drinques. Era redonda e empinada, do jeito que ele gostava, e só de olhar perdera o fôlego, algo que não lhe acontecia havia muito tempo. Os olhos eram quase negros, muitos tons mais escuros que a pele marrom, e os lábios eram cheios, pintados com um batom também escuro, com um contorno mais escuro ainda. Ela tinha uma verruga no rosto, acima e à direita do lábio superior.

Ele olhava fixo para ela e ela fixo para ele e, nesse momento, os lábios de Juana reviraram para cima, numa espécie de meio sorriso que ainda tentou interromper. Já tinha feito a mesma coisa com a boca lá no Rosita, e Quinn soltou uma risada disfarçada.

"O que foi?"

"Não, nada. É só que, essa mania que você tem, esse seu jeito de *quase* sorrir. Eu gostei, só isso."

Juana retirou sua ostra do molho, mastigou, engoliu e em seguida tomou um gole de cerveja gelada.

"Como é que você conheceu o Raphael?"

"Ele apareceu um dia na loja, procurando o *School Days* do Stanley Clarke em vinil. O Raphael gosta desse som jazz-funk, dessa coisa semi-orquestral dos anos setenta. Dexter Wansel, George Duke, esse pessoal. Lonnie Liston Smith. Eu não sabia lhufas a respeito do assunto e ele ficou satisfeito em me dar umas aulas. E eu ligo pra ele quando a gente compra esses discos antigos, de vez em quando."

"Você sempre trabalhou em livrarias?"

"Não. Sempre não. O que você quer saber, na verdade, é se eu tenho escola e, se tenho, por que não fiz nada com a minha educação. Eu cursei a Universidade de Maryland e tirei meu diploma em criminologia. Depois fui policial aqui em Washington, D. C., durante uns oito anos, mais ou menos. Quando saí da corporação, achei que estava pronto pra alguma coisa mais sossegada. Eu gosto de livros, de um certo tipo de livro, de todo modo..."

"De bangue-bangue."

"Também. E não há nada mais sossegado do que uma loja de livros e discos usados. De modo que cá estou eu."

Ela examinou o rosto dele. "Já sei de onde eu conheço você."

"Justamente. Sou o policial que matou o outro policial, no ano passado."

"O cabelo é que está diferente."

"Ahã. Deixei crescer."

Quinn esperou, mas a prevista saraivada de perguntas não veio. Continuou olhando para Juana, que afastou de si o prato de conchas vazias com o cotovelo. Enquanto olhava, tomou um gole da cerveja.

"E sobre mim?", Juana perguntou. "Mais alguma coisa que queira saber?"

"Na verdade não. E o que eu sei até o momento me agrada."

"Nada de nada, é?"

"Não me passa nada pela cabeça, assim de pronto."

"Então, se você me permite, eu vou adiantar o expediente pra ver se tiramos esse assunto do meio. Que lhe parece? Minha mãe era porto-riquenha e meu pai era negro. Eu me sinto à vontade em alguns mundos diferentes e, às vezes, não me sinto à vontade em nenhum deles."

"Eu não perguntei nada disso a você."

"Não me perguntou *ainda*."

"O que eu quis dizer é que não dou a menor pelota pra isso."

"Você não dá a menor pelota hoje. Hoje só existe a atração e a pergunta: será que vai rolar? Mas nesse mundo que nós temos aí fora, e com o pessoal que no momento mora nele, ninguém vai permitir que a gente *não dê a menor pelota*. Feito esses dois caras aí em frente, que passaram a noite toda encarando."

"Que tal lidarmos com esse assunto à medida que formos progredindo?" Quinn fez um sinal para o sujeito corpulento de bigode grisalho que servia no balcão. "Cavalheiro, por favor, vê mais uma dúzia pra gente, sim?"

"Obrigadinha, Terry."

Ele também gostava do jeito como ela dizia seu nome.

Na saída, Juana reparou na olhada que Quinn lançou por sobre o ombro para os dois sujeitos que haviam ficado a noite toda encarando, uma olhada curta, mas muito significativa.

Na rua, Juana passou o braço pelo dele, enquanto caminhavam até seu Fusca preto, parado no estacionamento de uma loja de pneus. Estava com frio e se sentia mais aquecida ficando bem juntinho, além de lhe parecer natural tocá-lo, como se tivessem ultrapassado um estágio e entrado numa outra fase. Era fácil conversar com ele, Terry ouvia o interlocutor, não parecia ser do tipo que está sempre pensando no que vai dizer em seguida. Também não era do tipo de se vangloriar, não falava de seus grandes planos e tampouco havia tentado impressioná-la dessa ou daquela maneira, o que acabou, na verdade, lhe causando uma forte impressão.

"Onde é que você mora?", ela perguntou.

"Numa travessa da Sligo Avenue. E você?"

"Estou perto da Tenth Street, na Zona Nordeste. Perto da Universidade Católica, conhece?"

"Importa-se de me dar uma carona, antes?"

"Tá brincando? Claro que não."

"Porque eu posso perfeitamente ir andando."

"É, ouvi dizer que você gosta de andar à noite."

"Foi o Raphael que contou, é?"

"E que você gosta de faroeste. Ele me disse que você estava lendo um, na primeira vez em que entrou lá no seu sebo, e em todas as outras vezes que foi lá."

"Então, que conversa fiada era aquela de 'isso não é justo, eu não sei nada sobre você'?" Quinn deu risada. "Que mentirosa."

"Tá bem, eu confesso que menti. Mas prometo que nunca mais direi uma mentira a você."

Ela parou o Volkswagen na porta do prédio dele, um edifício pequeno de tijolinho aparente, mas não desligou o motor. Havia uma loja de conveniência que também vendia cerveja do outro lado da rua, fechada e às escuras, com vários rapazes de anoraque parados em volta de suas portas trancadas. Os apartamentos também estavam às escuras.

"Cá estamos", ele disse.

"Obrigada por tudo. Foi gostoso."

"O prazer foi todo meu. A gente se vê, certo?"

"Certo."

Ele apertou a mão dela, e a sensação foi a de um beijo. Logo depois já estava fora do carro, atravessando a rua sem iluminação, o blusão negro e liso perdido na noite.

Ela voltou para casa escutando uma fita de Cassandra Wilson, pensando nele o caminho todo.

Quinn escovou os dentes e entrou debaixo das cobertas. Tentou ler um Max Evans que o aguardava no criado-mudo, mas teve dificuldade em se concentrar na trama. Apagou a luz, pensando em Juana, tentando não esperar coisas demais, torcendo para que desse certo.

Pouco antes do amanhecer, sonhou que tinha entrado numa discussão violenta com um negro, numa boate. Houve alguns socos, depois alguém sacou uma arma. Vieram gritos, sangue e morte.

Ao acordar, não estava nem assustado nem perturbado. Andava tendo sonhos como esse já fazia um bom tempo.

5

O maxilar de Ray Boone estava travado por causa da carreirona de metanfetamina que tinha detonado. Desgrudou a língua do céu da boca e passou-a pelos lábios ressequidos. Depois foi para trás do balcão comprido de mogno que ele e o pai haviam construído com as próprias mãos, em busca de uma bebida.

"Papai? Onde é que foi parar aquela garrafa de Jack?"

Estava se esgoelando, mas não conseguiu escutar a própria voz em meio ao som do bom e velho Randy Travis que saía da *jukebox*, uma Wurlitzer adquirida durante um leilão de todos os bens de um restaurante falido. Edna tinha posto o volume no máximo.

Earl Boone estava sentado em frente a uma tela de vídeo, jogando pôquer eletrônico. Tomou um gole de Busch direto da lata e deu uma tragada no cigarro. Bateu a cinza num cinzeiro sem tirar os olhos da tela e disse: "Na porra do lugar onde você largou, Cria, da última vez em que tomou um trago".

"Já achei." O Jack estava numa prateleira baixa, ao lado da pia de aço, em frente à automática Colt que o pai pendurara em dois ganchos atarraxados na madeira atrás do balcão. Ray passou a mão na garrafa de rótulo negro, pegou um belo punhado de cubos de gelo do balde ao lado da pia, pôs no copo e serviu uma dose generosa de uísque; o copo ficou cheio até a metade. Completou com Coca-Cola e mexeu a bebida com um dedo sujo.

"Você não vai preparar um pra mim também não, benzinho?", perguntou Edna Loomis, sentada numa mesa de jogo coberta por um feltro verde. Edna já tinha tomado uns rebites e estava, como de praxe àquela hora da tarde, ligada. Empilhava e reempilhava um monte de fichas brancas com uma das mãos, enquanto com a outra brincava com uma mecha do cabelo repicado.

"Não quero que você fique imprestável logo cedo." Ray disse isso como se ela fosse uma criança.

"Mas eu não vou ficar imprestável. Só quero um golinho pra ir tomando enquanto vejo meus programas, em casa."

Ray preparou uma dose bem fraquinha e caminhou até Edna, que se levantou para pegar a bebida. Ela estendeu a mão na direção do copo, passou os dedos compridos pelo dorso da mão dele e lambeu deselegantemente os lábios. Ray sentiu uma comichão por dentro do jeans.

"A gente tem tempo?", disse ela, lançando uma olhada rápida por cima do ombro para o velho.

"Negativo", disse Ray. "Eu e papai vamos ter que dar um pulo até D. C."

"Quando você voltar, então." Com um movimento de cabeça, Edna sacudiu a cabeleira loiro-alaranjada dos ombros, deu uma piscada e tomou um gole. Nesse meio tempo, meneou os quadris desajeitados, acompanhando o ritmo de Travis, sem desgrudar os olhos de Ray por cima do copo; quando chegou a hora, repetiu o refrão: "Para todo o sempre, a-mém".

Ray deu uma boa olhada na cena. Ela se achava tão gostosa. Sentia certa curiosidade em saber o que Edna enxergava quando se olhava no espelho. Estava beirando os trinta, e as linhas em volta da boca não deixavam dúvida quanto à idade que tinha. A bunda já acumulara um pouco de celulite, e os olhos nunca haviam sido jovens. Ostentava um belíssimo par de seios, porém do tipo que está sempre empinado, a postos, com os bicos rosados e bem pontudos. Se algum dia deixasse aqueles peitos caírem como estava acontecendo com o resto do corpo, bem, aí Ray

47

teria de começar a pensar em trocá-la por um modelo mais novo.

"Hein? Eu tô te perguntando um troço, *Cria*. A gente vai dar uma rapidinha quando você voltar ou não?"

A língua de Edna, essa era uma outra coisa que pegava, às vezes. Com ou sem os belos peitos, se ela não aprendesse a ficar de bico calado, teria de trocá-la mais cedo do que ela imaginava.

"Não me chame de Cria. Só o papai pode me chamar assim."

"Bom, mas e aí? A gente vai ou não?"

"Pode ser." Mas ela já estaria um trapo até ele voltar da cidade, entupida de bolinha e bêbada feito marujo em noite de folga. Ele não suportava trepar com ela quando Edna ficava desse jeito.

"Ray?"

"Hein?"

"Você vai ficar fora algumas horas, não vai?"

"Ahã."

"Então, por que é que você não me deixa uma presença?"

"Você tá começando a gostar um pouco demais desse troço."

"Por favor, vai, amoreco."

"Só um pouquinho, então. Tá bom." Depois focou a vista mais adiante e disse: "Vamos indo, papai?".

Earl Boone falou "Vamos lá", e bateu a cinza no cinzeiro.

Ray foi até uma porta grande, nos fundos do celeiro. Era uma porta de aço reforçado, instalada numa parede também reforçada e à prova de fogo. Pegou um molho de chaves penduradas numa argola presa no jeans. Nunca deixava aquela porta destrancada. Entrou, tornou a fechar com chave e ainda passou o ferrolho.

Num dos lados da sala ficavam um banco para levantamento de peso, vários halteres e espelhos estrategicamente colocados na parede. Do outro, uma bancada de trabalho, algumas prateleiras e ferramentas diversas penduradas nos ganchos de um quadro de madeira. Debaixo da bancada havia dois cofres e, dentro dos cofres, dinheiro, heroína e armas. Ao lado da bancada havia um pequeno baú com chave e um armário alto, de carvalho envernizado e porta de vidro, dentro do qual se enfileiravam quatro carabinas.

Na terceira parede havia uma pequena cozinha com fogão elétrico de duas bocas, pia e uma geladeira abastecida com água mineral e cerveja. Ray usava o fogão para preparar seu estoque privado de metanfetamina, tanto em pó quanto em pedra, que cozinhava numa panelinha ali mesmo. No tampo de aço da minicozinha havia vários vidros, com xarope Sudafed, líquido para limpeza de carburador e vários outros produtos químicos usados para preparar a droga.

Ray e o pai haviam instalado uns canos e construído um banheiro também. Era um espaço grande, reservado, com uma sólida porta de carvalho. Ray podia ficar ali dentro, sentado na privada, vendo suas revistas de mulher pelada tranqüilo da vida e, se estivesse a fim, depois de ter se limpado podia se virar, dar uma esporrada e puxar a descarga para levar embora a merda toda.

Debaixo do retalho de carpete posto em frente ao banco de musculação havia um alçapão. E por baixo daquele alçapão havia um túnel que ele e o pai tinham aberto no penúltimo verão. O túnel seria a forma de escapar, se porventura uma escapada se fizesse necessária. Contava com mais ou menos cinqüenta, sessenta metros de extensão e ia até a mata atrás do celeiro e da casa.

Ray Boone adorava aquela sala. Só ele e o pai podiam entrar ali, essa era a regra. Não passaria pela cabeça de ninguém, fosse amigo do pai, fosse amigo seu, nem pela de Edna, botar os pés ali, mesmo que porventura as chaves estivessem dando sopa. Edna sabia muito bem que as drogas que tanto amava ficavam guardadas naquela sala. Contudo, por mais burra que fosse, e Edna era mais burra que uma porta, tinha juízo suficiente para não pensar nem em tentar algo do gênero.

Ray apanhou dois pesos e se postou diante do espelho, trabalhando os bíceps numa série de vinte, em movimentos alternados. Largou os pesos e conferiu sua imagem. As tatuagens feitas no presídio estavam à mostra logo abaixo das mangas da camiseta branca. Uma adaga com sangue pingando da lâmina em um braço, uma serpente enrodilhada em volta do mastro de uma bandeira confederada no outro: eram meio carne de vaca, essas duas tatuagens. As boas, a suástica entre duas descargas elétricas e um crioulo pendurado numa árvore, ele mantinha cobertas, uma no ombro, outra nas costas.

Ray fez umas duas ou três caretas sérias na frente do espelho, ergueu as sobrancelhas, uma de cada vez. Não era bonito demais, de modo que ninguém iria tomá-lo por um boneco afeminado, mas também não era feio em excesso. Tinha marcas de acne no rosto, mas essas nunca assustaram garota nenhuma, pelo menos não que ele tivesse reparado, de todo modo. E algumas mulheres gostavam daqueles olhos dele, enterrados lá no fundo, debaixo da testa saliente, enfezada. Quando era menino, umas duas ou três vezes fora chamado de vesgo pela garotada, mas resolvera a pendência rapidinho, com uns bons murros na cara de quem o tinha xingado. Se era vesgo, ainda não tinha se dado conta do fato. Edna dizia que ele se parecia com o cara da série *Profiler* que passava na televisão, um que sempre fazia papel de traficante de droga no cinema. Ray gostava do cara. E não havia nada de bonitinho nele.

Depois que terminou de se admirar, pegou um frasco com duas cápsulas de methedrine e enfiou num dos bolsos do jeans. Trocou os tênis por um par de botas Dingo feitas sob medida para ele, com saltos de dez centímetros de altura, abriu o cofre e retirou de lá de dentro uma sacola contendo pacotes de heroína do tamanho de tijolos, que ele havia pesado mais cedo. Retirou também a Beretta nove milímetros, conferiu para ver se estava carregada e enfiou no cós da calça. Do armário, tirou uma camisa grossa de flanela e uma jaqueta, vestiu as duas, mas deixou a camisa para fora, por cima da arma. Pendurou a sacola no ombro, saiu e trancou a porta.

Edna esperava por ele no balcão. Deu-lhe um beijo molhado, na hora em que sentiu o frasco na mão, e foise embora, empunhando sua bebida.

"Está pronto, papai?"

"Opa se estou."

Earl tinha horror da cidade. Só havia uma coisa boa a respeito dela, no que lhe dizia respeito, e essa coisa ficava lá no armazém que eles chamavam de Lixão. Para ele, valia a viagem.

Earl Boone apagou o cigarro no cinzeiro. Matou a cerveja, esmagou a lata na mão e jogou no cesto de lixo que ficava ao lado do jogo eletrônico de pôquer. Enfiou um Marlboro vermelho em caixinha no bolso da camisa e viu o filho fazer o mesmo com um Marlboro que estava em cima do balcão.

Levantou-se quando o rapaz atravessou o recinto. Earl era uma versão mais malhada de Ray, com as mesmas cicatrizes de acne no rosto, só que disfarçadas sob os sulcos e rugas, e os mesmos olhinhos fundos, vazios. Entretanto, tinha quinze centímetros mais que o filho, ombros mais largos, costas mais fortes. E, ao contrário de Ray, jamais levantara peso na vida, a menos que fosse pago para fazer força, e não entendia como é que alguém podia gostar daquilo. Uma breve passagem pelo Corpo de Fuzileiros Navais e trabalho braçal para ganhar a vida tinham lhe dado o físico que possuía.

"Vamos lá", disse Ray.

Earl sorriu de leve, vendo aquelas botas de salto alto nos pés do filho. Sem sombra de dúvida, Ray tinha algum problema com altura.

"Alguma coisa engraçada?", perguntou o filho.

"Nada", respondeu o pai.

Earl passou a mão num isopor com meia dúzia de latinhas de cerveja dentro e olhou em volta do bar e da área de jogos, antes de apagar as luzes. Sentia um orgulho tremendo do que haviam feito ali no celeiro, ele e o filho. Do jeito como haviam montado tudo, tinha ficado igualzinho a um bar daqueles antigos. Como os que existiam no Velho Oeste.

Edna Loomis encheu de maconha o cachimbinho de água e botou por cima uma pedra de metanfetamina. Parou na janela do quarto onde dormia com Ray e ficou vendo pai e filho irem do celeiro para o carro, um Ford todo incrementado, estacionado entre uma caminhonete F-150 e a Harley de Ray.

Edna girou o acendedor do isqueiro Bic para obter fogo. Manteve a chama em cima do fornilho do cachimbo e aspirou o rebite misturado com maconha. Prendeu a fumaça e assistiu o processo todo, Ray removendo o pára-choque do carro, tirando a heroína da sacola e enfiando os pacotinhos no vão criado entre o pára-choque e o porta-malas.

Tossiu fora o barato, um cogumelo de fumaça que explodiu de encontro ao vidro da janela do quarto.

Viu Ray colocar uma tira de borracha ou algo parecido por cima da heroína, repor o pára-choque no lugar e acertar o encaixe com uns sopapos dados com a mão espalmada. Enquanto isso, Earl ficou vigiando a alameda larga de cascalho que levava até a via pública, de olho em alguma visita imprevista. Esses dois, pensou Edna, eram ambos paranóicos feito o diabo. Ninguém nunca passava por aquela estrada. E de todo modo havia uma porteira trancada a chave mais adiante.

Edna ainda tossia, pensando em Ray, em Earl e no negócio deles quando a cabeça começou a martelar, e por um momento ficou meio assustada. Entretanto, sabia que as marteladas nada mais eram do que os efeitos da droga chegando ao cérebro, e então parou de tossir e se sentiu numa boa. De repente se sentiu mais do que isso, se sentiu numa ótima, e se endireitou toda. Acendeu um Virginia Slim de um maço que guardava numa cigarreira de couro, apanhou a bebida e deu um gole pequeno, tentando fazer com que durasse.

Foi até a televisão, em cima da escrivaninha, e aumentou o volume. Havia uma garota branca de cabelo cor de abóbora num palco, sentada ao lado de um negão enorme. A branca era gorda e feia feito o diabo, mas, até aí, nenhuma novidade; logo em seguida apareceu uma negra de bundão empinado, e, gente, a mulher parecia putérrima. Pelo jeito, ia dar uma lição e tanto na branca por ter dormido com o cara dela. Dito e feito, não deu outra, sentou um murro na branca, bem ali, na frente das câmeras... Edna já tinha visto essa cena, ou talvez estivesse apenas imaginando coisas. Voltou até a janela e olhou para o pátio. Earl e Ray manobraram o carro, pegaram a alameda de cascalho e sumiram entre as árvores.

Edna conferiu o nível do drinque. Estava descendo que era uma beleza. Nada como uma dose de Jack e um pouco de nicotina para acompanhar o barato da metanfetamina. Claro, Ray não iria gostar nem um pouco se chegasse em casa e ela estivesse bêbada, mas não precisava se preocupar com isso por enquanto.

Tomou mais um gole do copo e então, que diacho, virou tudo de uma vez só. Talvez voltasse até o celeiro e pegasse mais unzinho, bem fraco, quase só Coca, com um trago de uísque apenas para mudar a cor, mais nada. Ray ainda iria demorar algumas horas, de qualquer forma, e, além do mais, chegaria todo antenado e ficaria ocupado pelo resto da noite. Ray gostava de contar o dinheiro que trazia para casa depois de entregar suas encomendas.

A propriedade de Ray e Earl ficava nas proximidades da Route 28, entre Dickerson e Comus, ao sul de Frederick, no limite centro-leste da comarca de Montgomery. Ainda havia florestas e pradarias por ali, mas elas não iriam durar muito mais tempo. Com os anos, os Boones tinham visto a urbanização se esparramar gradualmente para além dos limites de Washington D. C. e avançar para o norte, trazendo, em sua grande maioria, fugitivos brancos que gostavam de dizer que estavam atrás de "mais terra" e "mais casa por dólar investido". O que eles queriam mesmo, e Ray sabia disso, era distância da crioulada e do crime. Nenhum deles suportava pensar na possibilidade de ver uma filha descendo a rua de mãos dadas com um estuprador do tipo Willie Horton. Esse era o pior pesadelo dos brancos, e eles fugiam feito manada assustada da capital e acabavam dando direto lá. Ray entendia o dilema, mas, ainda assim, desejava que as construtoras sumissem do mapa e levassem suas casas novas para outras paragens.

Ray entrou na via de acesso para a 270 e seguiu na direção sul.

"Olha aqui", disse ele, estendendo a automática com a coronha virada para o pai. Earl pegou a arma, abriu o porta-luvas, apertou um botão e esperou até que o fundo falso abrisse. Assim que abriu, enfiou a Beretta no espaço que surgiu atrás do porta-luvas.

Ray tinha comprado aquele carro numa arapuca do Bronx. Era um Taurus básico com mais cavalos do que a lei permitia, mais potência do que a Ford costumava pôr naquele seu modelo metido à besta, o SHO. O pára-choque era falso, o que significava que o carro agüentaria um impacto a velocidades médias e, também, que teria capacidade para acomodar volumes relativamente grandes de heroína entre a carroceria externa e o porta-malas do veículo. Compartimentos ocultos atrás do porta-luvas, à esquerda do volante e em outros locais espalhados pelo interior do carro serviam para esconder as armas de Ray e seu estoque particular de drogas.

Ray acendeu um cigarro com o acendedor do painel e passou-o ao pai, para que também acendesse o dele.

"Sabe que a gente seria o bandido", falou Ray, "se isso daqui fosse um filme?"

"E por quê?"

"Porque você e eu, a gente fuma."

"E daí?"

"Ouvi dizer que estão querendo proibir o pessoal de fumar nos bares, lá na comarca."

"Não me diga."

"Se eles quiserem tirar meu cigarrinho da mão", disse Ray, sorrindo de orelha a orelha com a própria esperteza, "vão ter de arrancar à força e só depois de passar por cima do meu cadáver. Certo?"

Earl não respondeu. Já não era de falar muito, por princípio, e falava menos ainda com o filho. O garoto não estava presente no dia em que Deus fizera a distribuição de miolos, e quando abria a boca para falar alguma coisa, em geral era para se vangloriar da própria bravura ou da própria inteligência. Earl tinha vinte anos mais que Ray e era páreo para o filho mesmo nos seus piores dias. E Ray sabia disso. Earl imaginava que esse fosse um dos vários motivos de seu garoto ter sido sempre tão agressivo.

Earl abriu uma lata de Busch.

Ray deu mais uma tragada no cigarro. Incomodava-o o fato de o pai não fazer muito caso dele. Tinha sido ele, Ray, quem bolara o negócio que agora os dois administravam. Era ele, Ray, o responsável por todas as decisões corretas que haviam tomado. Se tivesse deixado os negócios a cargo do pai, que nunca fora capaz de permanecer um tempo razoável em emprego nenhum, eles não teriam nada, nadinha.

Bom, é verdade que para ter acesso às oportunidades da parada tivera de cumprir dez anos no presídio de Hagerstown, por homicídio culposo. Isso porque fora pago para matar um otário, um carinha que dera um trambique num traficante da comarca de Frederick. Logo depois de formado no colegial, tinha feito dois servicinhos muito bem-feitos que lhe renderam uma bela reputação entre certos tipos, que o consideravam o sujeito ideal para liquidar determinados elementos naquela parte do estado. Nunca fora intenção de Ray se transformar num matador de aluguel — não que algum dia tivesse perdido o sono por causa disso nem nada — mas, no fim, as pessoas de quem tinha dado cabo mereciam morrer. E depois da primeira, que havia implorado e demorado uma data para apagar, ficou fácil.

Nesse servicinho em particular, a idéia de Ray era cumprir o contrato no banheiro de um bar que o otário freqüentava e depois fugir pela janela. Mas, nem bem tinha estripado o gatuno com uma faca militar, foi flagrado pelo leão-de-chácara, que apareceu para dar uma mijada. O sujeito desarmou Ray e o manteve imobilizado até a polícia chegar. Claro que Ray devia ter acabado com a raça do leão-de-chácara também, já tinha repassado essa história na cabeça um monte de vezes, mas acontece que o cara era um gorila, quebrara o pulso de Ray no ato e, depois disso, fazer o quê?

Mas soube se defender e inventou que ele é que tinha sido atacado pelo mequetrefe e, para sorte sua, a polícia encontrou um vinte-e-dois no bolso do paletó do coitado do morto. De modo que se livrou da acusação de homicídio qualificado e ficou com a de homicídio culposo e com Hagerstown.

A vida na prisão até que não era das piores, se você conseguisse não tomar no rabo. O jeito de evitar isso era ser valente, muito valente, mas, mais que isso, formar alianças e entrar para as gangues. Os brancos engrenavam com o grupo Identidade Cristã e coisas do gênero. Os pretos formavam um bloco sólido, bem como os hispânicos, mas no fim brancos e hispânicos sentiam mais ódio dos pretos do que uns dos outros, de modo que, ocasionalmente, Ray trocava uma palavrinha com o bando dos cucarachos.

Entre eles Roberto Mantilla. Roberto tinha um primo na região de Orlando, chamado Nestor Rodriguez, que trabalhava para o cartel de Vargas, que por sua vez operava no vale de Cauca, no norte da Colômbia. Nestor e seu irmão Lizardo faziam a Costa Leste e abasteciam os traficantes de Washington D. C., Baltimore, Wilmington, Filadélfia e Nova York. Uma heroína mais pura a preços menores havia expandido o mercado deles e esmagado a competição estrangeira, alimentando o crescimento dos negócios. Roberto falou que os primos não estavam mais dando conta de lidar sozinhos com a logística das transações e que estariam dispostos a repassar parte das atividades para um intermediário capaz de fazer a ponte com o D. C. e satisfazer a demanda dos traficantes mais prontamente do que eles. Por esse favor, segundo Roberto, o intermediário receberia dez mil dólares por transação.

Ray disse: "Tá bem, assim que eu sair, fico a fim de tentar". Um ano mais tarde, depois de uma audiência para obter a condicional na qual conseguiu convencer a junta deliberativa de que o bom comportamento exibido durante o período de prisão não era uma aberração, Ray estava fora de Hagerstown. E dois anos depois disso, após completar o tempo da condicional e dizer adeus a seu supervisor, estava livre para ir trabalhar.

Ray imaginava que o certo teria sido agradecer a Roberto Mantilla pelo sucesso obtido. Mas isso era impossível, já que Roberto fora estuprado e assassinado a porrete por um boa-pinta armado com um cano de cobre, pouco depois de ser libertado da prisão.

"Esse carregamento que a gente tá levando é oitenta e cinco por cento puro, papai." Ray estava pensando na heroína fechada no buraco do pára-choque na traseira do carro.

"Quem te falou? O Lizardo?", perguntou Earl. A pergunta era uma provocação evidente, porque ele sabia que seu filho detestava o irmão de Nestor Rodriguez, que aliás nunca demonstrara um pingo de respeito por Ray.

"Foi o *Nestor* que me falou. Lá na Flórida, eles mexem com a heroína marrom, e a mercadoria entra na rua com noventa e cinco por cento de pureza."

"E daí? Que vantagem maria leva?"

"Pros colombianos, vira a maior moleza. A concorrência some do mapa. Estou falando daqueles asiáticos que estavam pondo produtos com sete, dez por cento de pureza no mercado. E dos mexicanos também. Os colombianos aumentaram a pureza e baixaram o preço, e agora vão ser os donos da maior fatia do mercado americano. E a vantagem desse bagulho purinho assim é criar toda uma nova classe de consumidores: estudantes de faculdade, caras certinhos, esses troços. Não é mais só coisa de crioulo não, papai. Porque você não precisa mais injetar, percebe, pra ficar de barato. Dá pra fumar, ou cheirar, se a pessoa estiver a fim."

"Que bom."

"Não se interessa pelo que estamos fazendo?"

"Pra falar a verdade, nem um pouco. O lance é receber, repassar e se mandar; é tudo pelo que eu me interesso. Não fosse pelo dinheiro, eu preferia nunca mais botar os olhos nessa cidade de novo. Por mim, que se matem todos por causa desse troço. Não estou nem aí."

"Mas isso, no fundo, o senhor não iria querer", disse Ray, sorrindo para o pai. "A gente ia ficar sem freguês, se todos morressem."

"Cria?"

"O quê?"

"Um dia desses, você e eu, nós vamos acordar e chegar à conclusão de que temos dinheiro que baste. Alguma vez já pensou nisso?"

"Estou começando a pensar", disse Ray, acelerando o Ford para entrar na faixa de ultrapassagem.

Para falar a verdade, Ray vinha pensando nisso já fazia um bom tempo. A única peça faltando era o jeito de cair fora. Era tudo o que ele e o pai precisavam: algum tipo de plano.

6

Até Earl terminar mais uma cerveja, Ray já tinha saído da alça circular e estava na New Hampshire Avenue, indo na direção sul rumo a Washington. Mais tarde, na North Capitol, já mais perto da Florida Avenue, chamou do celular e avisou os rapazes de Cherokee Coleman que ele e o pai estavam a caminho.

Virou à esquerda na Florida, quando a barra começou a pesar de fato, e seguiu ao longo de uma espécie de conjunto composto por velhos armazéns e garagens para a guarda de caminhões que, mal ou bem, em algum momento no passado, haviam constituído o coração industrial de uma cidade muito pouco industrial, mas que agora tinham sido quase todos abandonados. A região toda vinha decaindo sem parar desde os distúrbios de 1968.

Ray passou em frente à central dos negócios de Cherokee Coleman, uma das várias casas geminadas de tijolinho aparente, pequena e idêntica a todas as demais que compunham o bloco. O negócio de Coleman ficava em frente ao que o pessoal da região chamava de Lixão, um armazém caindo aos pedaços que viciados em crack, cocaína e heroína ocupavam havia mais ou menos um ano. Tinham ido parar ali para ficar mais perto do fornecedor.

Ray seguiu devagar pelo quarteirão. O exército de Coleman — vapores, aviões, cobradores, olheiros, gerentes — estava espalhado pelas calçadas e reentrâncias da rua. Ao longo do meio-fio, havia um BMW M3, um Acura Legend, um Lexus turbinado com spoilers, um Mercedes de dois lugares com as caixas de roda cromadas e diversos utilitários esportivos estacionados por todo o quarteirão.

Uma viatura policial vinha se aproximando do outro extremo da quadra. Quando a radiopatrulha cruzou com o Ford, Ray não olhou para o motorista fardado, e sim para os números pintados em algarismos bem grandes na lateral do veículo, um Crown Victoria.

"Ray", disse Earl.

"Limpeza", ele respondeu, reconhecendo o número que havia memorizado.

Pelo retrovisor, Ray viu a viatura do Departamento de Polícia Metropolitana virar à direita, na esquina seguinte, para dar a volta no quarteirão. Pisou mais fundo no acelerador e dali a instantes estava diante de uma porta, no final da quadra. Buzinou, dando dois toques longos e um curto. A porta se ergueu, e Ray entrou numa garagem onde os aguardavam diversos jovens e dois garotos ainda muito novos.

A porta se fechou atrás deles. Ray tirou a arma do esconderijo no interior do porta-luvas e empinou os quadris para a frente, para poder prender a nove milímetros no cós do jeans. Sabia que o pai enfiara o trinta-e-oito no bolso do paletó antes de sair do celeiro. Não se importava que a rapaziada na garagem visse as armas. Ele *queria* que eles vissem. Ray e Earl saltaram do carro.

Não houve cumprimento de espécie nenhuma por parte dos homens de Coleman, ninguém nem meneou a cabeça. Ray aprendera na prisão a não sorrir em determinadas situações, a não mostrar nenhum outro gesto de humanidade, porque qualquer manifestação seria tomada como fraqueza, uma abertura, um lugar para enfiar a faca. Quanto a Earl, não enxergava nada além de fisionomias negras enfezadas, uma idêntica à outra. E isso era tudo o que ele precisava sacar.

"Vai por mim, mano, que o negócio é tê tudo bacana", dizia o rap que saía com voz monótona de um pequeno aparelho de som numa prateleira, "mas pra isso, mano, precisa tê a mó grana..."

"Tá aí atrás do pára-choque." Ray falou isso para o mais velho da turma, a quem já vira por ocasião da última entrega.

"Então pega ela, chefe." O rapaz era o gerente e torceu de leve a cabeça, ao responder.

"Pega você", retrucou Ray.

Agora eles vão ficar olhando uns para a cara dos outros durante um bom tempo, pensou Earl, como se estivesse meio difícil optar entre se atracar ou se apaixonar.

E foi justamente o que todos fizeram. Ray encarou o pessoal, o pessoal encarou Ray, uns dois ou três rapazes mais velhos riram um bocadinho e, depois, mais olhadas enfezadas de todas as partes.

Por fim, o gerente falou "Vai pegar" para um dos mais novinhos, que meneou a cabeça para o que estava a seu lado. Esses dois desmontaram o pára-choque e tiraram a heroína do esconderijo.

Em seguida os rapazes de Coleman puseram rapidamente a heroína numa balança eletrônica instalada num banco e pesaram a mercadoria, enquanto Ray e Earl fumavam um cigarro. Não experimentaram nem testaram, não porque confiassem nos dois, e sim porque Coleman lhes dissera para deixar quieto. Coleman sabia que Ray e Earl jamais tentariam passar a perna nele. Sabia que se pai e filho tentassem enganá-lo, o bicho iria pegar.

"O peso tá legal", falou o gerente.

"Eu sei que tá. Liga pro Cherokee e diz pra ele que estamos indo. A gente volta pra pegar o carro."

Os Boones nem tinham saído da garagem ainda quando o grupo caiu na risada, logo depois que um dos garotos se pôs a imitar com a boca o som de um banjo. Ray não se incomodou com a gozação. Era uma sensação boa, sair dali sem nem sequer dar uma espiada por sobre o ombro, como se estivesse cagando e andando para as risadas da turma, para seja lá o que aquele bando estivesse aprontando. Sentia-se valente, sentia-se alto. Tinha sido uma boa idéia usar as botas.

Ray e Earl avançaram rápido pelo quarteirão. O vento gelado soprava folhas de jornal pela rua. Ray cruzou o olhar com um garoto que falava ao celular, sabendo que o jovem estava conversando com um dos soldados de Cherokee Coleman. Continuaram andando na direção do escritório do chefe e, quando se aproximaram, uma porta se abriu para os dois.

Entraram numa saleta onde eram aguardados por quatro rapazes. Um deles fez a revista de Ray e Earl e ficou com as armas que encontrou. Ray permitiu porque ali não havia perigo nenhum; se fosse para acontecer alguma coisa, já teria acontecido lá na garagem. Coleman não estocava drogas, não lidava com grandes quantias de dinheiro nem mandava matar ninguém perto de seu escritório. Havia chegado até ali como todo mundo, mas era esperto e já ultrapassara a fase inicial do jogo.

O que tinha feito a revista balançou a cabeça, dando luz verde, e eles foram então para o gabinete do chefe.

Cherokee Coleman estava sentado numa cadeira reclinável de couro, atrás de uma escrivaninha. Sobre o tampo havia um mata-borrão, um conjunto de lápis e caneta de ouro, um daqueles abajures com cúpula verde que costumava ter nos bancos, e um celular colocado bem certinho ao lado do abajur. Ray desconfiava que esse tipo de decoração colaborava para que Coleman se sentisse inteligente, mais ou menos como se ele fosse um negociante maduro e trabalhasse num banco ou algo do gênero. Ele e o pai costumavam brincar, dizendo que o conjunto de lápis e caneta nunca fora posto em uso.

Coleman estava de paletó preto com três botões e, por baixo, vestia uma camisa cinza-grafite de gola alta. Tinha uma pele lisa, que parecia meio avermelhada junto ao terno preto, e um rosto de traços pequenos e angulosos. Não era um homem grande, porém as mãos de veias grossas e punhos largos mostravam a Earl que Coleman era forte.

Atrás dele, encostado na esquadria de uma pequena janela gradeada, havia um sujeito alto, gordo e careca, usando óculos escuros de aro de ouro. Era o braço direito de Coleman, seu tenente, um camarada chamado Angelo Lincoln que todo mundo da área conhecia pelo nome de Angelo Fodão.

"Rapazes", falou Coleman, fazendo um gesto preguiçoso com a mão de unhas feitas para que eles se sentassem a sua frente.

Ray e Earl sentaram-se em cadeiras mais baixas que a de Coleman.

"Como vão as coisas, Ray? Earl?"

"Indo", disse Earl.

"Indo aonde?"

Os ombros de Angelo sacudiram, e da boca saiu um som chiado, uma espécie de *sh-sh-sh*.

"Parece que tudo confere direitinho", disse Coleman.

"Claro que confere", falou Ray. "O peso tá certo, e esse carregamento é de alto nível. Oitenta e cinco por cento puro."

"Ouvi dizer."

Coleman não via a menor necessidade de contar a Ray que essa coisa de porcentagem de pureza era conversa fiada. Se a droga fosse oitenta e cinco, noventa por cento pura, para valer mesmo, no duro, ia ter viciado batendo as botas pela cidade inteira porque bagulho assim puro era coisa fina, para traçar na ponta do palito de fósforo e olhe lá. A onda tinha chegado a tal ponto que até os traficantes estavam começando a acreditar nas declarações oficiais da agência antidrogas, a DEA.

"Quem te falou? Os irmãos Rodriguez?"

"Pois é. Eles me chamaram para discutir um outro negócio."

"E esse outro negócio tem alguma coisa a ver com o meu pai e comigo?"

"Pode ser que sim." Coleman virou para seu tenente. "Parece que estamos com um carregamento fera desta vez, Angelo. Que nome você acha que a gente deve dar?"

Coleman gostava de dar nome à heroína que vendia, cada leva tinha o seu. Dizia que era uma publicidade gratuita, que com ela os "clientes" sabiam que estavam comprando o melhor de Cherokee, que estavam obtendo coisa nova e muito potente. Achava que os nomes funcionavam como uma assinatura, igual aos nomes daqueles pratos invocados que os cozinheiros inventavam nos restaurantes chiques.

Ray ficou espiando enquanto Angelo, de olho no chão, a boca aberta, pensava em nomes com o sobrolho carnudo franzido em concentração. De repente, ergueu a vista, balançando a cabeça, orgulhoso de sua idéia.

"Me Mata de Novo", falou Angelo, com um sorriso amplo na cara.

"Não gostei muito, não. Parece título daqueles filmes do Chuck Norris, Angie, e você sabe muito bem o que eu acho dele."

"Desejo de Morte Dois?", tentou o grandalhão.

"Não, cara, esse a gente já usou antes."

"Então que tal Revanche Selvagem, igual àquele filme dos índios?" Angelo sabia que seu patrão gostava do gênero. Coleman se achava aparentado com os povos indígenas.

Coleman franziu os lábios. "É, Revanche Selvagem parece legal."

Earl se mexeu na cadeira. A sala estava quente e cheirava a óleos aromáticos, perfume, um troço assim. Esses crioulos e seus pinheirinhos de papel para desodorizar o carro, pendurados no espelho retrovisor, seus malditos cheiros enjoativos.

"Por falar nos irmãos Rodriguez", disse Ray.

"O Nestor", interrompeu Coleman. "Ele agora resolveu acrescentar cocaína na cesta de ofertas que eles têm lá. Tive de explicar pra ele que eu vou ser obrigado a abrir mão do lance. A turma do crack, o pessoal do pó, bom, o dinheiro deles é tão bom quanto o de qualquer um, não me entenda mal. Mas o grosso mesmo, pra valer, tá na heroína no presente momento, e é aí que eu vejo o futuro também. E a cocaína que eu vendo, essa eu compro dos Crips de Los Angeles. O que eu estou tentando dizer, no fundo, é que não quero me sujeitar a um único fornecedor. Isso dá poder demasiado pros caras em termos de estrutura de preços e em nível de perspectivas de negociação, vocês me entendem?"

Me sujeitar, em termos de estrutura de preço, em nível de perspectivas de negociação... Jesus, pensou Earl, que merda que esse preto acha que é?

"E o que o Nestor pensa disso?"

"Deu a entender que o nosso relacionamento comercial corre um certo risco, se eu não comprar toda a mercadoria dele. E eu não gosto desse tipo de conversa. Soa quase como se fosse uma ameaça, tá me entendendo?"

"Você sabe que eu sou durão", disse Ray. "E vou ficar contigo."

Ah, você é durão, é, seu desgraçado, filho de uma puta, pensou Coleman. E claro que vai ficar *comigo*. Onde mais você vai ficar, seu merda, se não for comigo? Lá no meio do pasto, quem sabe, com uma canga no pescoço e um talo de capim no meio dos dentes, seu bostinha...

"Acabamos?", Earl perguntou.

"Tá com pressa, é?", Coleman perguntou, com um sorriso na cara. "Tá com alguma dona na espera, é?"

"E daí? O problema é meu e só meu."

O sorriso de Coleman sumiu. A voz saiu suave, quase branda. "E aí, velhão, vai querer dar uma de bacana comigo, é? Tá querendo arrumar barulho, é?"

"Corta essa, Cherokee", interveio Ray. "Meu pai tava só tirando um sarro, mais nada."

Coleman nem olhou para Ray. Manteve os olhos em

Earl. E depois sorriu de novo e juntou as mãos com uma pancada seca. "Ih, rapaz, aquela mulatinha não significa mais porra nenhuma pra mim. Aquela lá eu comi quando a carne ainda tava fresca. Pode cantar a putinha quanto quiser, tá sabendo?"

"Acho que tá na hora da gente ir andando", disse Ray. Levantou e olhou para o pai, que continuava sentado na cadeira, uma das sobrancelhas erguidas, o olhar fixo em Coleman.

"Vai lá, Earl", disse Coleman. "Ela tá te esperando, rapaz. Tá com o cubículo lá dela reservadinho da silva. Acho que a garota ficou sabendo que você vinha pra cidade grande hoje."

Earl se pôs de pé.

"Quanto a você, Ray", Coleman continuou, "vai pensando no que eu disse sobre aquele troço lá dos Rodriguez. Eu tenho o maior respeito pelos manos hispânicos, mas quem sabe você não leva um papo com os dois da próxima vez que eles vierem descarregar a mercadoria e conta pra eles o jeito como eu tô me sentindo no momento, sem fazer muito rodeio."

"Tô sacando", disse Ray.

"Ótimo. O dinheiro de vocês tá lá na garagem esperando. Podem pegar as armas agora na saída."

"A gente se vê", disse Ray, indo em direção à porta.

"Ei, Ray", chamou Coleman, e quando Ray virou Coleman estava de pé, olhando por cima da escrivaninha para os pés dele. "Sabe o Lizardo Rodriguez? Ele me pediu pra ver se você estava usando aquelas suas famosas botas hoje."

"Ah, é?"

"E eu tô vendo que sim."

A expressão no rosto de Ray era de aturdimento total. "Então tá", disse ele, saindo junto com o pai e fechando a porta ao passar.

Coleman e Angelo Fodão caíram na gargalhada. Riram tanto que Coleman teve que se apoiar no tampo da mesa. Havia lágrimas escorrendo dos olhos de ambos quando trocaram o cumprimento do gueto batendo nas palmas das mãos um do outro.

"Porra", disse Coleman. "O Ray Boone e sua fibra de valente. Igualzinho àquele xerife que o Buford Pusser fazia na televisão, rapaz."

"Eu sou *durão*", imitou Angelo, fazendo Coleman se dobrar de novo de tanto rir, sapateando no assoalho.

Poucos momentos depois, Coleman falou: "Mas eu botei os miolos do cara pra funcionar um pouco. Ele vai começar a pensar naquele assunto lá dos irmãos Rodriguez".

"Se a gente perder os irmãos Rodriguez..."

"A gente descola um outro pra fornecer o bagulho pra nós, meu irmão. Tem uma guerra de preço e de pureza acontecendo bem agora. Neste exato momento, o mercado tá naquela fase que o pessoal chama de mercado do comprador, sacou?"

"Mas então a gente nunca mais vai ver a cara do Ray e do Earl. Sacanagem, perder esse circo. E de quem é que a gente vai rir, se eles sumirem?"

"A gente encontra um outro otário também pra isso." Coleman ergueu os olhos para seu tenente. "Angie?"

"O quê?"

"Abre essa janela, rapaz. Essa merda aqui tá cheirando a nicotina, cerveja e barbeador elétrico."

"Assino embaixo."

"Toda vez que os Boones entram aqui, eu me lembro de um troço: cheiro de branco simplesmente me dá *engulhos*."

Ray e Earl recuperaram as armas na saleta de entrada, acenderam um cigarro na porta da casa onde funcionava o escritório de Coleman e atravessaram a rua. Passaram por uma fenda na grade que rodeava todo o velho armazém. Havia uma daquelas fitas amarelas da polícia entrelaçada ao metal da grade, e o vento agitava um pedaço dela como se fosse o rabo de uma pipa.

Ambos avançaram com cuidado pelos dejetos, atentos às agulhas descartadas, atravessaram uma pilha de tijolos que já tinha sido uma parede divisória e se transformara em passagem e entraram então na dependência principal do armazém, um grande espaço com água empoçada pelo chão, vinda tanto dos canos que vazavam como de uma tempestade recente. As quatro paredes estavam esburacadas, algumas devido à própria deterioração do prédio, outras graças às marretadas dadas para tornar o acesso mais fácil ou a escapada mais rápida. Pombos voavam lá por dentro, e o chão de cimento estava coberto de sujeira de pássaro.

Um rato passou correndo, na direção de um outro espaço na lateral envolto pela penumbra, onde Ray enxergou um rosto preto e murcho recuando de volta para o escuro. O rosto pertencia a um viciado chamado Tonio Morris. Era um dos muitos já no fim da linha, um dos que se achavam perto da morte e fracos demais para cavar um lugarzinho no andar de cima; mais tarde, quando os sacolés fossem distribuídos a quem tivesse dinheiro vivo na mão, eles trocariam qualquer coisa que porventura possuíssem, qualquer coisa que tivessem roubado naquele dia, ou qualquer orifício do corpo por uma pedra ou um pouco de pó.

Ray e Earl passaram por um sujeito, um dos que trabalhavam para Coleman, que levava uma pistola, um bipe e um celular pendurados na cintura. O indivíduo não olhou para eles e eles não mexeram um músculo ao passar. Subiram uma escada.

No patamar de cima havia outro camarada armado, tão frio e indiferente quanto o primeiro. Janelas em arco, todas elas com os vidros quebrados, ocupavam as paredes desse andar. Eles atravessaram um hall e passaram em frente a quartos iluminados por velas onde vagas formas humanas se esparramavam sobre colchões no chão. Logo em seguida entraram numa espécie de banheiro sem paredes que, na opinião de Ray, já fora um toalete feminino e um toalete masculino separados, mas que não passava agora de um enorme espaço cheio de mictórios e cubículos sem porta borrados de merda. Ray e Earl seguiam respirando pela boca, para evitar o mau cheiro; excremento e vômito transbordavam das privadas entupidas empapando todo o chão em volta.

Dentro dos compartimentos devassados havia gente cheirando a suor e mijo, coberta por roupas imundas, folgadas no corpo. Essa gente sorria para os Boones e cumprimentava pai e filho, alguns com azedume, outros com sarcasmo e uns poucos com genuíno carinho e alívio. Ray e Earl passaram em frente a cubículos cujas paredes ostentavam cartazes de shows do Globe e fotos de revista reproduzindo Jesus, Malcolm X e Muhammad Ali, tudo emporcalhado de sangue e de fezes. Continuaram em frente e, no último cubículo, pararam os dois.

"Me dá um pouco de privacidade, Cria", falou Earl. "A gente se encontra de novo no topo da escada."

Ray meneou a cabeça e viu o pai entrar ali. Virou e voltou pelo mesmo caminho por onde tinham chegado.

"Olá, mocinha", falou Earl, pisando no cubículo e admirando a bela e judiada mulher que tinha diante de si.

"Oi, Earl." Era uma moça alta de pele manchada e cabelo preto alisado, cacheado nas pontas. Tinha olhos esverdeados e estava de cílios pintados e pálpebras sombreadas. Ao sorrir para Earl, os dentes pareciam cobertos por uma película acinzentada. Usava uma blusa branca imunda, aberta até a metade, deixando à mostra um sutiã rendado, esgarçado em vários lugares e frouxo no peito ossudo.

Havia velas votivas acesas por toda parte e a foto de uma modelo, arrancada da revista *Vanity Fair*, pregada na parede, em cima do vaso sanitário. O vaso estava cheio de papel higiênico, excrementos dissolvidos e palitos de fósforo; a água amarronzada chegava até a boca.

"Trouxe alguma coisa pra mim, Earl?" A voz era a de uma boneca com a corda no fim.

Earl deu uma boa espiada nela. Caramba se debaixo de toda aquela imundície não havia um belo pedaço de mau caminho. Nada nem de longe parecido jamais lhe dera um mínimo de atenção, nem mesmo quando ele era um rapagão na flor da idade.

"Você sabe que sim, meu docinho." Earl mostrou um papelote de heroína marrom que tinha surrupiado do carregamento. Ela avançou para o pacotinho, arrancou-o da mão dele, tomando cuidado para sorrir toda brincalhona enquanto isso.

"Obrigadão, amor." Rasgou a ponta do papel e despejou o conteúdo sobre o vidro de um peso de papel equilibrado em cima de um porta-papel higiênico todo enferrujado. Triturou com uma lâmina e esticou uma carreira bem grossa em dois tempos. Quase no mesmo instante, a cabeça baixou de leve, as pálpebras tremeram e permaneceram semicerradas.

"Cuidado pra não cheirar demais agora", falou Earl. Mas ela já estava esticando uma segunda carreira.

Satisfeita a fissura da jovem, Earl empurrou delicadamente seus ombros e ela se ajoelhou no ladrilho molhado. Depois ele abriu o próprio zíper, porque ela demorava demais para fazer isso, e enroscou os dedos nos cabelos cacheados dela, na altura da nuca.

Quando sentiu a umidade daquela boca e daquela língua, apoiou uma das mãos no aço da privada e fechou os olhos.

"Minha linda", disse. E depois: "Minha nossa!".

Ray consultou o relógio. Quinze minutos haviam se passado, e nem sinal do velho. Ele estava mais do que pronto para ir embora dali, daquele Lixão, daquela cidade e dos bandidos que moravam nela. Atirou a ponta de um Marlboro contra os blocos de cimento da parede e ficou vendo a brasa chamejar e morrer.

Sentia-se enojado só de pensar no que o pai estava fazendo lá nos fundos com aquela mulata clara. Ela tinha feições de branco, mas era escória também, igual aos outros todos, quanto a isso não restava a menor dúvida. O pai e ele, os dois discordavam em algumas questões, isso era verdade, mas em nenhuma mais do que nessa. E onde é que o velho estava com a cabeça, de todo modo? Será que não sabia como é que a moça mantinha aquele cubículo no fim do corredor? Será que não sabia que um espaço ali valia os tubos e o que era preciso fazer para mantê-lo? Ray sabia. Se você fosse homem, tinha de lutar para não perder o lugar, e se fosse mulher... A moça provavelmente abria as pernas, deitava de bunda ou engolia espada umas dez vezes ao dia em troca do direito de manter aquele muquifo. Será que o pai não pensava nisso?

No entanto Ray estava cansado de tocar no assunto. Um dia cometera o desatino de chamar a moça de neguinha ordinária, igual a qualquer uma, e o pai tinha ficado uma fera, dito que era para ele chamá-la pelo nome. Caralho, ele mal conseguia se lembrar do nome dela. Sandy Williams, um troço assim.

Ray Boone abriu o maço de cigarros e tirou mais um. Sondra *Wilson*. Esse era o nome dela.

7

Terry Quinn estava sentado atrás de um mostruário bem ao lado da caixa registradora, lendo um livro, quando escutou bater a porta de um carro. Espiou a rua pela vidraça da frente. Viu um negro de meia-idade trancar um Chevrolet branco. E depois atravessar a pé a Bonifant na direção da loja.

O carro parecia igualzinho a uma viatura policial, e o negro de barba e cabelos grisalhos era igualzinho a um policial à paisana. Usava uma camisa preta de gola rulê debaixo de um blusão preto de couro, jeans de corte largo e botas impermeáveis de trabalho. Não eram as roupas que berravam "polícia", e sim a maneira de ele andar: cabeça erguida, ombros retos, em estado de alerta, prestando atenção no movimento da rua. O sujeito havia ligado, dito que estava trabalhando na condição de investigador privado para a mãe de Chris Wilson e perguntado se ele não se importaria de lhe ceder uma hora, nem isso, para um papo rápido. Quinn gostara da forma direta como ele fizera a pergunta e apreciara a vivência que havia naquela voz. Tinha respondido que sim, claro, por que não dava um pulo até a loja.

A sineta soou por cima da porta no momento em que ele entrou. Um metro e oitenta e dois, oitenta e cinco quilos, calculou Quinn. Talvez oitenta e oito. Toda aquela roupa preta que usava, aquilo podia fácil, fácil esconder uns três quilos de peso. Se esse fosse o sujeito que havia ligado, chamava-se Derek Strange.

"Derek Strange."

Quinn levantou da cadeira e apertou a mão estendida do recém-chegado.

"Terry Quinn."

Strange era um tantinho mais alto que o rapaz branco que tinha cabelos castanhos batendo quase na altura dos ombros. Um metro e setenta e quatro, setenta e cinco, setenta e cinco quilos. Físico médio, olhos verdes, salpicado de sardas no nariz.

"Obrigado por ter concordado em me receber." Strange tirou a carteira do bolso, abriu-a e mostrou a licença.

"Sem problemas."

Quinn nem olhou para a carteirinha, em sinal de confiança. Além do mais, queria que Strange soubesse que estava calmo e que não tinha nada a esconder. Strange devolveu a carteira para o bolso direito traseiro do jeans.

"Como é que você me descobriu aqui?"

"Seu endereço residencial está na lista telefônica. Localizei seu senhorio e descobri o endereço do seu trabalho na sua ficha cadastral."

"E o dono do imóvel pode divulgar meus dados assim, sem mais nem menos?"

"A nota de vinte dólares que entrou no meio da conversa *supostamente* não teve nada a ver com o assunto."

"Sabe de uma coisa? Se você tivesse uma cópia do processo, lá consta a transcrição completa do meu depoimento, teria economizado um bocado de tempo. E quem sabe algumas notas de vinte."

"Vou tirar uma pra mim. Inclusive já li tudo que saiu publicado a respeito, na imprensa. Mas não custa nada repassar os detalhes do ocorrido."

"Você disse que estava trabalhando para a mãe de Chris Wilson."

"Exato. Leona Wilson contratou meus serviços."

"Quer dizer então que acha que vai descobrir algo que a junta revisória deixou passar?"

"Não se trata aqui de querer botar na sua ficha algum

fato que já tenha sido esclarecido. Relendo todo o material, me convenci de que foi apenas mais um daqueles acidentes inevitáveis que têm de acontecer uma hora. Pegue dois sujeitos portando arma de fogo, acrescente um pouco de álcool de um lado, emoção, circunstâncias e preconceito do outro..."

"Preconceito?" Você está querendo dizer racismo, pensou Quinn. Então, por que não fala o que está pensando?

"É, você sabe o que estou querendo dizer. Preconceito. Misture esses ingredientes todos e você tem uma receita certa pra desastre. E o desastre acontece, uma vez ou outra."

Quinn meneou a cabeça devagar, os olhos se estreitando de leve ao examinar a visita.

Strange pigarreou. "De modo que é tudo mais uma questão de eximir Wilson de culpa do que outra coisa qualquer. De limpar a sombra que acabou encobrindo o nome dele, depois de tudo o que saiu na imprensa escrita e falada."

"Eu não tive nada que ver com aquilo. Nunca falei com os jornalistas."

"Eu sei disso."

"Até a mãe dele deveria ser capaz de perceber isso."

Quinn falava baixinho, de um jeito vagaroso, com voz grave, esticando as vogais todas até o fim. Quem não fosse da capital fatalmente imaginaria que ele nascera em algum lugar ao sul da Virgínia; washingtonianos como Strange sabiam que o sotaque era Washington D. C. legítimo.

"Você falou com a mãe dele?", Strange perguntou.

"Eu tentei."

"Ela é teimosa. Provavelmente não facilitou muito as coisas."

"Não. Mas eu entendo."

"Claro que sim."

"Porque eu sou o sujeito que matou o filho dela."

"Isso é verdade. E ela está tendo uma certa dificuldade em avançar além desse ponto."

"Os pormenores não interessam a ela. Todas aquelas teorias que saíram publicadas, sobre se eu estava cumprindo meu dever ou não, se por acaso tomei a decisão errada num momento que não admitia vacilo, se teria sido falta de treinamento, ou falha da Glock... nada disso interessa a ela, e eu entendo. Ela olha pra mim e a única coisa que enxerga é o sujeito que matou o filho dela."

"Quem sabe a gente consiga clarear um pouco as coisas. Certo?"

"É o que eu mais desejo na vida."

Quinn largou a brochura que estava lendo sobre o tampo de vidro do mostruário. Strange espiou a capa. Debaixo do livro, no armário trancado a chave, expostos sobre uma faixa de veludo vermelho, viu diversas outras brochuras: um Harlan Ellison com um desenho juvenil-delinqüente na capa, um Chester Himes, uma adaptação romanceada feita por Jim Thompson da série televisiva *Ironside* e algo intitulado "O gatuno" de um cara chamado David Goodis.

Strange falou: "O dono desta loja é ligado em livros de crime?".

"*A dona* é ligada em vender primeiras edições. Brochuras originais. Não é meu lance. Não gosto dessa parte voltada pros colecionadores, nem desse tipo de livro. Meu negócio é faroeste."

"Deu pra perceber." Strange meneou a cabeça na direção do livro que Quinn estava lendo. "Esse aí presta?"

"*Valdez, o mestiço*. Eu diria que é um dos melhores."

"Lembro de ter visto o filme. Me decepcionou um pouco. Mas era com o Burt Lancaster, de modo que assisti de cabo a rabo. Esse sim era um homem de verdade. Os papéis que ele fez em filmes de faroeste não tiveram muito destaque, mas alguns foram muito bons. *Vera Cruz, Os profissionais...*"

"*A vingança de Ulzana*."

"Cara, você lembra desse, é? O Burt faz o papel de um batedor que acompanha um oficial da cavalaria totalmente inexperiente. Quem faz o papel do novato é o garoto daquele filme dos ratos, *Calafrio*, se não me falha a memória... é, *A vingança de Ulzana*, esse foi muito bom."

"Você gosta de faroeste, então."

"Não dos livros, se é isso que está perguntando. Mas gosto dos filmes, gosto muito. E das músicas. A trilha sonora que eles põem nos filmes de faroeste é muito legal." Strange mudou o peso do corpo. Por alguns momentos, tinha esquecido o que o levara até ali. "Mas de todo modo..."

"É, de todo modo... Onde prefere conversar?"

Strange olhou por cima do ombro de Quinn. Havia três corredores estreitos formados por estantes de madeira que iam do chão ao teto e que se estendiam até os fundos da loja. No corredor mais à direita, um homem magro, de camisa branca e grossa, trepado numa banqueta, guardava livros numa prateleira alta.

"Ele trabalha aqui?"

"Aquele é o Lewis", falou Quinn.

"Lewis, sei. É que eu estava pensando, se você tiver um tempinho, quem sabe o Lewis pode ficar tomando conta da loja enquanto damos um pulo até o lugar onde aconteceu tudo. Me ajudaria muito ver o local com você presente."

Quinn pesou os prós e os contras. Virou e disse: "Ei, Lewis!".

Lewis desceu do banquinho e caminhou até a parte da frente da loja, empurrando de volta para o lugar os óculos de armação preta. Os olhos surgiram imensamente aumentados por trás das lentes grossas, e o cabelo, preto e oleoso, tinha nós em vários lugares. Havia manchas amareladas debaixo dos braços da camisa branca. Strange sentiu o cheiro antes mesmo de ele chegar perto.

"Lewis. Diga um oi para o *detetive* Strange."

Strange ignorou o tom sarcástico de Quinn e falou: "Como vai, Lewis?".

"Detetive." Lewis não olhou para Strange. Ao menos Strange não achou que ele tivesse olhado; os olhos dele eram do tamanho de bolas de bocha, não tinham foco e ficavam girando pela loja inteira. Lewis mexeu um pouco as mãos e empurrou os óculos de volta ao nariz. Strange ficou nervoso só com a proximidade do indivíduo, que além de tudo fedia que era um horror.

"Lewis, se você não se importa, eu e o detetive Strange aqui, nós vamos dar uma saidinha. Se a Syreeta ligar, diga pra ela que eu tive de me ausentar um pouco. Tudo bem pra você?"

"Claro."

"Foi um prazer, Lewis."

"O prazer foi meu, detetive."

Quinn apanhou o blusão de couro de um gancho atrás do balcão. Ele e Strange saíram da loja.

Atravessando a rua, Strange perguntou: "Ele é cego?".

"Para efeitos legais, é. Sei que ele não pode dirigir automóvel. Diz que arruinou a vista lendo debaixo das cobertas com a ajuda de uma lanterna, quando era menino. O pai dele achava que Lewis não era lá muito homem, ou algo parecido, porque gostava de ler."

"Imagine pensar uma coisa dessas."

"O Lewis é boa-praça."

"Se é amigo dele, então *devia* lhe contar que hoje em dia já existem uns novos produtos no mercado chamados sabonete e xampu. E tem também um troço revolucionário chamado desodorante."

"Já falei pra ele. E a Syreeta também. Mas ele é um bom funcionário. A dona não gosta de trabalhar muitas horas, e eu também não. O Lewis é aquele tipo de empregado que chega todos os dias no horário em que a loja abre e que nunca pede pra sair mais cedo. Difícil encontrar um outro assim, hoje em dia."

"E ele fica encarregado dos romances românticos ou coisa parecida? Porque, pra mim, ele parece um grande entendido no assunto."

Quinn deu uma olhada para Strange. "Você ficaria surpreso."

"Verdade?"

"Não vou dizer que ele seja um grande conquistador nem nada disso. Ele é daqueles caras de uma mulher só. Pra falar a verdade, faz uns vinte anos que o Lewis se mantém fiel a uma garota chamada Munhequita."

"Dizem que isso também deixa o cara cego."

"Eu não sou cego."

"Nem eu. Mas você e eu, é muito provável que a gente pratique esse tipo de fidelidade com moderação. Aposto como esse Lewis esgota a pobre Munhequita."

Chegaram ao Caprice estacionado na calçada em frente e entraram. Strange girou a chave na ignição e o motor pegou. Olhou pelo pára-brisa para a loja de armas do outro lado da rua.

"Legal terem aberto o estabelecimento deles a um quilômetro da divisa do D. C. Fica bem no jeito pra garotada de Washington, ninguém precisa ir muito longe pra comprar um ferro."

"Eles não compram aí não. Tem restrição demais, e quem vai querer uma arma registrada, além do mais? Eles meio que só vêm até aqui pra fazer um teste de manejo com os modelos em exposição na loja."

"Tão ruim quanto, se quer minha opinião pessoal."

"Você está pensando como um policial."

"É mesmo?"

"E está dirigindo uma viatura policial. Esse aqui é o quê? Ano Noventa?"

"Oitenta e nove. Trezentos e cinqüenta cavalos, bloco do motor quadrado e suspensão incrementada. Barras mais grossas e alternador mais resistente. Não tão rápido quanto aqueles LTIS, sabe quais? Os modelos noventa e seis, com motor Corvette. Mas anda."

"E você não queima as suas pistas, não, dirigindo um carro destes?"

"Às vezes. Quando fico na cola cerrada de alguém, pego um alugado."

"Eu pensei que você era da polícia, quando parou na

frente da loja. E não foi só por causa do carro, não. Foi mais pelo jeitão todo de se mexer."

"Pois é, ontem mesmo também me confundiram com policial, uma velhinha que mora lá pros lados do parque Langdon. Quem foi da polícia um dia não deixa nunca de parecer da polícia, eu acho."

"Não vai me dizer que..."

"Pois é", disse Strange. "Eu era policial e de repente deixei de ser. Igualzinho a você."

"Há quanto tempo foi isso?"

"Deve estar fazendo uns trinta anos que eu larguei a farda. Foi em sessenta e oito."

Strange pôs o Chevrolet em marcha.

Seguiram na direção sul, pela Georgia Avenue, ao som da música saindo do gravador no painel. Logo depois da Kansas Avenue, Strange apontou para seu escritório, afastado da rua principal, no meio de uma ruela curta.

"Aquele ali sou eu, bem ali. É onde fica meu escritório."

"Gostei do logotipo."

"É, eu também gosto."

"Você vende lupas, também?"

"Investigações, amigo. O garotinho vê aquele símbolo, sabe na hora o que significa. Caramba, até aquele seu amigo, o Lewis, se ele conseguir enxergar a minha placa, franzindo bem a vista, *até ele* vai saber..."

"Te peguei." Quinn olhou para um bar do outro lado da rua, chamado Foxy Playground. "E aquilo ali o que é, seu quartel-general?"

Strange não respondeu. Aumentou o volume do som e cantou bem baixinho. "A gente sabe que é errado, mas já está muito ligado, pra dizer adeus agora..."

"Essa eu conheço. É do cara que transa com uma mulher casada, certo?"

"É um pouquinho mais sutil que isso. Billy Paul justificou toda uma carreira musical com esse *single*. Ainda bem que eu já tinha gravado tudo, quando perdi a minha coleção de elepês. Tive de jogar tudo fora, depois que estouraram uns canos em casa, já faz alguns anos."

"Mas eu aposto como você compra isso em CD, agora."

"Eu tenho um aparelho de CD. Mas o que eu gosto mesmo é do vinil. Eu estava ouvindo uma fita dos Blackbyrds, ontem, *Flying Start*, conhece? E lembrando do texto que vinha na capa do disco. Como eu gostaria de ter aquele disco, hoje." Strange sorriu de leve, ouvindo a música. "Isso é lindo, você não acha, não?"

"Se você estava lá na época, imagino que sim."

"Você não gosta de música?"

"Só quando ela fala ao meu mundo. E você? Por acaso escuta alguma coisa que o pessoal faz agora?"

"Na verdade não. Não tem nada que valha a pena escutar, de fato, depois que você ultrapassa setenta e seis, setenta e sete. A gota d'água, pra mim, foram essas besteiras de ritmo lento que andaram saindo."

"Em setenta e sete eu tinha oito anos de idade."

"O que explica o fato de você não apreciar a música que está tocando agora." Strange deu uma olhada para o lado. "Você nasceu aqui em Washington, não nasceu?"

"Em Silver Spring."

"Percebi na sua voz."

"Me formei no Colégio Blair. E você?"

"No Roosevelt. Cresci por esta região bem aqui. E continuo morando aqui."

No caminho até a zona sul da cidade, Quinn foi espiando o aglomerado confuso formado por salões de barbeiro, tinturarias, revendedores de cerveja e destilados, bibocas vendendo miudezas a um e noventa e nove, frango frito para viagem, comida chinesa.

"Meus avós viviam por aqui. A gente vinha visitar eles todos os domingos, depois da missa. Entre a Thirteenth e a Crittenden."

"Fica a um quarteirão de onde eu moro."

"Eu gostava de brincar no beco atrás da casa deles. Sempre me parecia, não sei bem, meio *escuro* por ali."

Por causa de toda aquela *gente* escura, pensou Strange. E disse: "Isso era porque você não estava no seu território".

"É. Me deixava meio com medo. Com medo e ouriçado, ao mesmo tempo, sabe como é?"

"Claro."

'Um dia, uns garotos se aproximaram de mim, enquanto eu brincava sozinho."

"Garotos negros, certo?"

"É. Por que você perguntou isso?"

"Só estou tentando formar uma imagem na cabeça."

"Eles foram chegando perto, e o menorzinho da turma me desafiou pra uma briga. Era mais baixo que eu e mais leve também."

"São sempre os mais baixinhos que provocam briga, quando estão em grupo. O bestinha precisa provar mais que os outros que é bom. E você brigou com ele?"

"Briguei. Eu tinha caído fora de uma briga na escola, um pouco antes, e ainda não havia me perdoado por ter fugido. Eu estava no primário. Pra falar a verdade, ainda não suporto pensar nesse assunto. Gozado, né?"

"No fundo não. E esse garoto lá no beco, você deu nele?"

"Eu perdi a briga. Consegui dar um murro ou dois, e o meu adversário até se espantou. Mas ele sabia brigar, e eu não. Ele me derrubou. Voltei pra dentro de casa, tremendo mas orgulhoso, porque não tinha fugido da raia. Tornei a ver aquele garoto, uns dois anos depois, no dia do velório do meu avô. Ele estava passando em frente e parou pra falar comigo. Perguntou se eu queria jogar um pouco de futebol, no pátio da escola."

"E você ficou sabendo..."

"O que exatamente infunde respeito. Não fugir de uma briga, por exemplo. Levar uma surra se for preciso, porque uma surra nunca deixa aquela sensação ruim de vergonha que dá quando a gente foge do confronto."

"Essa é a sua mocidade falando. Um dia você ainda vai aprender que não tem o menor problema cair fora."

8

Depois da Universidade Howard, na esquina da Florida Avenue, a Georgia vira 7th Street. Eles seguiram reto pela 7th e, instantes depois, estavam em Chinatown; passaram por várias boates, bares e pelo MCI Center, a grande arena de espetáculos inaugurada para servir a região central de Washington. Mais adiante, vieram mais boates e restaurantes, depois a pequena região de galerias de arte e, seguindo as indicações de Quinn, Strange dobrou à esquerda na D, dois quarteirões ao norte da Pennsylvania Avenue. Estacionou o Chevrolet numa zona proibida, junto ao meio-fio pintado de amarelo, e desligou o motor. Depois estendeu a mão para o porta-luvas, retirou de lá de dentro o gravador acionado por voz e colocou-o no banco, no meio dos dois.

"Então cá estamos nós. Você estava bem aqui, certo?"

"Só que nós paramos no meio da rua. Chegamos por este mesmo caminho, vindo da Seventh. Meu parceiro é que dirigia a viatura."

"Um policial chamado Eugene Franklin, certo?"

"Gene Franklin, correto."

"O que levou vocês a parar?"

"Nós estávamos trabalhando. Tínhamos acabado de fazer uma autuação de trânsito, um cara num Maxima havia ultrapassado um farol vermelho na Mount Vernon Square. Mais ou menos na altura da Seventh com a N, se quer a localização exata."

"Quer dizer então que vocês estavam seguindo na direção sul, pela Seventh, depois dessa ocorrência, e o Franklin virou à esquerda na D. Ele viu algo ou foi só um palpite, coisa assim?"

"Não, nós não tínhamos visto nada, até entrarmos na rua. Este trecho aqui da D não tem iluminação pública à noite, e quase nada acontece por aqui. Tráfico de pedestre zero. O sol se põe, e as ratazanas passeiam na rua como se fossem as donas do pedaço."

"E naquela noite? Vocês entraram na D e o que foi que viram?"

Quinn franziu os olhos. "Demos de cara com uma agressão. Um jipe vermelho, um Wrangler, parado atrás de um Toyota. Ao lado do Toyota, no meio da rua, um cara com o joelho no peito de um outro cara, imobilizando o segundo no asfalto. Na mão do agressor, uma arma. Uma automática, com a boca do cano comprimindo o rosto do cara preso no chão."

"Descreva o agressor."

"Negro, vinte e seis, vinte e sete anos, porte médio, roupas civis."

"E o cara imobilizado no chão?"

"Branco..." Quinn deu uma olhada para Strange, depois desviou a vista. "... cerca de trinta anos, roupas civis, porte franzino."

"Quer dizer então que você e seu parceiro pararam no local dessa *agressão*. E o que houve em seguida?"

Quinn soltou o ar devagar. "O Gene disse 'Olha lá!'. Mas eu já tinha visto e estava com o microfone na mão. Enquanto eu chamava a central, pedindo reforços, meu parceiro pôs o giroflex pra funcionar, ligou a sirene e tocou uma vez. O agressor ergueu a cabeça quando ouviu o uivo da sirene, e o Gene parou a viatura no meio da rua. Entretanto a nossa presença não mudou a atitude do agressor."

"Tem algum talento especial para ler a mente dos outros?"

"Vou reformular a frase. O agressor manteve a arma grudada na cabeça do cara imobilizado no chão. Ele viu que éramos da polícia, mas continuou com a mesma atitude. Da minha perspectiva, as intenções dele não tinham mudado com a chegada da polícia."

"Sendo que as intenções dele, as intenções do agressor negro, quero dizer, eram causar algum dano ao cara branco que ele havia imobilizado."

"Eu vi um homem apontando uma arma para outro homem no meio da rua."

"Tá certo, Quinn. Continue. Onde vocês estavam? Você e o seu parceiro?"

"Eu diria que uns vinte e cinco metros atrás deles."

"Certo."

Quinn esfregou o polegar sobre o lábio inferior. "Eu saltei do carro imediatamente e escutei a porta de Gene se abrindo também, na hora em que saquei a arma. De modo que eu sabia que ele estava atrás da porta, do lado do motorista, e também que ele já estava com a arma na mão."

"E o que você fez em seguida?"

"Apontei pro agressor. Gritei pra ele largar a arma dele e deitar de cara virada pro chão. Ele gritou alguma coisa de volta. Não dava pra ouvir o que ele dizia porque o Eugene também tinha começado a gritar as mesmas coisas que eu: pra ele largar a arma etc. As luzes... as luzes do giroflex estavam colorindo tudo de vermelho e azul, eu escutava o chiado do rádio da viatura saindo pelas portas abertas atrás de nós."

"De fato, parece que houve uma certa confusão na hora."

"Houve. O Gene e eu estávamos ambos aos berros, e tinha mais as luzes, o rádio e o agressor, que gritava conosco também, sem tirar a arma da cabeça do outro."

"O que é que o Wilson — o que é que o *agressor* berrava?"

"O nome dele. O nome e um número. Eu não atinei... não atinei, até ser tarde demais, que o número que ele berrava era o número do distintivo dele. Mas em momento algum ele afastou a arma da cabeça do outro cara. Não até olhar pra nós, quero dizer."

Strange fitava a rua pelo vidro do pára-brisa, tentando imaginar a cena que o rapaz a seu lado descrevia.

"O que houve quando ele olhou pra você, Quinn?"

"Foi por um instante, apenas, nem isso. Ele me olhou, depois olhou pro Gene, e passou um treco ruim pela cabeça dele. Nunca vou esquecer disso. Ele estava bravo conosco, comigo e com o Gene. Estava mais do que bravo; a fisionomia dele se transformou, parecia o rosto de um matador. Ele virou a arma na nossa direção e então..."

"Ele apontou a arma pra vocês?"

"Não diretamente", disse Quinn, suavizando o tom de voz. "Ele estava balançando a arma pra lá e pra cá, como eu disse. Eu vi a boca do cano passando por mim, o cara tava com aquela expressão no rosto... Na minha cabeça, não havia a menor dúvida... Eu sabia... Eu *sabia* que ele ia puxar o gatilho. O Eugene gritou meu nome, e eu disparei."

"Quantas vezes?"

"Dei três tiros."

"Parado onde estava?"

"Eles dizem que eu avancei, enquanto atirava. Disso eu não me lembro."

"Segundo os artigos publicados na imprensa, o orifício de entrada das balas e o padrão dos cartuchos vazios, para a arma que você estava usando, confirmam o seu depoimento. Porém os três cartuchos não foram encontrados num mesmo grupo. Pelo que consta, você avançou alguns passos e disparou pela terceira vez contra ele quando ele já estava caído. O terceiro cartucho foi encontrado a coisa de três metros da vítima."

"Eu não me lembro de ter andado na direção dele", repetiu Quinn. "Sei o que eles disseram e onde os cartuchos foram encontrados, mas não me lembro mesmo. E não acredito que tenha atirado nele depois de ele já estar caído. Talvez ele estivesse *caindo* e continuasse apontando a arma..."

"Não ficou preocupado com a possibilidade de atingir o outro cara?"

"Àquela altura, eu estava preocupado sobretudo com a minha segurança e a do meu parceiro. Aliás, eu já admiti isso." Quinn deu uma olhada enfezada para Strange. "Algo mais?"

"Tá bem, Quinn. Respire fundo e se acalme."

O bipe de Strange tocou. Ele tirou o aparelho da cintura e conferiu o recado. Pediu licença, passou o braço na frente de Quinn, destrancou o porta-luvas de novo e tirou de lá de dentro o celular. Apertou os números e falou no bocal.

"O que houve, Ron?... Sei, sei." O sobrolho de Strange se franziu. E quer dizer que vai me pedir pra fazer esse favorzinho pra você porque está na K, apanhando um terno?... É, eu sei que você não pode simplesmente ir lá e pegar, tem que experimentar, coisa e tal... Sei, sei... Não, não, não é porque eu compro roupa pronta que não entendo você... Eu entendo, sim, e como... Pode acreditar, não é trabalho nenhum. Não tem o menor problema, Ron. Você tá achando que sim? Imagina. Me dá os dados, cara."

Strange anotou as informações num bloco afixado no painel, usando uma caneta presa por um cordão. Desligou o telefone sem dizer mais nada, enfiou o celular no porta-luvas de novo e fechou com um pouco de força demais.

"Apareceu um imprevisto. Um sujeito enquadrado por furto qualificado que violou a condicional. A gente tem um informante que freqüenta o mesmo bar que ele. E o cara acabou de entrar."

"Quem era, no telefone?"

"Meu assistente, um rapaz chamado Ron Lattimer."

"Você também vai atrás de fugitivos da justiça, é?"

"Quem lida com esse lado do negócio é o Ron. Eu não gosto de caçar gente. Mas acontece que o nosso amigo está ocupado no momento, percebe? De forma que a parada veio pra cima de mim. Não deve ser nada muito sério. Vi a ficha dele, o cara é café-com-leite. Vai ficar meio fora de mão, mas se quiser eu levo você de volta."

"Não, eu vou junto. Depois que tiver terminado, eu aceito a carona."

"Como preferir."

"Só mais uma coisinha." Quinn pôs a mão no braço de Strange. "Não pense que eu não percebi onde você estava querendo chegar com todas aquelas perguntas. Com aquela sua história de agressor negro pra cá, sujeito branco pra lá, negro isso, branco aquilo e bostas do gênero. O que aconteceu aquela noite, você pode tentar reconstruir da forma como preferir, se isso te deixa mais satisfeito. Mas o fato é que não teve nada a ver com raça."

"Não me diga uma coisa dessas. Não me diga uma coisa dessas, porque eu sou *negro*, tenho vinte e cinco anos mais que você e eu sei. Estou apenas tentando descobrir a verdade, e se por acaso isso fere seus sentimentos ou, no processo, atinge algum nervo mais sensível, que seja. Eu não fui te procurar hoje porque estava precisando de um amigo, Quinn. Eu já tenho um bocado de amigos e não careço de mais um. Estou só fazendo o meu trabalho."

Strange ligou o Caprice, engatou a marcha e fez uma conversão em U no meio da D.

"E só mais uma coisinha", disse Quinn. "Vê se larga mão dessa besteira de Quinn, daqui pra frente. Me chame pelo meu nome. E meu nome é Terry, confere?"

Strange virou à direita na Seventh e pisou fundo no acelerador do Chevrolet. Estendeu o braço para pegar os óculos escuros atrás do pára-sol e soltou uma risada baixinho.

"Qual é a graça?"

"Você é meio enfezadinho."

Quinn olhou para fora da janela, e o maxilar relaxou. "Já me disseram isso antes."

"Aquela história da briga no beco. Que deixou você tremendo — com medo e ouriçado ao mesmo tempo. No fundo você sempre curtiu uma briga, é ou não é?"

87

"Acho que sim."

"Portanto não é à toa que tenha acabado seguindo a profissão que seguiu. Um cara assim, aposto que você sempre quis ser da polícia."

"Acertou. E pra seu governo fui um bom policial."

9

O bar ficava no fim de uma rua de muitos bares, nas cercanias da M Street, zona sudeste, e era rodeado por estacionamentos murados funcionando em terrenos baldios, oficinas mecânicas, lojas de autopeças e canteiros de grama seca. Strange parou o carro e indicou com um gesto de cabeça o estabelecimento de esquina, uma construção de tijolinho, em dois andares, sem janela nenhuma na frente. A placa em cima da porta dizia "Toot Sweet: Garotas ao Vivo".

"A placa diz que tem garota viva aí dentro", brincou Quinn.

"É pros caras que gostam das mortas não ficarem muito desapontados assim que entrarem. Pelo endereço que o Ron me deu, eu já devia ter sacado que apito tocava o boteco."

"Se não me falha a memória, por aqui também tem muita sauna."

"A zona aqui tem de tudo pra todos os gostos. Neste bar, o pessoal vem pra ver mulher. Me espere aqui fora, se preferir."

"Mas eu gosto de ver mulher."

"Como achar melhor." Strange prendeu de novo os óculos escuros no pára-sol. "Mas não interfira no meu serviço. E mantenha distância enquanto eu estiver trabalhando."

Strange pegou alguns documentos no porta-malas. Quando se virou, Quinn reparou no canivete Leatherman, na faca Buck e no bipe, todos pendurados de alguma forma na região da cintura.

"Você não tem um cuecão roxo pra combinar com esse seu cinto de utilidades, não?"

"Muito engraçado."

Na porta da boate, Strange pagou a taxa de entrada e pediu um recibo. O porteiro, um sujeito negro que aos olhos de Quinn parecia ter sangue havaiano ou samoano, falou: "A gente aqui não tem recibo não".

"Então veja se me faz um favorzinho e crie um só pra mim."

"Criar como?"

"Isso é com você. Use a imaginação. Nós estaremos no balcão do bar. Quando ficar pronto, entregue lá pra gente."

E foram abrindo caminho entre os freqüentadores. De início, Quinn achou que estava num estabelecimento só de negros, mas numa inspeção mais detalhada viu clientes afro-americanos misturados com outros de pele igualmente escura, árabes ou paquistaneses, gente com pinta de motorista de táxi. Seu parceiro Gene costumava chamar todos eles de punjabis e, às vezes, de "puntaxis", quando os dois estavam na ronda.

As dançarinas, negras e mestiças, rebolavam nos diversos palcos da boate, afagando tubos de aço — acessório cênico imprescindível ao ato — que iam do teto ao chão. Não eram lindas, as moças, mas estavam nuas da cintura para cima e isso bastava. Os homens se aglomeravam em volta dos palcos, de cerveja e dinheiro em punho; havia os que bebiam sentados à mesa, conversando e dando gorjetas para garçonetes que logo mais subiriam ao tablado para dançar; e havia outros de cabeça baixa, dormindo no maior porre.

Strange e Quinn se aproximaram de um balcão malcuidado, úmido, pontilhado de bolachas molhadas e cinzeiros imundos. Do cinzeiro bem na frente deles subia a fumacinha de uma brasa viva, e Strange teve de esmagar de novo a ponta de uma bituca para acabar com o fedor.

O bar não tinha ventilação e cheirava a nicotina e cerveja choca.

"Que imundície", falou Strange, pegando um guardanapo de uma pilha para limpar as mãos. "E o pior é que esta baiúca deve ter até cozinha, mas só um louco se arriscaria a comer a comida daqui." Depois deu uma olhada por cima do ombro. Estava em busca de um rosto determinado, Quinn percebeu na hora.

Alguns negros ao longo do balcão olharam bem na cara de ambos e não se deram ao trabalho de desviar a vista quando Quinn os encarou de volta. Ele sabia que não era comum, que chegava a ser até meio suspeito, ver um negro e um branco juntos num lugar como aquele. Para os freqüentadores do bar, das duas uma, ou eram da polícia ou eram amigos, quem sabe um par de bichas, do tipo de amigo que "joga no outro time". O fato é que de qualquer ângulo que aqueles sujeitos olhassem, não era nem natural nem certo estarem juntos.

O barman chegou perto, e Strange perguntou a Quinn: "Quer uma cerveja?".

"Meio cedo pra mim."

"Me vê uma *ginger ale*", pediu Strange. O barman estava com um palito de dente úmido atrás da orelha. "Na garrafa."

"Eu quero uma Coca. Na garrafa também."

Quinn virou de frente para a boate, com as costas apoiadas no balcão. Achou uma dançarina para quem valia a pena olhar. Estudou os seios da moça, a cor deles, o formato, se perguntando se os de Juana seriam iguais. Já tinha saído com mulheres negras, mas nunca fora até o fim com nenhuma. Iria ver Juana à noite, na casa dela. O show lhe daria um tempo para esfriar; porque, se por acaso os dois se cruzassem naquele instante... que Deus se compadecesse dela.

"Seu refrigerante chegou", disse Strange. "E cuidado, porque assim você vai arruinar a vista. Se continuar olhando desse jeito, vai acabar igualzinho àquele rapaz lá da loja, o Lewis, tendo que usar óculos de fundo de garrafa como ele. E aí como é que fica, que garota vai olhar pra você uma segunda vez, hein?"

Quinn virou de frente para o balcão. Tomou um gole grande do refrigerante. O sistema de som tocava uma música do Prince, dos anos oitenta, e Quinn tamborilou os dedos no copo.

"Lembra dessa?", perguntou a Strange.

"Claro. Tinha aquela escocesa esquisitinha no videoclipe. Aquela garota era deliciosa."

"Você gosta do Prince? É gozado, isso, considerando que ele não é do seu tempo, coisa e tal."

"Ele é legal. Mas tem um lado meio viadinho demais nele, se quer a minha opinião sincera."

"Detesto ter que lhe dar a notícia, mas fique sabendo que o cara nem sabe o que fazer com o tanto que chove na horta dele."

"Pode ser que sim, mas eu escuto a música que ele faz e começo a ver o jeito como o camarada lambe os dedos pra alisar a sobrancelha, a forma como se move, e aquela maquiagem toda que ele usa... Acho que não consigo superar isso."

"Racismo não presta, mas esse tipo de ismo pode, correto?"

"Estou só sendo honesto com você. Se algum dia ficar me conhecendo melhor, vai sacar; eu digo na lata o que tenho pra dizer, doa a quem doer. Tudo que eu falei é que a sua geração consegue lidar muito melhor do que a minha com esse lance de homossexualidade."

"Pois eu acho que são os negros que não conseguem lidar com esse lance de homossexualidade. Pelo menos essa é a minha opinião. E se você fosse de fato honesto, admitiria isso."

"Quer dizer então que agora você vai me dizer, *em termos gerais*, com o que nós conseguimos ou não conseguimos lidar." Strange olhou por cima do ombro de novo, deu

92

uma segunda olhada e falou: "Lá está meu garoto. Volto já, já".

Strange se encontrou com o informante no hall que dava para os banheiros e para a cozinha e voltou dez minutos depois. Disse a Quinn que o sujeito que violara a condicional, um certo Sherman Coles, tinha ido lá para cima uma hora antes.

"O que é que tem lá pra cima?"

"Dança particular no colo do freguês e sacanagens do gênero."

"Eu vou com você. Não se preocupe, não vou interferir no seu trabalho."

"Escute aqui, eu só estou examinando a situação. Pode não ser a hora e o lugar certos pra tentar levar o rapaz de volta pro bom caminho."

"Entendido." Quinn apanhou um papel de cima do balcão e entregou a Strange.

"O que é isso?"

"Seu recibo."

Strange examinou-o: uma carta de baralho com a fotografia de uma mulher de peitos de fora deitada de costas. Por sobre os seios, estava escrito: "Recebidos sete dólares de taxa para entrada no bar de striptease Toot-Sweet".

"Garoto engraçadinho", disse Strange.

"Você disse pra ele ser criativo."

"Mas pelo menos meu contador vai gostar." Strange enfiou a carta no bolso. "Chega lá por volta de abril, com aquele monte de declarações pra preparar, horas extras, tal e coisa, ele vai precisar de um tônico pra animar o dia."

Subiram ambos por uma escada coberta por uma passadeira vermelha. Vinha descendo um sujeito que se afastou para abrir caminho sem olhar os dois nos olhos em nenhum momento. Havia uma mancha oval de umidade bem na frente do jeans dele, um pouco abaixo da virilha.

"Viu só aquilo?", disse Strange, ao chegarem ao topo da escada. "Nosso amigo ali deve ter derramado algo na calça."

"É, pois é", falou Quinn. "Suas sementes."

"A Bíblia diz que não se deve fazer isso."

"Com certeza ele vai sair daqui direto pro confessionário."

"Se eu estivesse no lugar dele, não usaria aquela calça na igreja."

No andar de cima, as luminárias eram cônicas e lançavam pouca luz no ambiente, com muita fumaça em volta. Havia um outro balcão ao longo de uma parede e mesas espalhadas por quase toda a sala, algumas em escuridão total, algumas com uma luminosidade de nada. Num punhado de mesas, garotas dançavam no colo de alguns poucos indivíduos, todas vestidas com uma tanga e mais nada. Elas usavam a virilha, os seios e a bunda para masturbar os fregueses, afundados em poltronas cromadas, com sorrisos lânguidos na cara. A música ali em cima era lenta, com uma pegada funk e muito pedal *cry-baby*, cantada por uma voz masculina grave e aveludada.

Strange e Quinn ocuparam uma mesa vazia perto do balcão. Strange se acomodou na poltrona e começou a tamborilar os dedos na mesa, ao ritmo da música.

"Agora sim, as coisas melhoraram bem. *Joy*, com o Isaac Hayes. Eu tinha esse disco, também. Em vinil. Dava pra escutar as bolhas de champanhe subindo na taça, quando você ouvia essa música num bom aparelho de som. No CD a qualidade não é a mesma." Com um gesto de cabeça, indicou uma jovem de pele clara, mais para magrinha, usando uma camisa de homem desabotoada sobre a calcinha, que caminhava na direção deles com uma bandeja de bebidas equilibrada na palma da mão. "Falando em champanhe, lá vem ela. Essa moça vai tentar nos empurrar uma garrafa."

"Posso oferecer uma bebida aos cavalheiros?", perguntou ela ao chegar.

"A gente tá esperando um amigo." Strange franziu os olhos, sem olhar diretamente para ela, e examinou o salão. Depois tirou a foto de Coles do bolso do casaco, junto com os documentos que havia pegado do arquivo no porta-malas. Estudou a fotografia até que a moça fez uma nova pergunta.

"E que tal uma dança particular?"

"Quem sabe mais tarde, boneca."

"Estamos com uma promoção no champanhe."

"Mais tarde, certo?"

A garota olhou feio para ele, depois para Quinn, de forma a não restar nenhuma dúvida, e se foi.

Strange então disse: "Eles vendem essas marcas vagabundas de champanhe, quase que uma água suja, por cinqüenta dólares a garrafa pra esses pobres coitados. O sujeito ganha salário mínimo, chega no fim da semana ele está com cento e sessenta dólares pra levar pra casa, dá um pulo aqui na sexta-feira à noite e gasta tudo em uma hora. Sai dessa joça depois de cinco dias de trabalho duro sem nada, a não ser uma dor de cabeça e uma grande mancha na frente da cueca."

"Você é algum especialista?"

Strange olhou por cima do ombro de Quinn. "Mas se você estiver a fim de pagar pelo tempo de uma mulher, eu o levo a um lugar onde cada centavo gasto vale a pena de fato. Isto aqui é pura vigarice, e das mais chinfrins." De repente se levantou de forma abrupta da poltrona. "Com licença um instante, que eu vou fazer meu serviço. Parece que acabei de localizar o Coles."

"Precisa de companhia?"

"Venho fazendo isso já faz um tempinho. Obrigado, mas acho que consigo lidar com o assunto sozinho."

"Tá certo. Eu vou até o banheiro, dar uma mijada."

Quinn viu Strange atravessar o salão, contornar as mesas e avançar para uma de quatro lugares nas fímbrias da escuridão, onde havia um homenzinho de paletó e camisa de colarinho aberto, sentado, fumando um cigarro comprido, a outra mão enroscada em volta de um copo contendo uma substância castanha.

Se o cara quer ficar sozinho, ele vai ficar sozinho, pensou Quinn. Levantou e avançou até um hall na penumbra, onde costumava ficar o banheiro nesses lugares.

Strange caminhava na direção de onde Sherman Coles se achava sentado e tinha chegado a poucos metros dele quando surgiu um outro sujeito das sombras — um cara tamanho família, de ombros largos e traços duros, esculpidos a martelo. Os contornos dos bíceps apareciam por baixo da camisa brilhante.

Strange parou de andar assim que o sujeito se pôs ao lado de Coles. Poderia ter evitado o olhar de ambos, poderia ter passado pela mesa sem se deter, mas eles haviam vigiado sua aproximação desde o começo e iriam dizer algo, quem sabe até pará-lo, se tentasse driblar a situação. Sabia que sua tentativa de pegar Coles falhara. De qualquer ângulo que olhasse, estava queimado. No entanto, não fazia o menor sentido virar as costas para eles, ou passar por eles como se não tivesse o menor interesse no assunto. Precisava parar e ver no que dava. Além do mais, sentia curiosidade de saber o que Coles teria para dizer.

"Está procurando alguém, por acaso?"

"Estava", disse Strange, forçando um sorriso amistoso. "Lá do outro lado do salão, pensei que você fosse um cara que eu conheço dos tempos de garoto, lá do bairro onde eu cresci."

"É mesmo?" O tom de Coles era agudo e teatral. "Só que você deve ter bem uns vinte anos mais que eu. Portanto, como é que poderíamos nos conhecer dos tempos de garoto? Hein?"

Strange balançou a cabeça. "*Não poderíamos* mesmo, você tem razão. Agora que cheguei mais perto... Pra dizer

96

a verdade, eu não consigo enxergar direito com essas luzes aqui. Isso pra não falar na minha vista, que já está começando a ficar meio fraca."

Coles deu um gole na bebida que estava na sua frente e bateu a cinza do cigarro. Deu uma olhada rápida por cima do ombro para o sujeito atrás dele e disse: "Ouviu isso, Richard?".

Uma cicatriz em forma de crescente fazia uma meia-lua em volta do olho esquerdo de Richard. "O cara não enxerga bem por causa da luz."

"Ou quem sabe ele pensa que nós é que não conseguimos enxergar direito", disse Coles. "Porque a gente viu muito bem você sentado lá do outro lado, com seu parceiro cara-pálida, examinando seja lá o que for que você tornou a enfiar no bolso, tentando saber qual é a minha."

"Qual é a sua o quê?" Strange soltou uma risada e espalmou as mãos. "Olha só, amizade, eu já disse que confundi você com outro cara."

"Ah, claro, *confundiu* mesmo." Coles sorriu e deu uma tragada no cigarro.

"Eu não sei o que você está pensando", disse Strange, com a voz calma, "mas seja o que for, se enganou."

"Vamos fazer o seguinte", disse Coles, olhando por cima de Strange. "Vamos perguntar pro branquinho. Olha ele vindo pra cá."

Quinn fora dissuadido de seu intento por uma placa na porta do banheiro masculino avisando que o local estava fechado para conserto. Na volta, a caminho do hall de distribuição, parou alguns momentos para olhar pela fresta de uma porta semi-aberta. No aposento à luz de velas, a mesma garçonete que falara com eles minutos antes praticava felação num rapaz refestelado numa poltrona. A cabeça da moça estava entre as pernas do sujeito, os joelhos afundados num tapete laranja felpudo, e havia uma garrafa de champanhe vagabundo e duas taças numa mesinha ao lado deles, justamente a vigarice que Strange descrevera. Uma vela esculpida no formato de um casal de negros entrelaçados, fazendo amor em pé, queimava sobre uma mesa pegada às taças. Quinn foi em frente.

Saiu do hall, se aproximou do balcão e viu Strange num canto escuro da sala, de pé em frente à mesa de Coles. Havia um homenzarrão parado atrás da mesa, estalando os nós dos dedos de uma das mãos com a palma da outra mão. Quinn foi até lá.

Sabia que Strange lhe dissera para não se meter, chegou a ponderar a questão enquanto avançava e, de repente, já estava ao lado do detetive, pensando, cá estou e não posso mudar isso agora. Esparramou o corpo ao lado da mesa, olhou Sherman Coles de cima para baixo e posou de autoridade. Era como fazia para ter o domínio da situação, quando era policial, sempre que encostava na janela de algum carro que ele tivesse mandado parar.

"Olha aí o reforço chegando", zombou Coles. "O que é que você acha, Richard? Será que a dupla carijó aí é da polícia mesmo?"

"Eles levam mais jeito é pra Patrulheiro Toddy", disse Richard. "E esses casacos de couro, hein? Agora isso é uniforme também, é?"

Foi só então que Strange se deu conta de que ele e Quinn estavam ambos de couro preto. Mais munição para aqueles dois palhaços fazerem piada, mas isso não o tirou fora do prumo. Agora que Quinn tinha cometido a burrada de interferir, precisava se concentrar e tentar achar uma maneira de os dois se safarem a contento. Ao se lembrar do pavio curto do rapaz, porém, chegou até a pensar: Talvez a gente devesse ficar.

"Eu acho que eles não são da polícia, não", disse Coles.

"O branquinho aí é muito baixo pra ser da polícia", completou Richard.

Não sou não, pensou Quinn.

"Pra mim, esses dois têm é pinta de caçador de recompensa", Richard continuou. A voz dele tinha uma suavidade perigosa, e estava difícil de escutar o que dizia em meio aos acordes de guitarra e às ondulações do *cry-baby* saindo do sistema de som.

"Também acho." Coles olhou para Strange. "E aí, velhão, é isso que você é? Um caçador de recompensa?"

"É como eu já disse", repetiu Strange, mantendo a voz no diapasão amistoso. "Eu confundi você com outra pessoa. Me enganei."

"Por que você resolveu mentir agora?", disse Coles.

"Será que é porque ele tá com medo?", Richard acrescentou. "É, parece que ele tá com um certo medo, sim. E o rapazinho *branco* aqui leva jeito de quem já, já vai se borrar todo. O que é que você me diz, branquinho, é isso mesmo?"

"O que é que eu digo do quê?", Quinn retrucou.

"E então, você vai se sujar nas calças ou prefere sair daqui antes de acontecer?"

"O que é que você acha?", Quinn perguntou.

"Por acaso eu gaguejei, é?", disse Richard, com um olhar duro e brilhante.

"Vamos embora", disse Strange.

"Mas olha só que coisa", continuou Richard, sorrindo para Quinn, "você não sabe que branco tem *medo* de preto?"

"Não este branco aqui", falou Quinn.

"Ho-ho-ho", fez Richard, "agora o geninho aí vai nos mostrar com quantos paus se faz uma canoa, é isso? É isso que você vai fazer agora, seu *viadinho*?"

Strange deu um puxão na manga de Quinn. Quinn não arredou pé, encarando Richard. Richard deu risada.

"Nós já estamos indo", falou Strange.

"Qual é, tá cedo ainda", disse Coles, estendendo os punhos para a frente, os dois juntos, como se estivesse aguardando a colocação das algemas. "Você não vai me levar, não?"

"Quem sabe numa próxima", respondeu Strange, em tom jocoso. "A gente se vê depois, combinado?"

Coles rompeu as cadeias imaginárias nos pulsos e ergueu o copo num gesto zombeteiro de brinde. Tomou um gole e repôs o copo sobre a mesa.

"Quando o patrão de vocês dois, ou sei lá quem, perguntar por que voltaram de mãos vazias", disse Coles, "contem pra ele que vocês toparam com Sherman Coles e seu irmão caçula. Digam pra ele que foi isso que pôs vocês dois pra correr."

Strange meneou a cabeça com um olhar mortiço.

"A gente já falou o nosso nome, branquinho", disse Richard, sem desgrudar a vista de Quinn. "E você? Não tem um não?"

Strange deu um puxão mais forte na manga do casaco de Quinn. "Vamos embora."

Dessa vez, Quinn aquiesceu. Caminharam na direção da escada, com a risada dos irmãos Coles atravessando as costas de Quinn feito uma punhalada.

No bar do térreo, Strange fez sinal para que o barman trouxesse a conta que ainda não fora paga e, por sobre a música, gritou que queria um recibo. Em seguida se virou para Quinn, que estava com as costas apoiadas no balcão, olhando para os fregueses.

"Cara mais burro. Eu não falei pra não interferir no meu trabalho?"

"Eu não raciocinei direito." Era a primeira coisa que ele dizia desde a conversa com os irmãos Coles no andar de cima. "E agora, o que é que você vai fazer? Será que algum dia vai conseguir pegar ele?"

"Pode deixar que eu pego sim, ô se pego. Eu só não esperava que o Sammy Davis Jr. fosse me aparecer com um irmãozinho mais barra que o Dexter Manley. Mas eu vou ficar bem calminho e esperar o momento certo pra dar o bote. Isto aqui é apenas trabalho, não tem nada a ver com emoção. Eu estava com a situação sob controle até você entrar de sola tentando dar uma de gostoso pra cima do massa-bruta. Você tem que aprender a engolir uns sapos, de vez em quando."

"É, pois é", falou Quinn, vendo Richard Coles aparecer na escada e abordar uma garçonete. Ele se curvou para cochichar no ouvido da moça. "Preciso trabalhar um pouco mais esse meu lado."

"Pode ter certeza que sim." Ao olhar para trás, Strange deu de cara com o foco das atenções de Quinn.

E reparou que Quinn acompanhava atentamente os movimentos de Richard Coles, que ia na direção do hall, para lá da ponta do balcão.

"Aqui está", disse Strange, entregando o dinheiro ao barman e pegando seu recibo.

"Obrigado." Quinn se virou a tempo de ler o nome do barman chamado Dante, impresso no crachá preso à camisa branca.

"Vamos indo, então?", Strange perguntou a Quinn.

"Preciso dar uma mijada."

"De novo? Não faz nem cinco minutos que você falou que ia tirar água do joelho."

"A privada lá de cima não está funcionando. A gente se encontra no carro."

Strange disse "certo" e saiu do bar. Quinn esperou até ele sair e depois se dirigiu para o hall.

Na saída, Strange avisou o porteiro que voltaria em poucos minutos. Foi até o carro a passos rápidos, pegou um par de algemas e um porrete curtinho no porta-malas, enfiou o porrete no bolso do casaco de couro e voltou para a boate. Subiu a escada até o andar de cima, dois degraus de cada vez, e atravessou a área das mesas até alcançar a de quatro lugares onde Sherman Coles continuava sentado.

Coles arregalou os olhos e acompanhou as passadas cheias de propósito com que Strange se aproximou dele. Seu pescoço moveu-se de lá para cá, feito o de uma ave, enquanto olhava em volta do salão, buscando desesperadamente uma fisionomia conhecida.

"Bem aqui, Sherman", disse Strange, chutando a mesa

para cima de Coles e mandando para o chão uma ducha de bebida e brasa de cigarro.

Strange pôs Coles de pé, virou-o de costas e puxou seus braços para o alto, forçando o rapaz a se ajoelhar. Depois enfiou o joelho nas costas dele, colocou as algemas e tornou a levantá-lo.

Tirou a carteirinha, abriu-a com uma mão só e mostrou sua licença para o salão em geral.

"Investigador!", gritou. "É só ninguém interferir que vai dar tudo certo!"

Ele sempre agia assim, em situações parecidas, e em geral funcionava. Não era uma mentira e, para a maioria dos mortais, "investigador" significava polícia. As garçonetes, os fregueses, quem masturbava e quem estava sendo masturbado, todo mundo parou com o que fazia, mas ninguém se aproximou ou interferiu.

Strange manteve a carteirinha aberta, segurando-a de forma a permanecer visível para todos enquanto empurrava Coles para a escada.

"Cadê meu irmão, cara?"

"Aquele branco que veio junto comigo, lembra? Imagino que esteja resolvendo algumas pendências com ele."

"O Richard vai matar ele."

"Continue andando."

Na escada, Coles perdeu o equilíbrio. Strange impediu que caísse dando um puxão no braço dele.

Coles olhou por cima do ombro e disse: "Caçador de recompensa, bem que eu saquei logo".

"Agora o pessoal diz que somos agentes de custódia, Sherman."

"O pior é que eu sabia que você ia voltar", resmungou ele. "Tava na cara."

"É. Mas o que você não sabia é que eu voltaria tão rápido."

Quinn foi até o hall, cantando com voz trêmula, bem baixinho, uma outra música do Prince, que o sistema de som da boate transmitia por todo o térreo. Havia uns pequenos alto-falantes pendurados nas paredes do hall, mas o som saía um tanto agudo, desprovido da força do baixo que se tinha perto dos palcos, e esse tom estridente de lata, assim como a lembrança daquilo que estava prestes a fazer levaram o sangue de Quinn a correr mais rápido nas veias.

"Vai ser uma noite e tanto, vai ser uma noite e tanto..."

Quinn foi direto até o fim do hall, empurrou uma porta de vaivém e imediatamente se viu sob as luzes fluorescentes de uma cozinha emporcalhada. A luz saltava direto do tampo de aço das bancadas de preparação espalhadas pelo aposento.

"Ei, amigo", disse Quinn para um salvadorenho miúdo de bigodinho fino, vestido com um avental branco todo manchado, que estava encostado numa das bancadas mais ao fundo, fumando um cigarro.

O sujeito não disse nada, e os olhos dele tampouco. O rádio da cozinha fazia um estardalhaço.

"O Dante me mandou vir até aqui", falou Quinn, berrando para que o outro pudesse escutá-lo. Depois vasculhou rapidamente o ambiente e foi até onde estava um martelo de bater carne, de aço, em cima de um forno industrial de microondas. Apanhou o martelo, sentiu o peso dele nas mãos, balançou a ferramenta bobamente no ar e disse: "O Dante precisa de um desses aqui lá no bar".

O camarada deu de ombros, tragou uma última vez, atirou a ponta no chão e esmagou o cigarro na fórmica sob o bico de um sapato preto molambento.

"Eu trago de volta já, já", Quinn ainda disse, sabendo que o sujeito não estava nem aí. Só continuou falando para ouvir o som da própria voz e manter a adrenalina fluindo; saiu da cozinha com a mesma rapidez com que havia entrado.

De volta ao hall, seguiu na direção do toalete masculino. Chegando lá, empurrou a porta, atravessou o recinto e alcançou a área das privadas, sempre olhando para todos os lados, em busca de Richard Coles, que urinava num dos mictórios abertos, enfileirados na parede.

Quinn continuou se aproximando. A certa distância falou: "Ei, Richard", e quando Richard Coles virou a cabeça para o lado, Quinn acertou o martelo numa tacada rápida direto na ponte do nariz do adversário. O nariz moveu-se para a direita e o sangue espirrou na mesma direção. Um jato de urina saiu do prumo e salpicou os pés de Quinn. As pernas de Richard cederam, e Quinn deu-lhe um chute no saco quando ele bateu no ladrilho. Chutou-o no maxilar, e o sangue coloriu a porcelana do mictório. Escutou então seu próprio grunhido quando chutou o irmão de Coles nas costelas, e estava prestes a chutá-lo de novo quando viu os olhos de Richard girarem nas órbitas.

As mãos de Quinn tremiam. Esperou até ver o peito de Richard subir e descer. Disse: "Terry Quinn", e largou o martelo no chão.

Pela boate, pairava uma espécie de zunzum, uma sensação de que algo havia acontecido. As dançarinas ainda rebolavam nos palcos, mas os fregueses não estavam virados para elas. Estavam conversando entre si.

Os homens abriram caminho para Quinn passar, quando atravessou o salão. Ele se sentiu com poder, e era uma sensação conhecida, embora já fizesse um tempo que não experimentava nada parecido. Era como se estivesse envergando a farda de novo, e então ele entendeu que era isso o que vinha faltando fazia um bom tempo. Estava se sentindo *bem*.

Quinn entrou no carro de Strange e olhou para trás por cima do encosto do banco. Sherman Coles estava estendido e algemado no banco traseiro.

Strange indicou com a cabeça o sangue nas botas de Quinn. "Tudo bem com você?"

"Tudo."

"Cadê o meu irmão?", Sherman perguntou lá de trás.

Nem Quinn nem Strange responderam à pergunta.

"Como é que você sabia que eu iria sair vivo de lá?", Quinn indagou.

"Eu não sabia. O que eu sabia é que tinha um tempinho pra fazer meu serviço."

"Cadê meu irmão!", berrou Sherman.

Quinn virou para Strange: "Você sempre fica com o lado leve do serviço?".

"Sempre que posso." Strange deu a partida no Chevrolet. "Preciso levar o nosso amiguinho Sherman até a Fifth Street, processar a papelada etc. e tal. Eu sei que você não vai querer perder todo esse tempo lá."

"Pode me deixar na primeira estação de metrô que aparecer. Preciso dar um pulo em casa. Vou ver uma garota hoje à noite."

"É", disse Strange, pensando na mãe. "Eu também."

Strange se afastou do meio-fio e seguiu na direção da M Street. Deu uma olhada para Quinn, ainda tenso, sentado muito ereto no banco, os nós dos dedos batendo de leve no vidro da janela.

"Vou dividir os honorários deste serviço com você, Terry. Que tal lhe parece?"

"Eu lhe digo o que me parece: você e eu, a gente trabalha junto naquele outro servicinho."

"Junto? Você é o alvo das minhas investigações, esqueceu?"

"Não esqueci não."

"Olhe aqui, você não tem nada com que se preocupar. A junta revisória disse que você foi cem por cento naquele tiroteio. E eu não tenho motivos para duvidar do que eles disseram."

"Cem por cento. É, lembro que foi exatamente isso que eles disseram."

"Além do mais, você não iria mesmo poder participar

dessa investigação junto comigo. Você não tem licença pra fazer o tipo de trabalho que eu faço."

"Se vai continuar investigando, eu quero participar."

Strange pisou mais fundo no acelerador, ao virar a esquina.

"Não se preocupe. Você e eu, nós não terminamos nossos negócios ainda."

10

A mãe de Derek Strange, Alethea Strange, vivia na Ala 3 da Casa do Convalescente, situada numa região predominantemente branca e rica da zona nordeste. A clínica, uma mistura de hospital e casa de repouso, funcionava na cidade desde o século XIX.

Strange não gostava de casas de repouso pelo mesmo e simples motivo que o impedia de gostar de hospitais e casas funerárias. Tinha levado a mãe para morar com ele depois do derrame, em 1996, e contratara enfermeiras em tempo integral para cuidar dela. No entanto, um coágulo a pusera de volta no hospital, onde os cirurgiões tiveram de amputar sua perna direita. Se antes ela se movimentava com a ajuda de um andador, depois disso ficou confinada a uma cadeira de rodas, paralisada do lado direito, sendo que já perdera quase toda a fala e a capacidade de ler e escrever com o derrame. Ainda assim, Alethea Strange conseguiu dizer a seu único filho vivo que gostaria de ir viver seus dias num outro lugar, na companhia de gente doente como ela. Ele desconfiava que a mãe tinha pedido para ir embora apenas para não se transformar num fardo. Mas concordou e colocou-a sob os cuidados da Casa do Convalescente, já que eles aceitavam pacientes pelo Medicaid e que não via o que mais poderia ser feito, nas circunstâncias.

Naquela noite, havia algum tipo de atividade acontecendo no vestíbulo da casa, e um pessoal jovem, vestido com camisas verdes, com quase toda a certeza um grupo de igreja, tentava conduzir uma espécie de coral formado pelos residentes idosos. Ali em baixo havia também um refeitório, uma biblioteca e um aquário. Alethea Strange nunca participava dessas atividades, nem freqüentava essas salas, e só descia ao térreo quando o filho a levava até lá. Na primavera e no início do verão, permitia que Derek a conduzisse na cadeira de rodas até o pátio muito bem planejado, onde um esquilo negro, freqüentador assíduo do local, tomava água de pé na beira da fonte. Ela ficava sentada ao sol, ele sentava num banco de pedra a seu lado e afagava as costas da mãe; às vezes segurava a mão dela. A visão do esquilo parecia trazer certa animação ao dia de Alethea.

Strange foi até a extremidade da clínica, no final de um corredor comprido, e pegou o elevador até o terceiro andar. Atravessou um outro corredor pintado com um tom insípido de bege e, ao se aproximar da ala dos pacientes residentes, onde a mãe ficava, sentiu aquele cheiro de comida insossa misturado com doença e incontinência do qual adquirira verdadeiro pavor.

A mãe estava na cadeira de rodas, sentada junto a uma das três mesas redondas numa saleta de televisão, onde os residentes também podiam fazer suas refeições. A seu lado havia uma outra vítima de derrame, um armênio de cujo nome Strange nunca conseguia se lembrar direito e, ao lado do armênio, uma mulher esquelética numa espécie de cadeira de rodas reclinável, que nunca falava nem sorria, só fitava o teto de olhos estatelados, vermelhos e vazios. Na outra mesa, uma senhora alimentava o marido, de babador, e, junto ao casal, um homem dormia sentado, diante da bandeja intocada de comida, com o queixo apoiado no peito. Ninguém parecia estar assistindo à partida de basquete que passava na televisão, ou escutando o locutor que transmitia o jogo aos berros. Strange cumprimentou o armênio com um tapinha no ombro, pegou uma cadeira vazia da outra extremidade da sala e colocou-a perto da mãe.

"Mãe", disse ele, beijando o rosto de Alethea e pegando em sua mão, tão leve e frágil quanto papel.

Ela lhe deu um sorriso com a boca torta e, devagar, piscou os olhos. Havia um pouco de purê de maçã pendurado na borda do lábio dela, que Strange limpou com um guardanapo que caíra em seu colo.

"Quer um pouquinho de chá?"

Ela apontou com a mão trêmula dois envelopinhos de açúcar. Strange rasgou os envelopes e despejou o açúcar na xícara de plástico que continha o chá. Mexeu e pôs a xícara na mão da mãe.

"Quente", ela disse, e o *te* não foi mais que um sussurro.

"Está sim. Quer mais um pouco dessa carne?"

Ele disse "dessa carne" porque não tinha muita certeza se aquilo era frango ou carne de vaca, nadando como estava num molho cinzento e gelatinoso.

A mãe balançou a cabeça.

Strange reparou que a mesa ao lado balançava cada vez que a mulher encostava nela para dar ao marido mais uma garfada de comida. Levantou e foi até uma saleta onde sabia que ficavam guardados os rolos de papel-toalha. Pegou um pedaço, dobrou em quatro e enfiou debaixo do pé desnivelado. A mulher agradeceu.

"Eu dei um jeito na mesa", disse ele a uma atendente gorda, ao passar por ela quando voltou para onde estava a mãe. A mulher meneou a cabeça e retomou o papo com outra funcionária.

Conhecia a atendente — na verdade conhecia todas elas, todas imigrantes de cor, ao menos de vista. E ela era das perniciosas, ainda que sempre muito educada, quando na frente dele. A mãe havia lhe contado que a atendente levantava a voz para ela, e que a provocava de forma maldosa, quando estavam sozinhas as duas. Grande parte da equipe era competente, e muita gente era até bondosa, mas havia duas ou três que maltratavam a mãe, e ele sabia disso. Uma chegara ao ponto de roubar um presente que havia dado para Alethea, um frasco de perfume, da mesinha-de-cabeceira dela.

Ele sabia quem eram as más atendentes e odiava todas elas, mas não havia muita coisa que pudesse fazer. Tinha tomado a decisão, há muito tempo, de não fazer nenhuma queixa formal. Não visitava a clínica com tanta freqüência assim, e não havia como prever o que uma atendente vingativa poderia aprontar em sua ausência. O que ele tentava fazer era deixar bem claro, para todas elas, que estava de olho, sempre vigilante. E pedia a Deus para que suas olhadas feias servissem para fazê-las pensar duas vezes antes de cometer a maior covardia de todas, que era desrespeitar uma velhinha doente.

"Mãe", disse Strange, "hoje eu tive um dia emocionante no trabalho." E contou-lhe então a história de Sherman Coles e seu irmão, falando também sobre o rapaz que tinha ido junto com ele, um ex-policial. O relato foi engraçado, sem nenhuma insinuação de perigo, porque Strange sabia que a mãe se preocupava com ele e com o que fazia para ganhar a vida. Ou talvez Alethea já tivesse passado da fase de se preocupar, pensou ele. Talvez nem pensasse mais nele solto no mundo, talvez não conseguisse mais imaginá-lo lá fora, nem ele nem a cidade e seus habitantes.

Depois que terminou de contar sua história, a mãe sorriu daquele jeito retorcido que passara a ser sua maneira de sorrir, os lábios repuxados por sobre gengivas desdentadas. Strange sorriu de volta, sem olhar para a carne manchada, para os braços que eram só pele e osso, para as pernas atrofiadas, para os peitos murchos que terminavam perto da cintura, concentrando-se apenas nos olhos de Alethea. Porque os olhos não tinham mudado. Continuavam sendo de um castanho profundo, belos e amorosos como sempre, como haviam sido quando ele era garoto, quando a mãe era jovem, vibrante e forte.

"Quarto", falou ela.

"Certo, mãe."

Ele a empurrou de volta ao quarto, que dava para o estacionamento da agência de correios. Pegou o pente dela na mesinha-de-cabeceira e passou-o pelos cabelos brancos e ralos. Sua mãe estava quase careca e dava para ver verrugas e outras marcas de idade no couro cabeludo.

"Você está bonita", ele disse depois que terminou.

"Filho." Aqueles olhos dela se ergueram até ele e Alethea deu uma risadinha, os ombros ossudos subindo e descendo junto com a risada.

Ela apontou para a janela. Strange foi até lá e olhou o parapeito. A mãe adorava passarinho; sempre gostara de vê-los fazendo o ninho.

"Ainda não tem nenhum passarinho aí fora com ninho, mãe. A senhora vai ter de esperar até a primavera."

Saindo do quarto da mãe, Strange parou ao lado da atendente gorda e lhe deu um sorriso carnívoro que mais parecia uma careta.

"Tome conta bem direitinho da minha mãe, certo?"

Strange foi na direção dos elevadores, destravando o maxilar e respirando lentamente. Já tinha começado a pensar, como lhe acontecia sempre que estava saindo daquele lugar, para quem poderia ligar dali a pouco. Passar por lá o deixava com vontade de sair com alguém. Velhice, doença, perda, dor... o sofrimento era inevitável, mas a existência dele podia ser negada ao menos por alguns momentos, fazendo amor. Quando você está na cama com uma mulher, gozando lá no fundo daquela quentura que suga, dá até para negar a morte.

"Quer mais um golinho?"

"Claro."

Terry Quinn pegou a garrafa do outro lado da mesa e pôs mais vinho na taça de Juana Burkett. Ela deu um gole no tinto espanhol e se recostou de novo na cadeira.

"É muito bom mesmo."

"Comprei no Morris Miller. O rótulo diz que é um vinho ousado, robusto e aprazível."

"Ainda bem que você protegeu direitinho a garrafa, nesse seu pequeno trajeto."

"Eu o trouxe no trem aninhado no colo como um verdadeiro bebê."

"Você precisa comprar um carro, Terry."

"Até recentemente, não havia a menor necessidade de ter um carro. Meu trabalho fica perto de casa e, precisando, posso tomar o metrô até o centro. Mas estava pensando que talvez fosse uma boa idéia, agora, comprar um."

"Por que agora?"

"Porque a sua casa fica meio longinho da estação da Universidade Católica."

"Você é muito seguro de si, não é não?" Os olhos de Juana se iluminaram, achando graça. "Está pensando que eu vou convidar você de novo, é?"

"Não sei não, mas se você continuar fazendo jantares como esse, eu não vou esperar convite. Vou ficar ganindo feito um cão faminto, arranhando a sua porta, pedindo pra entrar. Porque você é boa mesmo na cozinha."

"Tive sorte. Foi a primeira vez que fiz esse prato. Linguini com molho de camarão e mini-alcachofra, a coisa me pareceu tão boa quando vi a receita no *Post*."

"Bota boa nisso." Quinn empurrou o prato vazio para o lado. "Da próxima vez, vou levar você pra jantar fora. Num lugarzinho italiano chamado Vicino, na Sligo Avenue. Eles têm um prato com pimentão vermelho e anchovas lá que é de chorar de bom."

"Mas isso fica na sua rua."

"Dá pra gente ir a pé. Ficamos nas redondezas, até eu comprar um carro."

Juana foi buscar o café e o conhaque na cozinha. Quinn se levantou e chegou mais perto da lareira, onde ardia uma tora de papel prensado soltando chamas coloridas num arco perfeito. Junto do aparelho de som, apanhou uma caixinha de CD de uma pilha que havia em cima do amplificador: Luscious Jackson. Música de mulher, a exemplo de todos os rocks e souls interpretados por cantoras que Juana havia tocado o jantar inteiro.

A casa onde ela morava era mais agradável do que a média das casas compartilhadas. Juana rachava o aluguel com um casal de universitários, e Quinn havia conhecido os dois ao chegar. James e Linda eram simpáticos, bonitos e, visto terem ambos se recolhido pouco depois, possuíam a vantagem adicional de ser compreensivos feito o diabo. Juana lhe contara que tinham todo o andar de cima da casa para eles e que ela ficara com o porão reformado, pelo qual pagava um quarto do total do aluguel. A mobília era toda de segunda mão, mas limpa. Reproduções em tamanho de cartão-postal de obras de Edward Hopper, Degas, Cézanne e Picasso haviam sido emolduradas e penduradas pela casa toda.

Juana saiu da cozinha trazendo uma bandeja equilibrada numa das mãos. Usava camisa branca, calça preta de boca larga e plataformas nos pés, também na cor preta. Delineador preto realçava os olhos negros como a noite. Ela colocou a bandeja numa mesinha pequena e foi fechar as minipersianas das janelas da sala.

"Quer ir para o sofá?"

"Quero."

Quinn aproximou o sofá mais para perto do fogo. Tomaram café preto entre goles de conhaque Napoleon.

"Eu baixei todos os artigos que saíram sobre você o ano passado, pela internet", disse Juana.

"Ah é?"

"Ahã. Li tudo hoje." Juana olhou para o fogo. "A polícia desta cidade, pelo visto, está na maior bagunça."

"É, está meio ruinzinha, sim."

"É tanta acusação de brutalidade por parte da polícia. E uma polícia que dispara muito mais per capita do que em qualquer outra cidade do país."

"Porque *per capita* nós somos a cidade que mais crimes violentos tem em todo o país."

"Sem falar na falta de treinamento. Aquele grupo enorme de recrutas contratados no final dos anos oitenta, os jornais disseram que a maioria não tinha o menor preparo, mentalmente falando, para trabalhar na polícia."

"Muitos *de fato* não tinham qualificação nenhuma. Mas não todos. Entrei nessa mesma leva. E eu tinha diploma em criminologia. Eles não deviam ter contratado tanta gente tão depressa, mas entraram em pânico. A Polícia Federal queria algum tipo de resposta para a epidemia de crack, e colocar mais policiais na rua foi a solução mais fácil. Ninguém deu a menor pelota pro fato dos recrutas não terem qualificação nenhuma, ninguém foi ver se o treinamento deles era suficiente ou não. Ninguém se preocupou em primeiro consertar o que o viciado do prefeito anterior fez, e o cara praticamente desmantelou a força policial, ele cortou sistematicamente as verbas destinadas ao policiamento da capital durante seu *fantástico* mandato."

"Você não gosta muito de falar no assunto, gosta?"

"Não especialmente."

"Mas e o que me diz das armas que eles deram para os policiais?", continuou Juana. "Eles disseram que aquelas automáticas..."

"As armas eram ótimas, não tinha o menor problema com elas. Hoje em dia você não pode botar um trinta-e-oito de cinco tiros nas mãos da polícia e dizer pra ela que saia e vá enfrentar cidadãos armados com uma mini-TEC-nove ou com um fuzil automático. A Glock Dezessete é uma boa arma. Eu me sentia à vontade com ela e atirava bem. Verdade que não compareci aos exercícios de tiro o número de vezes recomendado pelo manual, mas eu levava aquela arma com regularidade para o interior... Olha, pode acreditar em mim, eu estava plenamente qualificado para usar a Glock. A arma era ótima."

"Desculpe."

"Tudo bem."

"Agora você está pensando: Ela não tem a menor idéia do que está falando. E vem me falar da polícia e do que está ocorrendo nas ruas."

"Eu não estava pensando nada disso", mentiu Quinn. "Seja como for, agora temos um novo chefe. As coisas vão melhorar pro lado da polícia, pode acreditar. É do lado dos criminosos que eu tenho cá as minhas dúvidas."

Juana roçou sua mão na de Quinn. "Eu não quis irritar você."

"Você não me irritou."

"Nunca saí com ninguém que fizesse o que você fazia para ganhar a vida. Desconfio que estou tentando, não sei bem ao certo, dizer a mim mesma que tudo bem sair com um cara como você. Desconfio que estou apenas tentando sacar qual é a sua."

"Então são dois."

Ela se aproximou um pouco mais dele, e seu ombro tocou no peito de Quinn. Ficaram em silêncio por alguns instantes.

E então ele disse: "Conheci um cara, hoje. Um velho, investigador particular. Um negro que foi da polícia muito tempo atrás. Tudo bem eu dizer que ele é negro?".

"Ai, por favor. A não ser que você seja daqueles que dizem que não enxergam cor. Mas não é, é?"

"Bom, eu não sou cego."

"Obrigada. Uma vez eu fui a um jantar e a certa altura uma moça começou a descrever um cara, e então uma amiga perguntou se ela estava 'falando daquele negro'. A moça não teve dúvida e respondeu: 'Não sei, não me lembro da cor dele'. Falou isso por minha causa, claro, foi uma tentativa de me dizer que ela não era 'assim'. O que ela não sabia e nem desconfiava é que além de dar muita risada, nós, os negros, detestamos gente como ela, tanto quanto detestamos gente 'assim', gente racista. Ao menos com um racista sabemos com quem estamos lidando. Mais tarde descobri que ela morava num daqueles bairros onde os caras pagam o maior ágio só pra não ter que ver gente de cor passando nas calçadas, nem eles nem os filhos."

"Eu sei direitinho como é. Fiquei uns tempos morando no subsolo de uma casa situada nesse mesmo tipo de bairro, coisa de dois quilômetros de onde eu moro agora."

"Está falando daquele bastião impoluto de idéias liberais?"

"Justamente. Um bocado de gente naquela rua tinha adesivos grudados no pára-choque do carro com dizeres do tipo 'Ensine a Paz', 'Celebre a Diversidade', essas coisas. Eu via as filhinhas deles andando pra lá e pra cá, empurrando carrinhos de brinquedo com uma boneca negra dormindo dentro. Mas chegava no dia do aniversário delas, você não via *uma* criança negra no meio dos convidados pra festa. Aquela gente acredita de coração que basta botar um adesivo no pára-choque do Volvo, à vista de toda a vizinhança, e uma boneca negra nas mãos do rebento. Não precisa fazer mais nada."

"Assim você vai acabar suado, Terry."

"Desculpe." Quinn esfregou a beirada do lábio. "Bom, mas como eu ia dizendo, conheci esse velho detetive *negro*, hoje."

"É? E o que ele queria com você?"

Quinn contou então a Juana como fora seu dia. Quando chegou na parte de Richard Coles, disse-lhe que havia mantido Coles "ocupado" no toalete masculino enquanto Strange, o velho investigador, fazia sua captura.

"Você estava sorrindo, agora há pouco, sabia? Quando estava me contando essa história."

"Estava, é?"

"Essa aventura fez você se sentir bem, não fez? Foi bom voltar à ativa, não foi?"

Quinn pensou no balanço do martelo e no sangue. "Acho que foi."

"Você gosta de movimento. Por que saiu da polícia?"

Quinn concordou com um gesto de cabeça. "Você tem razão. Eu gostava de ser da polícia. E não errei naquele tiro. Eu daria qualquer coisa pra não ter acertado Chris Wilson, pra não ter tirado a vida dele. Mas errado eu não estava. Eles me *inocentaram*, Juana. Mas com toda a publicidade que cercou o assunto, e em parte aquela coisa interna de raça, quer dizer, as acusações todas que pipocaram depois... Na época, a impressão que eu tinha é que a única coisa certa a fazer era sair."

"Bom, mas agora chega disso", falou Juana, vendo o cenho de Quinn se franzir de novo. "Eu não tive a intenção de..."

"Tudo bem, sem problema."

Juana virou para ele e pôs a palma da mão em seu peito. Quinn passou o braço em volta dela.

"Bom, acho que então é isso", disse ele.

Juana riu, os olhos negros e animados. "Você está tremendo um pouquinho, sabia?"

"Tudo porque você é bonita demais, mulher."

"Obrigada." Juana repôs uma mecha de cabelo dele atrás da orelha. "Bom, e o que é que você vai fazer agora?"

"Continuar trabalhando na livraria, imagino, até resolver minha vida."

"Eu quis dizer *neste* momento."

"Te dar um beijo na boca?"

"Pra um sujeito instruído, você é meio lento pra decifrar os sinais."

"Achei que seria de bom-tom perguntar."

"Então pergunte, caramba", disse Juana, aproximando a boca da dele. "Você quase me fez implorar."

11

Ao chegar em casa, Derek Strange escutou o recado que Janine havia deixado na secretária, convidando-o para um jantarzinho improvisado junto com ela e o filho, Lionel. Tinha feito "um pouco demais" de frango frito, ela disse, e não queria "desperdiçar aquela comida toda".

Strange ligou para uma mulher chamada Shirley, com quem saía de vez em quando, mas ou a Shirley não estava em casa ou não estava recebendo chamadas. Strange deu comida para Greco e levou-o para dar um passeio no quarteirão.

Na volta, conferiu o andamento de sua carteira de ações pela internet enquanto ouvia uma regravação da trilha sonora de Elmer Bernstein para *A volta dos sete magníficos*. Depois tomou um banho e vestiu um paletó esporte em cima de uma camisa de gola aberta. Ligou para uma outra mulher e se sentiu aliviado quando deu sinal de ocupado, já que não era alguém com quem estivesse muito empolgado. O estômago roncou e ele ligou para Janine.

"Janine Baker falando."

"Aqui é o Derek."

"Olá."

"Sobrou um pouco daquele frango?"

"Estou mantendo quente pra você, Derek."

"Posso levar o Greco?"

"Guardei uma coisinha pra ele também."

Beijaram-se por um longo tempo e só então Quinn tirou a camisa. Juana tirou a dela e começou a desabotoar o sutiã.

"Deixa eu fazer isso?", pediu Quinn.

"Claro."

Ele teve certa dificuldade com o fecho. "Agüenta firme."

Juana correu os dedos pelas veias salientes do bíceps de Quinn. "Pensei que você tivesse me perguntado se eu lhe dava *permissão* pra fazer isso."

"Não, espera, eu consigo, claro que consigo. Pronto, agora sim, peguei o danado, olha só." E tirou o sutiã. Ela deixou que ele a olhasse e tocasse. Quinn a beijou no ombro, num dos bicos escuros, beijou a carne macia do seio e sentiu o gosto de sal de sua pele.

"Gostoso", ela disse.

"Minha nossa", ele respondeu.

Quinn tirou o jeans e, quando se virou, viu que ela também já estava nua, e os dois então se abraçaram por cima do cobertor que ela estendera sobre o sofá. Ele a beijou na boca e se esfregou em suas coxas; Juana gemeu sob o corpo dele e soltou um riso manso, prazeroso, na hora em que os dedos dele encontraram seu sexo intumescido. A pele dela era de um marrom profundo junto ao corpo pálido e meio sardento dele; Quinn entrelaçou os dedos brancos nos dedos cor de chocolate e beijou a mão de Juana.

"Sabe o que estamos fazendo agora?", perguntou.

"Celebrando a diversidade?"

"E por enquanto eu estou gostando."

"Nós somos todos iguais", falou Juana, "no fundo, no fundo."

Strange era dono de um belíssimo Cadillac Broughan preto, motor V-8, ano 91, com estofamento de couro e grade cromada, que ele usava apenas em horários fora do expediente, e assim mesmo só para trajetos curtos dentro da própria cidade. Subiu a Georgia Avenue escutando "World is a ghetto". Greco ia sentado a sua direita, sobre uma almofada vermelha só dele, com o focinho comprimido no vidro, do lado do passageiro.

Janine e Lionel Baker moravam em Brightwood, na altura da 7th com a Quintana, numa casinha modesta, com ripas imbricadas pintadas de vermelho. Strange estacionou bem na frente, prendeu a guia na coleira de Greco e levou-o até a entrada.

Janine, Lionel e Strange jantavam todos juntos numa sala de jantar pequena onde havia um quadro da Santa Ceia pendurado na parede. Janine tinha dado a Greco o osso de um pedaço de agulha assada na semana anterior, e o boxer descera até o porão para roê-lo em paz.

"Me passe o purê de batata, meu jovem", disse Strange.

Lionel era tão alto quanto a mãe, e dentro de pouco tempo seria bonito, mas ainda não tinha carne suficiente para encher os traços largos. Ele estendeu a tigela para que Strange a pegasse.

"Obrigado", disse Strange, que se serviu com umas boas colheradas e em seguida foi atrás da molheira.

"Onde é que você vai esta noite, Lionel?", perguntou a mãe.

"Marquei encontro com uma garota."

"Que garota?"

"Uma garota que eu conheço chamada Sienna."

"Como é que você vai sair com uma garota se você não tem carro?"

"Me empresta o seu?"

"Lionel."

"A gente vai sair com o Jimmy e a namorada dele. O Jimmy está com o Lexus do tio, pintura dourada e rodas cromadas."

"E onde é que o tio do Jimmy achou dinheiro pra comprar um Lexus?", perguntou Janine, procurando os olhos de Strange do outro lado da mesa.

"Isso eu não sei", disse Lionel, "mas a caranga é *dez*." Olhou Strange de soslaio e acrescentou: "Claro que não é tipo um Cadillac, nem nada parecido, né?".

"Você não gosta do meu carrão?"

"Gosto, ô se gosto." Lionel sorriu e cantou: "E o melhor de tudo, é um Ca-di-llac".

Janine e Lionel riram. Strange riu um pouquinho também.

"Ele até que tem uma bela voz", falou Janine. "Você não acha, Derek?"

"É, não chega a ser má. Pena que ninguém mais canta nos discos gravados hoje em dia, senão até que ele podia fazer carreira."

"Eu vou é ser um grande advogado, isso sim", disse Lionel, estendendo o braço em direção à travessa de frango frito para pegar uma coxa.

"Não se você não melhorar as suas notas", falou Janine.

"Você está cursando o Coolidge, não é isso?", perguntou Strange.

"Ahã. Tem mais um ano até o final."

"E que filme vocês vão ver hoje?", perguntou a mãe.

"Esse novo do Chow Yun-Fat que tá passando lá no AMC City Place.

"Como é que é? O show fede? É isso mesmo?"

"Hilário."

Strange deu uma olhada para a camiseta do Shakur Tupac que Lionel estava vestindo, estampada com a imagem de Shakur fumando um baseado. "Eu não tenho nada que ver com isso, mas se eu tivesse marcado encontro com uma garota, eu é que não saía por aí usando uma camisa com o retrato de um outro homem no peito."

"Ah, não, pode deixar que eu vou botar outra roupa, seu Derek. Pode crer." Lionel espiou o relógio no pulso magrela. "Por falar nisso, preciso me mandar. O Jimmy vai passar por aqui daqui a pouco pra me pegar."

Lionel largou o osso do frango, pegou o prato e o copo e levou-os para a cozinha.

"Está vendo o que eu tenho que agüentar?", disse Janine.

"Ele é um bom menino."

"Eu amo o meu garoto."

"Eu sei que sim."

Janine deu um tapinha na mão de Strange. "Obrigada por ter vindo jantar conosco hoje, Derek."

"O prazer foi todo meu."

Dez minutos depois, uma buzina tocou na frente da casa, e os dois escutaram as passadas pesadas de Lionel descendo a escada. Strange levantou da mesa. Foi até o vestíbulo de entrada a tempo de pegar Lionel quase na porta.

"Até outra hora, seu Derek."

"Espere só um instantinho, Lionel."

Lionel tornou a inspecionar o próprio visual. Tinha posto uma calça jeans passada a ferro, uma camisa Hilfiger e botas da Timberland. "O que foi? Não gostou não?"

"Você está ótimo."

"Estas botas da Timberland são novinhas."

"A Sears faz um calçado muito melhor pela metade do preço."

"É, mas não tem o símbolo da árvore do lado."

"Escute uma coisa, Lionel." Strange respirou fundo. Não era lá muito bom nessas coisas, mas sabia que precisava tentar. "Veja se não me sai por aí fumando erva num carrão todo invocado, ouviu bem?"

"Erva?" Lionel repetiu o termo em tom de zombaria e Strange sentiu o rosto ferver.

"Tudo que eu estou tentando dizer pra você é que quando a polícia vê garotos negros dentro de um bom carro, sobretudo se é um Lexus dourado com as rodas cheias de nove horas, já vai imaginando que é carro de traficante e nem precisa de motivo pra mandar vocês pararem. Se eles descobrirem fumo, jazzco, sei lá que nome vocês dão agora pra isso, dentro do carro, você vai ser fichado, pode ter certeza. E nunca mais vai conseguir apagar a ocorrência. Pode dar adeus à faculdade de direito, se porventura isso acontecer. Entendeu o que eu quis dizer?"

"Saquei, seu Derek."

"Tudo bem, então." Strange enfiou a mão no bolso de trás e puxou uma nota de vinte dólares da carteira. "Olha aqui, pra você. Não é legal sair com uma bela garota sem ter um dinheirinho extra no bolso. Leve ela até aquele TGI Friday que tem lá perto do AMC e pague um sorvete pra moça, algo assim."

"Falou." Lionel pegou o dinheiro e deu uma piscada. "Quem sabe depois do sorvete ela me deixe dar umas chupadas."

Strange franziu o cenho, aproximou bem o rosto do rosto do garoto e baixou a voz. "Eu não quero ouvir você falando desse modo, Lionel. Se você vai sair com uma boa moça, trate a garota com respeito. Do mesmo jeito que você quer que um homem trate sua mãe, entendeu bem?"

"Sim senhor."

Strange continuava com a carteira na mão e tirou então uma camisinha que mantinha lá dentro para eventuais emergências, debaixo dos cartões de visita. Entregou o preservativo para Lionel.

"Mas caso *aconteça* alguma coisa..."

"Brigadão, seu Derek", disse Lionel, sorrindo com cara de idiota enquanto punha a camisinha no bolso. A buzina tocou de novo lá fora. "Fui."

"Divirta-se."

Lionel saiu e Strange trancou a porta da frente. Depois voltou para a sala, se perguntando quão mal teria se saído na incumbência.

Janine esperava por ele lá. Tinha posto *Songs in the Key of Life* no aparelho de som e uma garrafa de Heineken gelada com dois copos na mesinha de centro. Sentara no sofá e apoiara os pés descalços, só com as meias de náilon, na mesa. Strange foi ter com ela.

"Você e Lionel tiveram uma conversinha de homem pra homem?"

"É, tivemos."

"Há tanta coisa que eu sozinha não consigo dar a ele."

"Eu sou só um homem, igualzinho a tantos outros."

"Mas é um homem. E ele precisa de uma figura masculina forte para servir de guia, de vez em quando."

Strange sorriu e flexionou o bíceps. "E você me acha forte?"

"Um touro."

"Mas não me sinto lá muito forte hoje, não."

"Ir atrás daquele Sherman Coles acabou com você, é?"

"Sorte eu estar com aquele rapaz junto comigo."

Janine colocou uma almofada atrás da cabeça de Strange. "Me conte como foi o seu dia."

Eles falaram sobre trabalho. Strange contou a ela a história toda de Coles, e ela lhe disse de que forma tinha cuidado de alguns detalhes no escritório. Depois que encerraram esses assuntos e terminada a garrafa, subiram para o quarto de Janine.

Ela havia puxado uma beirada dos lençóis, e Strange sabia que fizera isso para ele. O rádio-relógio, sempre sintonizado na HUR, tocava baixinho um *soul* lento, bem romântico. O quarto recendia fortemente a perfume, o perfume dela, e, à medida que Strange foi despindo Janine devagar, também foi aumentando o cheiro de mulher.

Strange tirou toda a roupa. Nus, os dois, beijaram-se em pé. Strange pôs a mão no traseiro dela e afagou a carne farta e firme.

"*Caramba*, Janine."

"O que foi?"

"Você tem um traseiro e tanto, menina."

"Você não gosta, é?"

"Você *sabe* que eu gosto."

Juntou os seios grandes e beijou-os, depois beijou-a na boca.

"Vamos lá", ela falou, com a respiração ofegante.

"Pra que tanta pressa?" Strange deu uma risada e sugou um pouco mais os lábios frescos de Janine.

"Agora vê se senta calminho aí", disse ela.

"Aqui?", perguntou Strange, apontando para a beirada da cama.

"Você falou que estava cansado. Deixa que eu faço o trabalho, hoje."

"Quem é essa daqui?", Quinn perguntou.

"Lauryn Hill", Juana falou. "Você gosta?"

"É legalzinha. Mas será que você não tem nenhuma música cantada por um cara?"

"Eu tenho o Black Album. Você sabe qual é. Aquele do Prince. Ele conta, não conta?"

"Pô, que merda", riu Quinn.

"Qual é a graça?"

"Eu já tive essa conversa hoje."

Quinn ajustou a posição. Sentiu a ereção voltando e aproximou os quadris dos dela. Cutucou-a umas duas vezes, de leve, para que Juana soubesse que ele continuava a postos.

"Você está tentando ficar ou sair?"

"Apenas testando a temperatura da água."

"A água está quente."

"E profunda, também."

"Pára com isso." Juana sorriu. "Alguns sujeitos que eu conheço já estariam até tropeçando nos próprios pés pra dar o fora daqui rapidinho."

"Eu tropeçaria numa outra coisa, se eu tentasse dar o fora daqui agora."

"Quanta pretensão."

"E, de todo modo, quero ficar bem aqui onde estou."

"Está tentando me dizer que não é do tipo que transa e se manda?"

"Já fiz isso, não vou mentir. Mas não quero fazer isso com você."

Eles ainda estavam no sofá. Quinn puxou um cobertor para cima dos dois. O fogo enfraquecera bastante, e um ar gelado invadira a sala. Ele olhou para sua pele branca, em cima da pele marrom.

"Você acha que a gente consegue fazer funcionar?", perguntou.

"Você quer?"

"Quero."

Strange estava debaixo das cobertas, deitado ao lado de Janine, quando Greco entrou no quarto. O cachorro largou o osso no pé da cama, deitou-se sobre o tapete e puxou o quitute de novo para perto da boca com as patas.

"Ele veio me dizer que está na hora de ir pra casa."

"Seria tão bom se você ficasse. Está tão gostoso e quentinho aqui debaixo das cobertas."

"Não ficaria bem o Lionel voltar pra casa e eu ainda estar aqui."

"Ele já sabe de tudo, Derek."

"Mesmo assim, não seria certo."

Janine se ergueu sobre um cotovelo e passou os dedos pelos pêlos curtos do peito de Strange.

"Sabe aquele advogado com quem a gente trabalha de tempos em tempos?", Strange falou. "Aquele cara que tem escritório na Fifth, o dos ternos baratos?"

"O Markowitz?"

"Esse mesmo. Ele não ficou devendo um dinheiro pra gente?"

"Que eu me lembre ele tem um saldo devedor, sim."

"Dê uma ligada pra ele amanhã, veja se ele consegue arrumar uma transcrição do processo contra esse moço, o Quinn."

"Em troca a gente cancela a dívida dele?"

"Veja quanto ele deve e resolva como achar mais conveniente."

"Pessoalmente, o que é que você acha desse Quinn?"

Terry Quinn não saíra da cabeça de Strange a noite toda. O sujeito era violento, destemido, sensível e perturbado... tudo ao mesmo tempo. Um coquetel de problemas, um camarada utilíssimo em situações como a que tinham vivido durante a tarde, mas não o tipo mais indicado para usar uma farda e representar a lei.

"Ainda não sei o suficiente sobre ele. A próxima coisa que eu vou fazer é ler a transcrição do processo. Depois vou bater perna e tentar falar com os demais participantes."

"Você acha que ele errou?"

"O que eu acho é que ele é um cara branco que viu um cara negro apontando uma arma para um outro cara branco na rua. E que reagiu da forma como foi programado pra reagir nesta nossa sociedade desde o dia em que nasceu."

"Está me dizendo que ele é 'assim'?"

"Ele é igualzinho à maioria dos brancos. Você sabia que grande parte deles, se alguém perguntasse, diria que não tem uma única gota de racismo no sangue?"

"Quer dizer, todos eles têm a mente e o coração puros."

"Quinn *acha* que não é 'assim'", disse Strange. "Mas é."

12

Nestor Rodriguez olhou pelo retrovisor e localizou o Ford verde, uns dez carros mais para trás. Apertou um número no celular aninhado do lado e agarrou o fone tão logo começou a tocar na outra ponta.

"Lizardo."

"Mano."

"Estamos quase chegando. Acabei de ligar pro Boone e disse pra ele vir nos pegar."

"A gente tem de fazer isso pro anão toda vez, é?"

"O panaca não quer que a gente saiba onde ele e o pai moram. Ele insiste nisso."

"E por que a gente não completa a transação no estacionamento mesmo?"

"Porque o pequerrucho gosta de pesar a *manteca* e testar a mercadoria na casa dele, na nossa frente. Tem medo de levar uma rasteira."

"Puta merda", disse Lizardo. Soou como "mierda".

Os irmãos Rodriguez não precisavam esquentar a cabeça com a possibilidade de a conversa ser captada pelas ondas de rádio. Nestor pagara um jovem engenheiro da Flórida, especializado em software, para alterar os números seriados eletrônicos e os números de identificação dos dois celulares, seu e do irmão. Além disso, um dispositivo de segurança acoplado aos dois telefones alterava a voz de quem estava falando.

Nestor viajava para o norte, na 270, num Contour svt azul, fabricado pela divisão de veículos especiais da Ford

— ou seja, num carro que já saíra especial da fábrica. Lizardo Rodriguez seguia numa versão verde do mesmo carro. Havia cinco quilos de heroína colombiana marrom no porta-malas do Ford de Nestor e cinco quilos no porta-malas do Ford de Lizardo.

Os Contours pareciam carros comuns, de passeio, mas os duzentos cavalos do motor faziam deles algo bem mais possante. Tinham capacidade para ir de zero a cem quilômetros em menos de sete segundos e atingiam velocidades de até duzentos e vinte e cinco quilômetros por hora. O estilo meio insosso do modelo era perfeito para trabalhar, mas para rodar nas ruas de Orlando, cidade adotiva deles, os irmãos Rodriguez preferiam veículos mais chamativos. Nestor, em especial, que continuava solteiro, tinha paixão por carros bonitos. Era dono de um Mustang Cobra zero-quilômetro, também saído da svt da Ford. O carro ia de zero a quase cem quilômetros em cinco segundos e meio. Nestor sentia o maior orgulho por não ter feito modificação nenhuma nele, como era costume entre a grande maioria dos hispânicos; o carro continuava do jeito que saíra da fábrica. Quer dizer, quase. Ele havia posto dois adesivos — duas silhuetas de garotas nuas com a cabeleira esvoaçante das mulheres brancas — na traseira do carro, e os dizeres "As Mulheres São Bem-Vindas" no meio, com letras em néon. Era tudo, porém.

"Com quem você estava falando agora há pouco?", perguntou Nestor.

"Com a minha mulher", Lizardo respondeu. "O pai dela não quer nem ouvir falar em plantar outra coisa. Eu tentei explicar pra ele que o cartel fornece os fertilizantes e as sementes, além da garantia de que aquilo que ele produzir, a gente vende. Sem contar que a papoula dá duas vezes por ano e o café ele colhe uma vez só. E a gente paga um salário quatro vezes maior do que agora pro pessoal que trabalha na roça."

"Então por que ele não aceita?"

"Porque ele é um matuto", disse Lizardo. "Esse é que

é o problema. Ele vê um helicóptero americano, um daqueles Bells negros com o atirador na porta e morre de medo. Aliás, o velho me vê, eu, que sou genro dele, e morre de medo. O cara morre de medo da própria sombra."

"Esses agricultores." A voz de Nestor foi de desprezo.

"Nem me fale. E olhe que eu estou só tentando ajudar, pra ver se a minha mulher pára um pouco de me prensar contra a parede. Quem sabe aí ela me deixa dar uma prensa nela na cama."

Nestor entendia por que a cunhada não era muito fã do seu irmão. Lizardo vivia bêbado e, quando estava bêbado, não se comportava exatamente como um cavalheiro. Se por acaso a bebedeira o tivesse deixado frouxo, esmurrava a mulher com os punhos fechados. Nestor sabia que às vezes elas precisam apanhar, que no fundo até esperam uns tapas, mas o fato é que todas perdem o brilho quando apanham o tempo inteiro.

"Traz ele pra morar com vocês na Flórida", falou Nestor. "Você tem condições pra isso."

"Ele não quer. E eu também não quero aquele porco imundo na minha casa. Ele toma banho, mas continua cheirando a bosta de vaca."

"Quem sabe o irmão da sua mulher pode ajudar, por que não pede pra ele falar com o velho no seu nome?"

"O padre? Que nada! Aquele lá não está conseguindo ajudar nem ele mesmo."

"Tá achando difícil manter o voto de castidade, é?"

"Castidade nunca foi a dele. Tem um ditado lá no meu povoado que diz: Toda criança chama o pároco de *padre*, menos os próprios filhos, que chamam ele de tio!"

Nestor e Lizardo compartilharam uma boa gargalhada. Depois Nestor acionou o pisca-pisca avisando que iria entrar à direita, tendo o cuidado de checar para ver se o irmão o estava seguindo.

Depois da curva, examinou o rosto no retrovisor. O cabelo preto estava penteado todo para trás, assentado com gel, e o cavanhaque fora bem aparado. Havia raspado os pêlos que tinha entre as sobrancelhas a vida toda, de modo que àquela altura já ostentava dois sobrolhos separados. Nas orelhas, usava um par de argolas pequenas de ouro. As roupas eram boas, mas sem grandes espalhafatos. Nestor estudava as imagens publicadas na *Esquire* e na *GQ* para ver os estilos mais recentes e a maneira correta de se vestir. Depois comprava peças que se pareciam com as das fotos, mas sem as etiquetas de grife pelas quais se pagava muito mais. Ele fazia compras na Men's Warehouse e na Today's Man.

Coisa de um quilômetro e meio mais adiante havia um centro comercial ao lado de um descampado com várias casas em construção. A área de estacionamento estava razoavelmente lotada. Nestor achou um corredor com duas vagas. Entrou numa delas e ficou observando o irmão estacionar na outra, no extremo oposto. Depois apalpou debaixo do banco e pegou sua arma, uma Sig Sauer nove milímetros com um pente de oito balas. Enfiou a Sig num coldre de couro e guardou no bolso do paletó.

"Você conversou com o Coleman?", Lizardo perguntou, ainda ao telefone.

"Desde a última vez não. Vou ligar pra ele de Baltimore, hoje à noite."

"Será que ele vai pegar a cocaína, na próxima entrega?"

"Ele disse que compra a cocaína dele de um fornecedor de Los Angeles e que não está a fim de trocar. Mas eu disse pra ele que se ele quiser a nossa *manteca* vai ter de pegar a cocaína também. Eu falei que não dá mais pra gente vender uma sem a outra. A gente anda vendendo a *manteca* pros Boones por um precinho supercamarada. Mesmo depois da malhada que aqueles dois dão, o Coleman sabe que não tem heroína mais barata que a nossa à venda no mercado."

"E se ele disser não?"

"A gente põe os Boones pra vender a *manteca* prum outro qualquer."

Lizardo se inclinou para o lado do passageiro, abriu

o porta-luvas e tirou de lá de dentro seu trinta-e-dois. Era uma Davis, uma arma pequena, boa para disparos a pouca distância, e cabia direitinho dentro do bolso de sua calça preta de corte folgado. Guardou-a e, por alguns instantes, considerou a situação. Nestor nunca lhe pedia conselhos sobre como gerir os negócios, mas às vezes até que tinha idéias bem boas. E achava que tinha acabado de ter uma, bem naquele instante.

"Escuta só, Nestor. A gente volta a vender direto pro Coleman. Assim sai mais barato pra ele, correto? Talvez isso o convença a pegar a coca também."

"Você se esqueceu do motivo que levou a gente a arranjar os Boones, pra começo de conversa?"

"Não foi a gente que arranjou. Foi o primo Roberto, quando ele e o Boone passaram uns tempos juntos em cana."

"A *gente* pediu pro Roberto arrumar alguém, esqueceu?"

"Ah, tá."

Nestor soltou o ar devagar. Era preciso não esquecer de ser paciente com o irmão, cujo cérebro funcionava muito lentamente.

"Lizardo. Você quer mesmo entrar naquela cidade fodida e lidar com a negada direto?"

"Não."

"Então a gente precisa dos Boone. Por enquanto, pelo menos. De modo que vê se deixa o Ray em paz, tá me entendendo? Você vive tentando irritar o baixinho."

"Foda-se." Saiu "rôdassi".

Edna Loomis vinha chacoalhando a pickup Ford pela estrada de cascalho, causando certo estrago nos amortecedores mas sem pensar de fato neles, já que estava com uma pressa danada de voltar para casa. Travis Tritt se esgoelava no rádio da caminhonete. Ela aumentara bem o volume para manter a adrenalina.

Na noite anterior, a conselho de uma amiga sua que

também adorava cachimbar uma pedra, tinha tirado um molde da chave de Ray com uma massinha especial comprada na loja de ferragens. Essa amiga, uma garota de cabelos compridos chamada Johanna, havia finalmente conseguido convencê-la de que Ray jamais daria pela falta de um taco aqui, outro lá, se por acaso algum dia ela criasse coragem de ir pegar, e, além do mais, tinha todas aquelas coisas boas que estava dando de graça pra ele e então claro que era pleno direito seu receber em troca um pouco do bagulho em bases regulares. Afinal de contas, Edna era mulher de Ray, quase sua esposa, e por que haveria uma esposa de ter de pedir toda vez que quisesse ficar de barato? Depois de algumas doses de Courage com Coca, Edna começou a entender o ponto de vista de Johanna.

De modo que, na noite anterior, depois de Ray ter ido dormir, Edna havia retirado a chave daquele chaveiro que ficava preso no cós da calça dele. Quando Ray acordou de manhã, a chave estava no mesmo lugar em que estivera na noite anterior, na hora em que jogou o jeans no encosto da cadeira do quarto. Ele não se deu conta de nada. Edna tinha levado o molde para um camarada que Johanna conhecia e ele havia providenciado tudo. Agora estava com uma chave novinha em folha, toda brilhante, no bolso.

Edna enfiou a F-150 no pátio, entre o Taurus e a Harley motor Shovelhead. As pernas de Ray estavam penduradas para fora da porta aberta do Taurus, e sua caixa de ferramentas de aço estava ao lado, no chão. Ray vivia mexendo com aquele carro, ou então com a Harley. Ele se levantou, endireitou o corpo e espanou a poeira da roupa quando Edna saltou da cabine da caminhonete.

"Eu não tinha dito pra você ir a um cinema ou coisa parecida?", disse Ray. "Você sabe que a gente tem uns negócios pra resolver hoje aqui, eu e o meu pai."

"Eu esqueci minha caixa de fita cassete", disse Edna. "Não dá pra ficar rodando de carro o dia inteiro sem música."

"Bom, então vai lá pegar rapidinho e se manda."

"Cadê o Earl?"

"Em casa, por quê?"

"Por nada, só queria saber por onde ele andava. E você, não precisa se preocupar comigo, não. Pode terminar o que estava fazendo numa boa."

Ray voltou para o carro e deitou entre o banco e os pedais do acelerador e do breque, se perguntando por que as mulheres falavam tanto sobre coisa nenhuma. Estava pondo a coluna da direção de volta no lugar, depois de ter desmontado e lubrificado as partes móveis. A regulagem da coluna andava meio lenta e isso ele não admitia de jeito nenhum. Faltava só borrifar um pouco de WD-40 para dar o acabamento. Depois ele e o pai estariam prontos para se encontrar com os irmãos Rodriguez, nas cercanias do centro comercial.

Edna cruzou voando o celeiro, movida a adrenalina. Enfiou a chave nova na fechadura da porta de aço e sorriu quando ela engatou e girou. Entrou na sala das drogas sem nem sequer olhar por cima do ombro. A amiga Johanna tinha razão: tendo peito, as coisas ficavam fáceis, fáceis.

Não passou o ferrolho na porta porque seria muito pior se tivesse de tentar explicar a Ray por que estava ali naquela sala atrás de uma porta trancada. Estando aberta, se por acaso ele a flagrasse, ela não pareceria tão culpada e, mal ou bem, sempre poderia lançar mão daquela velha desculpa: curiosidade feminina.

Tudo bem, Edna, até agora tudo certo, mas vê se não demora.

Logo que entrou, viu o fogão onde Ray preparava a metanfetamina. Acima das bocas havia uma prateleira e, sobre ela, alguns frascos velhos de remédio, de plástico cor de âmbar com tampa branca também de plástico; abriu um deles e viu que continha um punhado de cápsulas, o bagulho preferido de Ray. Mas não era isso que estava procurando. Abriu um outro frasco, e esse sim estava cheio de pedras. Despejou metade na palma da mão e guardou num tubinho de filme que trazia no bolso. Por acaso Ray iria contar pedra por pedra tudo o que tinha em casa? Como a amiga Johanna gostava de dizer, não é *provável* que ele faça isso.

Antes de sair da sala, olhou em volta para as ferramentas e pesos de Ray. Brinquedos de menino. Mas ela jamais se queixaria dos exercícios de musculação que ele fazia. Ray era meio nanico, é verdade, mas que ele a deixava molhadinha quando tirava a camisa à noite, isso deixava. Ela gostava do jeitão de buldogue que ele tinha.

Em algum lugar, ali também, ficava a entrada para o túnel que pai e filho haviam cavado. Edna já dera boas gargalhadas por causa desse túnel, ela e Johanna, no dia em que as duas encheram a cara além da conta naquele bar onde tinha a *jukebox* que tocava Whitesnake, Warrant e umas outras bandas que Johanna curtia, lá para os lados de Poolesville. Ray de vez em quando tentava assustá-la, gostava de falar nas cobras que moravam no fundo do túnel, mas ela nunca fizera muito caso. Não tinha medo de cobra, não; as cobras não passavam de minhocas crescidas. E por que ela haveria de querer entrar naquele túnel nojento?

Saiu da sala das drogas tão confiante quanto entrara. Não havia ninguém no celeiro que Ray e Earl haviam decorado eles mesmos e transformado em bar dos velhos tempos. Ninguém tinha visto nada.

Ela trancou a porta e sacudiu os cabelos dos ombros. Pronto, estava com as pedras e orgulhosa da façanha.

Earl Boone, sentado na beira da cama, terminou de tomar sua Busch. Amassou a lata na mão e jogou o vasilhame no cesto de lixo, onde a lata tiniu ao bater em outras também vazias. Em seguida foi até a janela do quarto. Depois levantou a tampa da caixinha de Marlboro, deu uma sacudida no maço e tirou um cigarro com a boca. Acendeu-o com um Zippo que exibia um mapa do Vietnã em relevo num dos lados e uma insígnia do Corpo de Fuzileiros Navais do outro. Sob o mapa, estava gravada a frase "Pago para matar". Toda vez que olhava para o isqueiro, se lembrava com certa ternura de todo aquele gás que tinha na juventude.

Edna estava saindo do celeiro como se estivesse pegando fogo, tal era a pressa, sacudindo o cabelo e a bunda enquanto ia para a caminhonete. A garota estava sempre a mil por hora, exceto de manhã, quando virava um bagaço. Agora ela e Ray estavam conversando ou brigando, Earl achava sempre muito difícil distinguir uma coisa da outra. Não entendia por que o filho não lhe dava uns bons tabefes toda vez que ela punha as manguinhas de fora, o que aliás era muito freqüente. Perto de outros homens, Ray se comportava sempre como um touro furioso, mas era só botar o rapaz do lado de qualquer coisa com uma racha entre as pernas que ele ficava mais manso que cachorro capado.

Alguns homens eram assim mesmo, mas não ele. No tempo em que era casado com a mãe de Ray, Margo, coitada dela, tinha o hábito de dar umas boas bofetadas na mulher e, às vezes, até uns murros, quando ela se metia a valente e perdia o respeito por ele, incentivada por aquele gim todo de que tanto gostava. No fim, o gim acabou com ela. Nos últimos tempos, quando já estava ligada num monte de máquinas, com tubos saindo do nariz, à espera de um transplante, Earl quase que chegou a lhe pedir desculpas por todas as surras dadas, mas não era de sua natureza fazer uma coisa dessas, e o momento passara. Cacete, para começo de conversa, sabia que ela jamais conseguiria um fígado. O órgão iria para alguém que fosse rico, ainda que a pessoa estivesse atrás dela na lista de espera. Era assim que o mundo funcionava. Earl tinha plena consciência disso, sempre tivera, desde o momento em que saíra dos cueiros.

Edna estava deixando o pátio para pegar a estrada de cascalho.

Earl vestiu o casaco. Pôs os cigarros e o isqueiro num dos bolsos e o trinta-e-oito no outro. Apanhou uma embalagem com meia dúzia de latinhas de cerveja e apagou a luz do quarto. Pelo jeito, Ray tinha terminado de mexer no carro e já devia estar aflito, nervoso, doido pra pegar uma estrada. Nervoso como ficava toda vez que alguma coisa estava para acontecer.

13

Nestor Rodriguez viu o Taurus entrar no estacionamento e serpentear por entre os corredores de carros parados. Sempre que marcava encontro ali, Ray Boone dava uma geral para ver se havia algum policial na espreita, ou algum homem da Agência Antidrogas fazendo campana dentro de um veículo de chapa fria. Nestor já tinha feito uma vistoria e estava seguro de que não havia nenhum problema, sobretudo porque carro de chapa fria é muito fácil de localizar. Entretanto, Ray era daqueles que precisam verificar por si mesmos.

Ao telefone, Nestor disse: "Eles chegaram", e, ainda vigiando o Taurus pelo retrovisor e pelo espelhinho lateral, acrescentou: "Espere até eu lhe dar um sinal, aí então tranque o carro e venha para o meu".

Ray Boone estacionou o Taurus perto do Contour de Nestor. Os olhos de Nestor passaram pelo velho, de barba por fazer e, como de hábito, com jeito de quem bebera dois dias sem parar; depois o olhar se concentrou em Ray, sentado ao volante. Nestor meneou a cabeça para ele, enquanto falava ao telefone: "Tudo bem, Lizardo, venha agora".

"Como é que está a cara dos nossos amigos, hoje?", Lizardo perguntou.

"Vê se não banca o engraçadinho", falou Nestor, sorrindo muito de leve para Ray através do vidro do carro, enquanto falava. "O panaca nanico não aprecia o seu senso de humor. Tudo o que a gente quer aqui é completar o negócio e seguir em frente. E nada de ficar falando espanhol, Lizardo; ele também não gosta disso."

"Certo. Aqui vou eu."

Nestor repôs o telefone no suporte. Não gostou nem um pouco do tom brincalhão na voz do irmão. Desde o tempo em que eram ambos moleques, Lizardo vivia fazendo piada de tudo.

Lizardo saiu de seu carro, trancou a porta, conferiu para ver se estava bem fechada e caminhou ao longo do corredor de carros, enfiando as chaves no bolso. Usava o mesmo penteado do irmão, porém não raspava os pêlos entre as duas sobrancelhas, o que lhe deixava um único sobrolho comprido, igual a uma taturana peluda e negra, estirada de um lado a outro da testa. Tinha também um pequeno bigode, mas não usava barba, e as roupas não demonstravam a mesma preocupação com estilo que as do irmão. Comprava tudo na Target e na Montgomery Ward. Não gostava de tecidos que amassavam e sempre se perguntava por que os idiotas pagavam muito mais por panos que amarfanhavam. Em casa, muitas vezes dormia vestido, sobretudo quando bebia demais.

Nestor saltou do seu Contour, trancou a porta e se encontrou com Lizardo na traseira do carro. Abriu o porta-malas e levantou o pedaço de carpete que em geral cobre o compartimento onde fica guardado o estepe, mas que, no caso, cobria cinco sacolas idênticas de náilon com o logotipo da Adidas impresso dos lados. Ele tirou duas das sacolas, repôs o tapete no lugar e trancou o porta-malas com movimentos fluidos, sem nenhum embaraço; os dois irmãos aparentavam absoluta calma.

Depois se separaram, Nestor foi para uma porta do Taurus, Lizardo para a outra. Entraram ambos no banco de trás.

"Oi, Ray", falou Nestor. "Oi, Earl."

"Ro-lá, compañeros", disse Ray.

"Boas, Earl", disse Lizardo, dando uma palmadinha no ombro de Earl.

"Boas", Earl respondeu, abrindo mais outra lata de Busch e tomando um golaço.

"Agora vocês dois, deitados aí atrás", disse Ray. "É um pulinho até lá."

Eles não protestaram. Era um mero detalhe e parecia deixar Ray mais à vontade. Nestor e Lizardo se arrumaram no banco, como já tinham feito tantas outras vezes, antes. Nestor deixou as pernas penduradas para fora do banco e se curvou até ficar de cara para o banco; Lizardo fez o mesmo, só que na direção contrária. O rosto de Nestor ficou a poucos centímetros da bunda de Lizardo.

"Então lá vamos nós", disse Ray, dando ré e saindo da vaga.

Eles tinham rodado um quilômetro e meio, mais ou menos, quando Nestor escutou uma espécie de guincho agudo. Depois veio um cheiro medonho de coisa podre dos fundilhos da calça de Lizardo.

"Lizardo", falou Nestor. "Tenha a santa paciência."

"Não foi por querer, Nestor. Foram os *huevos rancheros* que eu comi hoje de manhã no Denny, lá na estrada..."

"*Não foi por querer!* Você forçou a barra, cara; eu escutei muito bem o barulho!"

"Desculpe", disse Lizardo.

Mas não estava arrependido coisa nenhuma. E não conseguiu evitar a risada quando ouviu o irmão tossir, engasgado.

Nestor sentiu a velocidade do carro diminuir e, depois de uma curva fechada, escutou os pneus triturando cascalho, o que indicava que estavam próximos da propriedade dos Boones. Ainda avançaram um tempinho, bem devagar, até que pararam por completo.

"Podem descer, agora", disse Ray, desligando o motor.

Todos eles saltaram do carro. No pátio, via-se uma grande quantidade de pneus velhos, latas de óleo vazias, pastilhas usadas de freio, blocos de concreto, toras de madeira e até um ancinho todo enferrujado. Havia um capacete prussiano pendurado no santantônio de uma Harley antiga e a galhada de plástico de um antílope pregada na porta do celeiro. A casa ao lado do celeiro precisava com urgência de uma mão de tinta. Do telhado do pórtico pendia uma trepadeira morta, e o próprio pórtico estava penso para o lado.

Maloqueiros, pensou Nestor. Nem com todo o dinheiro do mundo conseguiriam comprar um pouco de classe, mesmo sendo brancos.

"Vamos lá pra dentro", disse Ray, "dar uma esquentadinha enquanto trabalhamos."

Caminharam na direção do celeiro. Ray examinou Nestor, carregando despreocupado as sacolas. Nestor, com seu terno lustroso de enchimento farto nos ombros, com aqueles sapatos de bico fino que ele tanto amava, sapatos de chicano, trançados dos lados feito um cestinho de pão. Mais tranqüilos que bicho-preguiça, os dois, e Nestor indo em frente com aquele par de sapatos furadinhos. Ray sabia que ele gostava de um rabo-de-saia, e apostava como o cucaracho se achava muito atraente, vestido daquela maneira. Uma vez ele tinha contado a Ray que na Flórida as garotas o chamavam de Nestor, o Molestador, e que sentia muito orgulho do apelido. Bem, talvez elas gostassem do gênero dele, lá pelo sul, mas em Maryland, ali no interior do estado? O cara parecia um grandessíssimo idiota, na opinião de Ray.

"Ei, Nestor", disse ele, "quanto foi que você pagou por esse terno, cem paus?"

"Cento e cinqüenta", disse Nestor, na defensiva.

"O que é que você acha, pai? Será que eu ia ficar bem num terno desses?"

"Mmm", Earl resmungou.

Estava quente, dentro do celeiro. Eles tomaram uns drinques, Ray insistindo muito para que acompanhassem as cervejas com umas doses de tequila, da dourada que ele guardava na prateleira atrás do bar. Earl sentou com eles numa das mesas de jogo, cobertas com feltro verde, enquanto Ray ia até sua sala secreta para pesar a heroína, se certificar de que eram dois quilos mesmo. Ele dizia possuir algum tipo de teste químico, lá atrás, que aplicava na droga também, ainda que Nestor nunca tivesse visto a tal aparelhagem.

Earl não falou muita coisa enquanto Nestor e Lizardo tomavam suas tequilas e cervejas. Fumou um cigarro, depois outro, balançando a cabeça sempre que Nestor tentava incluí-lo na conversa, mas sem produzir mais do que uma chacoalhada, um "é" de vez em quando e um "ahã" aqui e ali.

"Vai com calma nisso", falou Nestor, apontando para a garrafa de Cuervo que Lizardo ergueu da mesa e virou no copo.

"Só um gole", disse Lizardo, despejando três dedos de bebida e repondo a garrafa sobre o feltro.

Nestor não gostava de estar perto do irmão quando ele bebia. O álcool deixava Lizardo ainda mais burro e muito mais tonto do que já era.

Na saleta dos fundos, Ray rompeu uma cápsula de methedrine, despejou o pozinho salpicado de azul na mão, no oco formado pelo polegar junto da palma, e cheirou tudo de uma só vez. Andou para cima e para baixo na sala, louco para fumar um cigarro, com o coração disparado. Fez uma série de exercícios para os bíceps, depois abriu a porta que dava para o salão e enfiou a cabeça no vão.

"Nestor, Lizardo! Venham aqui pegar a grana!"

Nestor olhou para Lizardo e encolheu os ombros. Levantaram ambos da mesa e caminharam até o aposento dos fundos. Earl apagou o cigarro e foi atrás. Quando estavam todos ali dentro, Ray trancou a porta.

Nestor sentia certa curiosidade por aquela sala dos fundos. Nunca tinha sido convidado a entrar, mas quando viu o que era, sentiu certo desapontamento. Havia uma bancada de trabalho, alguns rifles num armário, um fogão para preparar as drogas, um par de cofres, um banco para levantamento de peso, halteres espalhados pelos cantos e uma pilha de revistas pornográficas sobre uma mesinha perto do banheiro. Lembrava bastante a sala que o próprio Nestor tinha no porão de sua casa.

"Tudo em ordem, Ray?"

"Tudo batendo certinho, Nestor."

"Então a gente vai pegar o dinheiro e se mandar."

"Vocês ainda têm umas entregas pra fazer, né?"

"Esta foi a nossa primeira parada, Ray. Como sempre."

"Vocês devem ficar preocupados com o resto da mercadoria, parada ali no porta-malas daqueles carros."

"Se eu estiver preocupado", falou Nestor, sorrindo alegremente, "o problema é só *meu*."

Lizardo riu de leve. Nestor viu um brilho vidrado muito conhecido nos olhos do irmão e percebeu que as tequilas e cervejas já estavam fazendo efeito em Lizardo.

"Eu disse alguma coisa engraçada, é?", Ray perguntou.

"São as botas, *niño*", Lizardo respondeu, os olhos descendo devagar até o par de botas Dingo nos pés de Ray.

"O que quer dizer isso, *ni-nho*?"

Nestor quase fez uma careta. *Niño* queria dizer "homenzinho". Era coisa para se dizer a uma criança.

Mas respondeu: "É uma outra palavra para compañero, Ray. É a mesma coisa que chamar alguém de amigo."

"Eu *gosto* dessas suas botas", Lizardo interveio. "Sério mesmo, Ray. E os saltos! Me diga uma coisa, onde é que eu arranjo um par igual a esse?"

"E pra quê?" Ray estava começando a ficar desconfiado.

Lizardo sorriu. "Eu queria levar pra minha mulher."

Ray deu um passo adiante. Earl reprimiu uma risadinha e disse:

"Ele não falou por mal, Cria. O cara só está se divertindo um pouco às suas custas, mais nada. Vai lá e entrega o dinheiro pros rapazes."

Ray foi até a bancada de trabalho, apanhou as sacolas de náilon que os irmãos Rodriguez tinham trazido e entregou-as a Nestor. Nestor abriu o zíper e deu uma espiada no interior delas.

"Conte", Ray disse.

"Eu não preciso contar. Nós vamos continuar fazendo negócio por um bom tempo ainda."

"Ei, Ray", Lizardo chamou, apontando com a cabeça para o banco de musculação. "Você levanta mesmo isso tudo sozinho?"

"Na maior", Ray respondeu. "Cento e dez quilos. Sou capaz de passar o dia inteiro nesse filho-da-puta, fazendo supino."

"Vamos andando, mano", Nestor falou.

"O quê?", continuou Ray. "Você acha que eu não consigo?"

"Não sei, não", respondeu Lizardo, piscando para Nestor. "Você até que dá a impressão de ser bem forte, mas..."

"Eu te mostro. E não levanto uma vez só, não. Vou fazer uma série de dez. Que tal?"

Lizardo fez um gesto, esparramando os dedos da mão. "Se você quer me mostrar, cara, vai em frente. Mostra."

"Babacas", falou Nestor, se colocando entre Earl e o banco.

Ray tirou a camisa de flanela e ficou só de camiseta branca. Acomodou-se no assento cujo estofamento trazia a palavra *Brutus* gravada de atravessado e segurou firme no ferro. Respirou fundo umas duas vezes e tirou a barra dos suportes em que estava apoiada. Fez o supino uma, duas, três vezes, contando em voz alta, com as veias cada vez mais saltadas na testa e no pescoço. Repetiu dez vezes e, com toda a delicadeza, repôs a barra no lugar.

Sentou ereto no banco, examinou muito rapidamente os braços e sorriu para Lizardo. "Agora é a sua vez."

"Você está achando que eu não consigo?"

"Agora é a sua vez", Ray repetiu.

"*Vámonos*, Lizardo", disse Nestor.

144

"Ninguém aqui *vámonos* pra merda nenhuma até ele levantar essa porra dessa barra", disse Ray. "Eu levantei, agora ele também tem que levantar. Vamos lá, Lizardo, será que você consegue?"

"Claro que eu consigo. Mas será que também preciso sacar a camisa?" Saiu "camiça".

Lizardo soltou uma risada curta e se deitou no banco. Agarrou, soltou e tornou a agarrar a barra. Respirou bem fundo e reteve o ar. Ray se posicionou entre os suportes da barra, bem no meio.

"Um!", contou Lizardo em voz bem alta ao completar o primeiro supino. No mesmo instante percebeu que só conseguiria fazer mais um ou dois; ir além disso seria impossível. A barra era muitíssimo mais pesada do que havia imaginado.

"Dois!", disse ele, com a voz já meio fraca. Mal conseguiu esticar os braços até o fim. Baixou devagar o peso até o peito, respirou fundo de novo e empurrou com toda a força que lhe restava.

Dessa vez não contou. Já estava suficientemente difícil erguer a barra. Os braços queimavam e tremiam, e o rosto pegava fogo. A barra estava na metade do caminho e não iria, não havia como passar disso. Lizardo olhou com olhos súplices para Ray.

"Pronto, peguei." Ray se debruçou de leve na direção dos suportes e pegou a barra, puxando-a para si.

"Pegou mesmo?", Lizardo perguntou.

"Peguei", disse Ray.

Lizardo soltou a barra e deixou que as mãos caíssem ao lado do corpo. Ray levantou a barra até a altura dos suportes. Olhou para o pai e lançou-lhe um sorriso abestalhado.

"Ei, papai", ele disse, enquanto largava o peso.

Lizardo ainda teve tempo de soltar um grito. A barra esmagou-lhe o pomo-de-adão e a traquéia; também quebrou seu pescoço. Por um instante, mas apenas por um instante, ele viu o jato de sangue que cuspiu na sala.

Nestor deixou cair as sacolas. As mãos tremiam violentamente enquanto mexia no bolso do paletó, à procura da sua nove milímetros.

Earl sacou o trinta-e-oito e baleou Nestor na nuca. A cabeleira negra ficou chamuscada, e uma onda cor de carmim fez um arco por cima da parte crestada; ele tombou para a frente, e antes que caísse Earl ainda teve tempo de baleá-lo de novo, entre as espáduas. Quando Nestor bateu no chão, as pernas chutando às cegas, Earl colocou a mão logo acima do cão do trinta-e-oito e atirou de novo em Nestor, atrás da orelha.

Ray soltou um riso nervoso para o pai, com a explosão dos tiros ecoando ainda no ouvido.

Earl tornou a pôr o trinta-e-oito no bolso do paletó. Examinou as roupas para ver se havia traço de pólvora nelas e viu que estavam limpas. Ainda bem que tinha posto a palma da mão para servir de escudo. Foi se lavar na pia.

"Tem um cigarro, papai?"

"Tenho."

Earl tirou um para si e outro para o filho. Abriu a tampa do Zippo, girou o acendedor com o polegar e obteve uma chama.

Deu uma tragada, soltou a fumaça e depois perguntou ao filho: "Você planejou isso?".

"Meio que me ocorreu quando a gente estava bebendo lá no salão."

"Se estava planejando algo do gênero, devia ter me contado."

"É que me pareceu uma boa hora. O Coleman andava tendo problemas com esses caras..."

"O que ele pediu foi pra você conversar com eles, mais nada." Earl tragou novamente. "Acho melhor você ir buscar sua enxada, Cria."

"O chão está gelado demais, não vai dar pra cavar. Mas pode ficar sossegado que eu já sei o que vou fazer, pelo menos até o tempo esquentar um pouco. Agora tenho de voltar lá pro estacionamento antes que feche tudo. Pra esvaziar o porta-malas dos dois carros."

Earl balançou a cabeça e fumou seu cigarro.

Ray sorriu. "Aí está, papai. O senhor não queria cair fora do negócio?"

"Ahã."

"Pois então, nós caímos fora, não caímos? E vamos ficar ricos. Agora não tem nada que a gente não possa comprar."

"Eu gostaria é de um pouco de companhia", disse Earl, pensando na mulata magrinha, bonitinha e viciada lá de Washington.

"Tipo assim uma mulher?"

"Quando a gente não tem alguém com quem dividir as coisas", falou Earl, "essa sorte danada, tudo isso não quer dizer nada."

14

Strange estava no escritório, lendo uma transcrição dos autos do processo de Quinn, com Greco adormecido a seus pés. Uma bola de borracha vermelha, crivada de pinos também de borracha, descansava entre as patas do cachorro.

Strange o levava consigo para o trabalho umas duas vezes por semana, depois de muita choradeira por parte do boxer. Naquela manhã, quando estava a caminho da porta da frente, com as chaves do carro na mão, Greco havia lhe dado uma olhada comprida com aqueles seus enormes olhos castanhos e soltado um gemido pesaroso. Strange ficava aflito de pensar em Greco a manhã inteira de prontidão no hall de entrada, andando de lá para cá, latindo para todo e qualquer carro que diminuísse a velocidade ou parasse na rua.

Apanhou o telefone e digitou o número da extensão de Janine.

"Sim, Derek."

"Alguma coisa sobre o endereço do Kane?"

"Estou com ele aqui. Pelo visto mora com a mãe."

"E o número do telefone, você tem?"

"Também consegui. Mas custou vinte dólares. Eu debitei no seu cartão."

"Caramba."

"Você pode conseguir qualquer coisa na internet, desde que pague o preço."

"O Ron está por aí?"

"Ahã."

"O que ele está fazendo?"

"A minha impressão é a de que está lendo jornal."

"Eu pago o camarada pra ler jornal, é?"

"Você sabe que eu não me meto nos seus negócios, Derek."

"Imprima uma cópia com os dados do site pra quem você forneceu o número do meu Visa. Preciso apresentar isso como despesa."

"Já imprimi."

"Ótimo. Agora ligue pro Lydell Blue lá no Quarto D. P. e veja se ele me consegue a ficha desse Ricky Kane."

"Certo."

"Vou sair daqui a pouco."

Strange terminou de ler a transcrição dos autos. Boa parte das informações constava também das notícias de jornal e das reportagens feitas pela televisão. Ele leu com grande cuidado o depoimento de Quinn e a declaração do parceiro dele, Eugene Franklin, corroborando os fatos. Depois leu e releu o testemunho de Ricky Kane.

Na noite do tiroteio, Kane, que trabalhava em bares e restaurantes, estava rodando de carro pela cidade, depois de seu turno no Purple Cactus, um barzinho da moda entre a 14th e a F, quando de repente deu uma parada na D, para urinar. Kane explicou que tinha tomado "uma cerveja" depois do trabalho e começado a sentir os efeitos da bexiga cheia, então viu a D deserta e resolveu entrar nela, no sentido leste. Parado ao lado da porta aberta do Toyota, "tirei meu pênis pra fora e me preparei pra urinar" quando um jipe, "do tipo militar", virou a esquina, farol alto ligado, e parou atrás.

Os faróis do jipe bateram direto na vista de Kane e ofuscaram sua visão, enquanto ele "ajeitava tudo de volta" e subia o zíper da calça. Um "negro alto e forte" apareceu diante dos faróis brilhantes, gritando de forma extremamente agitada para que Kane mostrasse a carteira de motorista e os documentos do carro.

"O que foi que eu fiz?", Kane perguntou ao homem negro.

"Você estava mijando na rua", disse o negro. "E nem pense em negar isso porque eu vi você segurando o seu pinto pequeno como se fosse de dia."

O sujeito tinha peito largo, "parecia um halterofilista", e era pelo menos um palmo mais alto do que Ricky Kane. Mais tarde seria informado de que o nome do sujeito era Chris Wilson e de que trabalhava como policial, mas estava sem a farda.

Nessa altura, Kane tinha dito que sentira um cheiro forte de bebida alcoólica no hálito de Chris Wilson.

Quando uma pessoa bebe, ainda que só uma cerveja, pensou Strange, fica difícil sentir o cheiro de bebida no hálito dos outros. Strange sublinhou essa parte da declaração com um marcador amarelo.

"Quem é você?", Kane perguntou. "Por que quer ver minha carteira de habilitação?"

"Sou da polícia", respondeu Wilson.

Kane ficou assustado, mas "eu sabia quais eram meus direitos". Pediu para ver o distintivo de Wilson, ou alguma outra forma de identificação, e foi quando Wilson "se enraiveceu", agarrou Kane pelo colarinho da camisa e jogou-o contra o carro. Na mesma hora, Kane disse ter sentido fortes dores nas costas.

"Puta esperteza", exclamou Strange, baixinho. Era óbvio que a frase tinha sido proferida em nome de alguma possível futura indenização. Greco abriu os olhos, ergueu a cabeça e olhou para o dono, ao ouvir sua voz.

Kane dizia ter sofrido "um desmaio momentâneo", de alguns segundos. Depois disso, lembrava-se de estar deitado de costas na rua, com Wilson agachado em cima dele, comprimindo seu peito com o joelho. Havia uma arma na mão de Wilson, "uma automática, eu acho", que ele segurava grudada no rosto de Kane.

O depoente declarou nunca ter sentido aquele tipo de medo antes. Havia saliva acumulada nos cantos da boca de Wilson, o rosto dele estava "todo retorcido de raiva", e ele repetiu "Eu vou matar você, seu filho-da-puta" uma porção de vezes. Kane não tinha a menor dúvida de que Chris Wilson o faria. Não sem "certo embaraço", admitiu que quando Wilson encostou e apertou o cano da arma em seu rosto, "evacuou involuntariamente".

Strange havia lido o relatório da polícia. A se acreditar nas declarações de um policial que afirmou ter detectado um forte odor fecal em volta do agredido, de fato, Ricky Kane tinha se borrado todo aquela noite.

Kane contou que no momento em que Wilson estava com ele imobilizado no chão, apareceu uma radiopatrulha no local. Dois policiais, um negro e o outro branco, saltaram da viatura e ordenaram que Wilson largasse a arma. A descrição feita por ele do que houve em seguida era mais ou menos igual aos depoimentos que os policiais Quinn e Franklin tinham dado.

Strange passou então para a pasta que continha cópias de artigos saídos na imprensa sobre o caso. Foi até uma matéria já sublinhada, uma entrevista com a namorada de Chris Wilson, com quem o policial tinha estado antes de ir trabalhar. A namorada confirmava que Wilson havia bebido na noite do tiroteio e que "parecia aborrecido com alguma coisa". Ela não sabia o que o preocupava e ele "também não contou". Strange fez uma anotação mental do nome da moça.

Discou um número de telefone, e a pessoa com quem estava tentando falar atendeu do outro lado. Depois de um toma-lá-dá-cá, conseguiu marcar um encontro para aquela tarde. Falou obrigado e repôs o fone no gancho.

"Com licença, meu velho", falou ele, tirando os pés delicadamente de sob a cabeça de Greco. "Preciso trabalhar um pouco."

Vestiu seu blusão de couro. O cachorro foi atrás.

Na sala da recepção, Strange parou para conversar com Janine enquanto Greco achava um lugarzinho embaixo da mesa.

"Falou com o Lydell?"

Janine entregou-lhe uma folha rosa, arrancada de seu bloquinho de recados. "Lydell verificou o nome de Kane nas redes local e nacional. Kane não tem condenações, nunca foi preso. Nunca foi pego com um baseado dentro da meia. Nunca foi pego por coisa nenhuma, a não ser por ter feito algo que deveria ter sido feito num banheiro público. Nem mesmo por alguma briga nos tempos de moleque. Antecedente nenhum, de nenhuma espécie."

"Certo. Não me deixe esquecer de dar uma ligada pro Lydell, pra agradecer a ele."

"Ele falou que estava te devendo *essa*. Alguma coisa a ver com algo que você fez por ele quando tinham acabado de entrar pra polícia. Na verdade, isso de ainda conhecer um pessoal na força ajuda bem."

"Os que não morreram nem se aposentaram. É, eu conheço alguns."

"Ei, chefe", disse Ron Lattimer do outro lado da sala. O rapaz, que usava camisa social, gravata dourada e calça cinza-chumbo, estava com o jornal aberto nas mãos e um par de Kenneth Coles de pelica e costura vertical na gáspea apoiados sobre a mesa.

"Que foi?"

"Aqui diz que esse seu blusão de couro já era. Desse tipo com zíper. Você tem de comprar um daqueles gênero paletó, mais comprido, talvez com um cinto, se quiser sair por aí na crista da onda."

"Por acaso você está lendo um artigo falando de um livro que acabou de sair sobre homens negros e estilo, é?"

"Esse mesmo. O livro se chama *Men of Color*."

"Eu também li, hoje cedo. Essa moça que escreve sobre moda, ela tem um jeito meio engraçado de ver as coisas. Diz que o homem negro desenvolveu um senso dinâmico de moda, que essa é a 'ferramenta dele contra a invisibilidade'."

"Pois é. Aqui diz que nós, os negros, usamos 'a moda como uma espada e um escudo'", disse Lattimer, lendo em voz alta.

"*Todos* nós fazemos isso, é?"

"Lá vem você de novo, Derek."

"Porque eu estava pensando cá com os meus botões, sabe aquele velho que praticamente mora na Upshur, aquele que tem umas manchas de mijo na frente das calças? O que pega o jantar lá no latão de lixo? Quer dizer então que você acha que ele usa a moda como uma ferramenta contra a invisibilidade? Eu vi um neguinho ontem, jovem ainda, descendo do ônibus integração lá na Georgia, de abrigo laranja com listras verde-limão dos lados. Eu não usaria aquilo nem pra cobrir o cocô do Greco. E veja só que coisa, não é que eu saí de casa e esqueci de engraxar minhas botas, hoje..."

"Já entendi onde você quer chegar, cara."

"Eu simplesmente não gosto que ninguém, e pouco me importa quem, venha me dizer o que os homens negros fazem ou deixam de fazer. Porque esse tipo de pensamento é tão perigoso quanto aquele outro tipo de pensamento, se é que você me entende. A gente sabe que alguns brancos vão ler esse artigo e pensar: Pois é, eles gastam um bocado em roupas; pois é, *eles* gastam uma fortuna em carros; mas pensar em economizar um dinheiro pra aposentadoria que é bom, ou pra pagar a educação dos filhos? Ah, nisso eles não querem nem pensar. Você entende o que estou querendo dizer?"

"Eu já tinha dito que sim."

"É só mais um estereótipo, mais nada. Por mais positivo que possa parecer, à primeira vista, é apenas mais uma daquelas coisas com as quais temos que aprender a conviver sem dar demasiada importância."

"Cacilda", falou Lattimer, jogando o jornal em cima da mesa. "Você se agita todo por causa dessa bosta, não é mesmo? Tudo o que o artigo disse é que a gente gosta de se vestir legal. Não tem nada de mais sinistro por trás não."

"Derek?", interrompeu Janine.

"O que foi, Janine?"

"Pra onde você está indo agora?"

"Trabalhar nesse caso do Chris Wilson. Estou levando o bipe, caso precise se comunicar comigo." Strange virou para Lattimer. "Está ocupado?"

"Estou trabalhando com duas violações de condicional. E com uma omissão de pagamento de pensão alimentar. Coisinhas assim."

"Neste instante?"

"O plano era ir esquentando os motores aos poucos, Derek."

"Quer sair comigo agora pela manhã?"

"Esse caso do Chris Wilson não vai pagar nossas contas, chefe. Se eu conseguir entregar um ou dois malandros de volta pra polícia, vai ser muito bom pra nós."

"Eu gostaria de ouvir a sua opinião no caso. Você está com tempo de sobra."

"Tudo bem. Mas de tarde eu tenho que fazer trabalho sério, de gente."

"Dê uma ligada pro Terry Quinn", Strange disse para Janine. "O nome da loja onde ele trabalha é Silver Spring Books, na Bonifant. Diga que devo passar por lá dentro de uma hora e que é pra ele ir providenciando uma escapulida."

"Vai permitir que o cara que está sendo investigado ande de carro junto com você?", Lattimer perguntou.

"Assim eu fico conhecendo melhor a figura. E de todo jeito, já prometi pra ele que vai ficar sempre a par das coisas."

Lattimer se levantou, vestiu o sobretudo de cashmere e colocou um Fedora na cabeça, ajustando o ângulo exato.

"Não dê comida de novo pro Greco", Strange pediu a Janine. "Eu já dei uma lata inteira pra ele hoje de manhã."

"Posso dar um daqueles ossos de couro que eu guardo na gaveta pra ele?"

"Se quiser."

Na saída, Strange olhou Janine nos olhos e sorriu com o olhar. Essa era uma outra coisa que ele gostava nela: Janine era boa com Greco.

Já na Upshur, Strange meneou a cabeça para o Fedora na cabeça de Lattimer.

"Belo chapéu."

"Obrigado."

"E ele funciona como espada ou como escudo?"

"Mantém minha cabeça aquecida, pra falar a verdade."

15

Ao volante do Caprice, Strange seguia na direção da Zona Sudoeste. Colocou para tocar o 3 + 3, em sua opinião o melhor disco dos Isley Brothers. Nele, Ronald Isley cantava a belíssima balada "The Highways of My Life" e Strange sentia um impulso quase incontrolável de cantar junto. Mas sabia que Lattimer faria algum tipo de comentário, se ele abrisse o bico.

"Isso é bonito pra caramba", falou. "E não me diga o contrário porque é algo que você não pode negar."

"É bem legal, sim. Mas eu prefiro umas coisas com um pouco mais de pegada."

"E a letra também não é má. Nada daquelas lorotas do cara que se vangloria porque bate em mulher, nada daquelas cafonices de romances gorados."

"Você está cansado de saber que eu não escuto essas merdas, Derek. Eu curto mesmo é um bom hip-hop com algumas pitadas de jazz. The Roots, Black Star, esses caras. Esse outro gênero, esse que você mencionou, não me diz nada. Se quer saber, na minha opinião isso nada mais é, de novo, do que a exploração do nosso povo pela indústria fonográfica. Já estou até vendo todos aqueles brancos executivos da indústria incentivando os rappers mais jovens a botar ainda mais violência nas músicas, a desrespeitar mais ainda as nossas mulheres, e tudo porque assim eles vendem mais discos. E você sabe que isso eu não curto."

"A música *soul* dos anos sessenta e setenta", falou

Strange. "Não vai aparecer nada pra substituir aquilo tudo, se quer saber o que eu acho."

"Também não curto esse gênero, Derek. Nos anos setenta, eu ainda estava nascendo."

"Pois saiba que perdeu muita coisa, meu jovem. E como perdeu."

Strange virou na 8th e continuou descendo na direção da M.

"Pra onde é que a gente tá indo?", Lattimer perguntou.

"Um bar de strip-tease."

"Muito obrigado, chefe. Esse é um daqueles bônus que foram mencionados quando fui contratado, é?"

"Você vai me esperar no carro. Foi ali que eu peguei o Sherman Coles, que aliás era trabalho seu, enquanto você ficava se admirando num espelho triplo, meu caro. É que eu preciso fazer umas perguntinhas ao porteiro."

"Sobre o Quinn?"

"Ahã."

"Escutei a Janine dizer que o sujeito pra quem o Wilson puxou a arma estava limpo."

"Pode ser que sim, pode ser que não. Uma coisa é certa: ele se deu bem. Segundo os jornais, a corporação pagou oitenta mil dólares pra sossegar o cara. Pelo *trauma emocional* e também pela lesão nas costas que ele afirma ter sofrido quando o Wilson atirou ele contra o carro."

"Quanto a mãe de Wilson levou?"

"Cem mil, pelo que eu soube."

"Custou uma bela grana, pra polícia, afastar todo mundo do caso."

"Mas dinheiro jamais será suficiente pra satisfazer a mãe dele."

"Você acha mesmo, é?"

Strange pensou no irmão, morto já fazia trinta anos, e na mulher que ele havia amado de corpo e alma nos idos dos anos setenta.

"Quando se perde alguém vitimado pela violência", falou Strange, "não tem dinheiro no mundo que conserte o estrago."

"Nem a vingança? Será que ela não resolve?"

"Não." A mente de Strange continuava concentrada no irmão e naquela garota que ele tinha amado. "Não dá pra trocar uma vida ruim por uma boa. Nunca."

Strange parou na rua, diante de um dos terrenos murados que havia em volta da quadra de saunas e bares de strip-tease, virou para Lattimer e disse: "Espere aqui".

O porteiro de serviço na entrada do Toot Sweet era o mesmo do dia em que Coles fora apanhado. Mas tinha cortado o cabelo bem rente, no estilo hip-hop, e usava um abrigo folgado que não contribuía grande coisa para esconder sua corpulência. O rapaz parecia ser fruto de algum cruzamento afro-asiático, mas Strange desconfiava que a maior parte do sangue fosse africano, já que nunca tinha visto nenhum tipo de oriental grande daquele jeito.

"Como é que vai você?"

"Continua custando sete dólares pra entrar. Nós não mudamos os preços, nos últimos dias."

"Quer dizer então que ainda se lembra de mim, é?"

"De você e do seu amigo. O branquinho lá causou um certo prejuízo no banheiro."

Strange enfiou uma nota de dez dólares dobrada na mão do porteiro. "Eu não vou entrar hoje, de modo que isso aí não é pra pagar o ingresso. É pra você."

O porteiro olhou como quem não quer nada por cima do ombro, em seguida enfiou a nota de dez no bolso da calça do abrigo. "O que é que você quer saber?"

"Eu estava me perguntando o que teria acontecido lá atrás no banheiro."

"O que aconteceu? Seu parceiro fodeu com o garotão, só isso. Ele foi até a cozinha, pegou um martelo de bater carne, depois foi até o banheiro e arrebentou o nariz do massa-bruta. E ainda chutou ele um par de vezes, depois que o cara já tava caído no chão. Eu tive de limpar o sangue de lá. E tinha um bocado *dele*, pode crer."

"E o que vocês fizeram com o massa-bruta?"

"Um dos funcionários daqui levou o cara até o Hospital Geral e deixou ele lá. Tem um médico, um tal de doutor Sanders, no Hospital Geral, que já consertou muita gente que saiu daqui despedaçada, e consertou direitinho. De modo que a gente imagina que ele ficou em boas mãos."

"Por que é que vocês não ligaram pra polícia?"

"O garotão não quis que a gente ligasse. Acaba de me ocorrer que vai ver ele está com algum mandado de prisão, certo? Além disso, a gerência prefere manter os homens a uma distância de mais de um quilômetro, se possível. Isso sem falar que tem a sua pessoa, amizade, e a do seu colega. A gente não sabe muito bem qual é o lance de vocês. Da polícia vocês não são, mas provavelmente conhecem um pessoal que pode dificultar a vida do dono. Compreendeu? Quer dizer, a gente aqui não é idiota nem nada."

"Não pensei que fossem."

"Mas da próxima vez que você trouxer um branco até aqui..."

"Já sei. Boto focinheira nele e puxo pela guia."

O porteiro sorriu e deu um tapinha no bolso da calça. "Quer outro recibo?"

"Até que não seria má idéia. Mas vou deixar passar desta vez."

Na volta para o carro, Strange pensou: Talvez eu esteja dando crédito demais para esse Terry Quinn. Claro que tudo pode ter acontecido do jeito que ele disse que aconteceu com Chris Wilson. Mas por outro lado também pode ter sido coisa de algum botão que ligou sozinho, como se fosse uma luz de perigo que se acendeu lá dentro da cabeça dele. Um rapaz com tanta violência dentro de si, não era possível prever nada.

Quinn sacudiu o ombro de um sujeito que dizia se chamar Moon e que dormia do lado do radiador, nos fundos da loja. As roupas dele eram cortesia da Mesa do Pastor; a higiene e as refeições, Moon fazia no Centro de Progresso, um novo abrigo para mendigos situado numa travessa da Georgia, atrás do salão de bilhar e das lojas de penhor, junto às linhas do metrô. Moon passava os dias nas ruas. E nos mais frios, como aquele, Quinn o deixava dormir na sala de ficção científica.

"Ei, Moon. Acorda, meu chapa, você precisa ir andando. A Syreeta está vindo pra cá e você sabe que ela não gosta de te pegar dormindo aqui atrás."

"Tá bem."

Moon se pôs de pé. Ele não estava usando os chuveiros do Centro de Progresso com muita freqüência. Aquele mau cheiro característico de quem mora na rua, um misto de suor, cigarro, álcool e podridão, levantou junto com ele, e Quinn foi obrigado a recuar um passo enquanto Moon se situava no mundo. Havia migalhas de alguma coisa e pedacinhos de gema de ovo incrustados na barba. Quinn havia lhe dado o sobretudo que agora tinha no corpo, um casacão antigo de inverno, cinza-chumbo, com forro azul-marinho. Era o casaco mais quente que Quinn já tivera em toda a vida.

"Pega isso", disse Quinn, estendendo-lhe uma nota de um dólar, suficiente para um café, mas não para uma bebida alcoólica.

"Um ducado", falou ele, examinando a nota. "Você sabia que a bem da verdade esse termo se refere a uma moeda de ouro usada antigamente em vários países europeus? A palavra foi assimilada como gíria pelos afro-americanos no século vinte. Com o correr dos anos, tornou-se expressão padrão no léxico do negro norte-americano..."

"Mas que ótimo", falou Quinn, conduzindo-o delicadamente para fora da sala, na direção da porta da frente.

"Vou gastá-lo como se deve."

Caminhando atrás de Moon, Quinn reparou que ele enfiara uma brochura no bolso traseiro da calça esfarrapada. "E não se esqueça de trazer esse livro de volta, quando terminar de ler."

"*The Stars My Destination*, do Alfred Bester. Este não é só um livro, Terry. É uma verdadeira viagem, uma façanha literária de dimensões olímpicas..."

"Traga de volta depois que terminar de ler."

Quinn viu quando Moon cruzou a porta da frente. O pessoal do bairro o tratava mais ou menos como um intelectual querido que tivesse perdido o rumo, e gostava de se perguntar como é que um "sujeito mentalmente tão bem-dotado" fora escorregar por entre as frestas da sociedade e cair fora do sistema; Quinn, no entanto, não tinha o menor interesse em ficar ouvindo as baboseiras de Moon. Deixava que dormisse nos fundos da loja porque fazia frio na rua e havia lhe dado o casacão porque não gostava da idéia de vê-lo morrer.

Em seguida deu uma espiada na sala de artes e entretenimento pelo vão da porta. Um sujeito de meia-idade, de cabelos tingidos e beiço grosso e escuro, examinava um livro de fotografias chamado *Garotos do mundo todo*. Estava de frente para a parede e segurava o livro bem perto do peito. Tinha no rosto a mesma expressão do cara gordo de olhos sempre muito úmidos que ficava horas na sala de hobbies e esportes, e também da do rapazinho branco de cabelo bem curto, um que tinha um rosto pálido todo cheio de acne, que passava um tempão na sala de história militar, olhando embasbacado, com um sorriso fascinado, as fotos dos livros sobre atrocidades nazistas armazenados ali. Quinn reconhecia cada um deles: os inúteis derrotados e os vencidos, os párias e os pedófilos, todos os ferrados sem amigos que não queriam machucar ninguém, mas que sempre acabavam ferindo esse ou aquele. Syreeta dizia que era melhor deixá-los em paz, que os livros acabavam sendo um tipo saudável de escapatória para os desejos doentios deles, e que a alternativa seria irem todos para a rua aprontar das suas.

Quinn sabia que eles *estavam* na rua. Syreeta era uma boa mulher, cheia de intenções meritórias, porém Quinn tinha visto o mundo como ele é de fato, e ela não. Filhos-da-puta doentes, todos eles, era isso que eram. Por ele, poria todos numa única sala e...

"Ei, Terry." Era Lewis, parado à sua frente com uma caixa de livros de capa dura nos braços. Os óculos dele tinham tombado até a ponta do nariz. "Terminei de guardar os novos discos de vinil. Agora tenho que pôr estes livros nas prateleiras. Será que dá pra você ficar no caixa, enquanto isso?"

"Claro, lógico."

Quinn foi até a frente da loja. Ligou para Juana para confirmar o encontro que teriam à noite. Tinham tido uma longa conversa na noite anterior. Ficara de pau duro só de falar com ela, de escutar o som de sua voz. Estava ficando louco de pensar nos olhos dela, no cabelo, nos bicos escuros dos seios, naquela boceta quente dela, nas mãos lindas. Tinha sido a mesma coisa com outras garotas que o deixavam excitado, mas com Juana era *diferente*, sim, ele queria trepar, mas também queria apenas estar com ela. Deixou um recado na secretária.

Quinn foi para trás da caixa registradora e leu algumas páginas de *Desperadoes*, um faroeste de Ron Hansen. Era um dos seus prediletos, e lia o livro pela segunda vez, mas estava difícil conseguir se concentrar, por isso largou o romance. Levantou-se e examinou os álbuns usados expostos ao lado da área do caixa. Tinha chegado mais um Natalie Cole, junto com um Brothers Johnson, um Spooky Tooth e um Haircut 100. Apanhou um disco com um bando de negros na capa, todos com jeitão de anos setenta; eram três fotos, mostrando o grupo saltando e fazendo piruetas numa pista de pouso. Leu o título do álbum e sorriu.

A sineta da porta soou quando Syreeta Janes entrou na loja. Syreeta estava do lado de lá dos quarenta e tantos anos, mais para encorpada do que para magra, com um belo rosto escuro e sardento, maçãs altas e olhos de um castanho profundo. Metade do tempo ela passava na loja, a outra metade em convenções literárias ou no escritório que tinha em casa, trabalhando em seu site na web, onde comprava e vendia brochuras raras. Como de hábito, usava camisa e colete sobre uma saia comprida, cheia de panos, calçava tamancos e tinha um chapeuzinho *kufi* de cores fortes sobre o trançado rasta do penteado. Lewis, num de seus rompantes menos sérios, tinha descrito a aparência de Syreeta como o "Harlem via parque Takoma".

"Terry."

"Syreeta."

"Está de saída?"

"Assim que vierem me pegar. Talvez eu precise lhe pedir mais tempo de folga, também."

"Contanto que dê pro Lewis cobrir, eu não me importo." Syreeta colocou sua bolsa de lona sobre o vidro do balcão. "Mas o dinheiro não vai te fazer falta, não?"

"Minha aposentadoria está me mantendo no azul."

Quinn olhou pela janela bem no momento em que um Caprice branco parava no meio-fio. Ele abriu o caixa, colocou um dinheiro na gaveta e pôs o disco que havia encontrado no cesto debaixo do braço, antes de pegar o blusão de couro do cabide.

"Esse carro é que veio te pegar?"

"É."

"Parece mais carro de polícia."

"E é."

"Terry?"

"Hein?"

"Tem um cheirinho meio esquisito por aqui."

"Foi o Moon. Ele pegou um livro emprestado também. *The Stars My Destination*. Acho melhor riscar esse título do estoque."

"Mas é um dos melhores do Bester."

"Olímpico", disse Quinn.

"Se vai continuar deixando esse sujeito dormir aqui dentro", disse Syreeta, "borrife um pouco de Lysol antes de eu chegar."

Quinn não ouviu o que ela disse. Já tinha saído da loja.

16

"Depois de eu ter tido todo aquele trabalho", disse Strange, "você vem e me diz que não pode ir?"

"Eu peço mil desculpas", falou Lattimer. "Eu sei que você foi lá e comprou as entradas, tal e coisa, mas a Cheri disse que não quer passar a noite inteira num auditório escuro vendo dois homens se arrebentando aos socos."

"Essa sua garota deve ser muito especial mesmo, pra você abrir mão de uma disputa de título. E olhe que a produção é de ninguém mais nem menos do que Don King, portanto não é dizer que seja um troço que eles vão levar num porão. Você devia ter me dito que ela ia reagir dessa forma antes de eu comprar os ingressos."

"Mas eu não sabia."

Strange viu Quinn atravessar a rua com um disco debaixo do braço. "Lá vem ele."

"Que ligação é essa que os brancos têm com camisa de flanela, me diga?", Lattimer perguntou. "Será que o serrote vem junto quando eles compram o modelinho lenhador?"

"Cada um com seu barato."

"Ele não me parece tão violento como você disse. E também não leva muito jeito de policial, não."

"De fato ele é meio baixinho, mas pode acreditar que o cara é fera."

Quinn abriu a porta direita traseira e entrou.

"Terry. Este é o Ron Lattimer, um dos investigadores do meu escritório", disse Strange.

"Como é que vai, Ron?"

"Tudo indo."

Quinn estendeu a mão por cima do banco da frente e Lattimer apertou-a.

"O que é que você está levando aí?", Strange perguntou.

"É pra você."

Quinn entregou-lhe então o *Flying Start* dos Blackbirds. Strange sorriu ao examinar a capa. Abriu-a e deu uma espiada na foto de dentro, que mostrava o grupo num hangar de avião.

"Caramba, menino. E é do selo Fantasy, ainda por cima. Nunca pensei que fosse ver um desses de novo."

"Entrou hoje na loja."

Strange passou os olhos pelo texto da capa. "Bem como eu lembrava que era. Eles estavam fazendo a Howard quando gravaram este disco. Estudavam com Donard Byrd e tudo o mais, percebe..."

"Derek", Lattimer interveio, "eu ainda tenho umas coisinhas pra fazer esta tarde."

"Tá certo, tá certo." Strange pôs o disco no banco a seu lado. "Quem está com fome?"

"Tem um restaurante vietnamita aqui do lado", disse Quinn. "A sopa deles é muito boa."

"Eu topo." Strange engatou a marcha, afastou-se da calçada, entrou na Georgia Avenue, virou à esquerda sob a orientação de Quinn e seguiu na direção sul. No farol vermelho, abriu o disco de novo e riu consigo mesmo enquanto espiava as roupas e as cabeleiras exageradas do grupo.

"Foi muito legal da sua parte, Terry."

"Eu sei que você não está à procura de nenhum amigo", falou Quinn, cruzando os olhos com Strange pelo retrovisor. "Só achei que iria gostar, mais nada."

Strange, Lattimer e Quinn pegaram uma mesa junto à janela no restaurante My-Le, uma antiga cervejaria transformada em *pho house* na Selim. A vista era para o trânsito da Georgia Avenue e para os trilhos ferroviários mais além.

"Estão fazendo alguma coisa por lá", disse Quinn, indicando com a cabeça a estação pegada aos trilhos. Havia uma lona azul cobrindo o telhado, e tapumes de compensado substituíam as janelas.

"Pelo jeito estão restaurando a coisa toda", falou Lattimer.

"Ou isso ou então vão derrubar tudo. Eles vivem derrubando coisas por aqui, agora."

"Limpar todas essas lojas de penhor da região..."

"Isso mesmo, e os salões de beleza e as barbearias, e os sapateiros também, os chaveiros, as lojas de peças pra motor envenenado, as autopeças... esses lugares que o cidadão comum usa todos os dias. Para que o proprietário yuppie possa se vangloriar da superloja de discos e livros que se mudou pra cá, da butique de carnes, da mercearia invocada, do café Starbucks, tudo idêntico ao que os demais yuppies têm do outro lado da cidade."

"Presumo", disse Strange, "que você não é dos que apoiam a revitalização de Silver Spring."

"Eles estão apagando todas as minhas lembranças. Aliás, pra falar a verdade, eu meio que gosto da decadência."

O garçom solitário, um sujeito animadíssimo chamado Daniel, que pintava casas nas horas vagas, serviu-lhes a sopa e limonada feita na hora.

Lattimer fitou a tigela de sopa e franziu o cenho. "Aqui não tem nada daqueles troços bíblicos de tripa, tendão nem nada parecido, tem?"

"Número quinze", falou Quinn. "Nada além de coxão mole."

A sopa era uma mistura suculenta de caldo de carne, macarrão de arroz e tirinhas de carne, servida com uma porção à parte de broto de feijão, pimenta verde, limão galego e hortelã fresca para dar o tempero. Strange e Quinn temperaram a deles e, não contentes, ainda espremeram por cima um pouco de molho de alho com pimenta do frasco de plástico. Lattimer jogou a gravata para cima do ombro, viu o que tinha sido feito e copiou à risca.

"Você também era da polícia?", Quinn perguntou, com o vapor aromático da sopa lhe aquecendo o rosto.

"Quem, eu?", disse Lattimer. "Não, que nada."

"Ele não gostou do corte do uniforme", falou Strange.

"Sem essa, Derek. Eu sempre quis fazer o tipo de trabalho investigativo que estou fazendo agora. Nunca quis outra coisa na vida. Além do que, e não me leve a mal pelo que eu vou dizer, com todos os problemas que a polícia anda enfrentando, eu me sinto um sortudo de *não* ter entrado."

"Tem muito mais policial bom em serviço do que policial medíocre", disse Quinn. "E o número dos que são completamente corruptos é bem pequeno. O problema daquele pessoal que não estava pronto pra ir às ruas... eles não tiveram culpa nenhuma. A situação que nós enfrentamos na época... a coisa estava fedendo desde lá de cima."

"E isso por acaso explica o uso abusivo de armas de fogo que ocorreu naquele período?", Strange perguntou.

"Disparos contra suspeitos desarmados, disparos contra veículos em movimento...", continuou Lattimer, pegando a deixa de Strange.

"Quem é que vai decidir se o cara está armado ou está desarmado no calor da hora, quando o sujeito enfia a mão no paletó, me digam? No clima que temos agora, aí fora, nas ruas? Com todos os criminosos tendo pleno acesso a armas de fogo, com as novas atitudes, com o assassinato a sangue-frio de policiais... não é preciso dar muita asa à imaginação pra perceber que se você está usando a farda está correndo riscos. Escuta só, o que eu estou tentando dizer é que muitos de nós, aí fora, nós sentimos muito medo. Dá pra entender isso?"

Lattimer não respondeu, mas sustentou o olhar de Quinn.

Strange separou os pauzinhos com um estalo e usou-os para pescar alguns nacos de coxão mole no fundo da tigela. "Como eu já disse, isso não explica tudo."

"É complicado", falou Quinn. "*Você* sabe disso. Você esteve aí fora nas ruas, Derek. Você *sabe*."

"Tudo bem, mas continuando", disse Strange. "Você tinha algumas queixas por excesso de brutalidade na ficha, não tinha?" Ele engoliu uma colherada de carne e macarrão e limpou a boca com um guardanapo.

"Correto", admitiu Quinn. "Como o Chris Wilson. Como um bocado de policiais. Legítima ou não, toda vez que uma queixa é apresentada, ela permanece na ficha."

"E as suas foram sobre o quê?"

"As minhas foram sobre bosta nenhuma. O cara que bate a cabeça na porta traseira da viatura quando você está pondo ele lá dentro, o cara que se queixa porque você botou as algemas muito apertadas nos pulsos dele... coisas do gênero. Nunca entra na ficha o que foi dito pra você, quantas vezes você é desrespeitado no decurso de uma noite de ronda, isso não consta."

Strange concordou com um gesto de cabeça. Lembrava-se de tudo muito bem. Lembrava-se também de que, com o tempo, o policial acaba calejado, a tal ponto que, depois de certo período na corporação, o que ele vê, em determinadas partes da cidade, não são os cidadãos que jurou proteger, e sim criminosos em potencial — homens, mulheres e crianças também. E um policial branco olhando um rosto negro então, imagine só.

"Escute aqui", disse Quinn. "Vocês por acaso se lembram, isso já faz uns dois anos, daquela vez em que um policial preto parou uma mulher branca, bêbada, lá pros lados de Georgetown, ou algum bairro desses, tarde da noite?"

"Essa é aquela moça que foi algemada numa placa de trânsito", disse Lattimer. "O policial fez a garota sentar na calçada e botar a bunda no gelado. Tinha um fotógrafo por perto e o cara registrou tudo."

"Pois é", disse Quinn. "Agora me diga, Derek, o que você achou desse incidente, quando leu a respeito pela primeira vez?"

"Já sei onde você está querendo chegar", falou Strange. "Você quer dizer que o policial não fez aquilo com a moça assim sem mais nem menos, sem um bom motivo. Que ela deve ter dito algo pra ele..."

"Como o quê, por exemplo?"

"Eu sei lá. Que tal 'Tire as mãos de cima de mim, seu crioulo filho-da-mãe', algo do tipo."

"Ou ela pode até ter chamado ele de *nigger*", disse Quinn.

Lattimer ergueu a cabeça. Não gostava de ouvir essa palavra saindo da boca de um branco, fosse qual fosse o contexto.

"Pode ser que sim", falou Strange.

"A questão aqui, sejam quais forem os detalhes de cada caso, é que esse tipo de conversinha acontece toda noite entre polícia e infratores, ou cidadãos comuns. E tudo quanto é dito nesses bate-papos se perde no éter."

"E esse seu papo, vai dar em algum lugar?", Strange perguntou.

"Pois é", Lattimer interveio, "eu estava pensando a mesma coisa."

"Muito bem", disse Quinn, debruçando-se para a frente, com os braços sobre a mesa. "Vocês querem saber o que aconteceu aquela noite? No que diz respeito ao meu papel na ocorrência, está tudo nos autos do processo e nos jornais. Não ficou nada de fora, não há nenhum segredo nessa história. Um homem me apontou uma arma e, como policial em serviço, reagi da forma como fui treinado para reagir. Em retrospecto, tomei a decisão errada, e essa decisão custou a vida de um inocente. Mas apenas em retrospecto. Eu não sabia que Chris Wilson era policial."

"Continue", falou Strange.

"Por que motivo Chris Wilson apontava uma arma contra Ricky Kane? Qual era o motivo daquela expressão de ódio mortal que eu vi no rosto dele aquela noite?"

"A versão oficial é que foi uma abordagem de rotina", disse Strange. "Que deve ter degringolado pra uma outra coisa qualquer."

"Um policial de folga se dá ao trabalho de parar o carro pra dar uma dura num camarada que está mijando na rua?"

"Não faz muito sentido", falou Strange. "Até aí eu reconheço. Mas vamos supor que Wilson tenha parado e resolvido, num impulso de momento, cumprir seu dever, com ou sem a farda."

"Nós não sabemos o que houve entre eles dois", disse Quinn. "Nós não sabemos o que foi *dito* entre o Wilson e o Kane."

"E nunca vamos saber. O Wilson está morto e tudo que temos é a versão do Kane. O camarada tem a ficha limpa. *Kane* não atirou em Wilson, de modo que não havia motivo nenhum pra desviar o inquérito contra ele."

"Não sou eu que vou dizer como fazer o serviço que vocês têm que fazer", continuou Quinn. "Mas se eu tivesse sido contratado pra incrementar um pouco a memória de Chris Wilson, eu começaria falando com esse tal de Kane."

"É o que eu pretendo fazer", disse Strange.

"Mas acontece que o Kane não tem o menor incentivo pra falar, seja com quem for", disse Quinn.

"Vai ser difícil, eu sei disso."

"E eu não tenho a menor dúvida de que vai ser mais difícil ainda ele falar alguma coisa comigo por perto", acrescentou Quinn.

"Não foi pra isso que eu o chamei."

"Ah, não? Então quem é que nós vamos visitar?"

"Eugene Franklin", falou Strange. "Seu antigo parceiro. Nós vamos nos encontrar com ele num bar, daqui a mais ou menos uma hora."

Quinn balançou a cabeça, depois colocou o guardanapo sobre a mesa e foi até o pequeno banheiro ao lado da máquina de caraoquê.

Lattimer tomou o que restava do caldo e depois recostou na cadeira. "Você vai me levar de volta até o escritório, no caminho pra esse tal de bar?"

"Claro que vou. Por que não haveria de levar"

"O nosso amigo é meio perturbado. Mas tudo que ele disse faz sentido."

Dividiram a conta e foram para o carro. Descendo a Georgia Avenue, passaram pelo Quarto Distrito Policial, rebatizado com o nome de Distrito Brian T. Gibson, em homenagem ao policial morto dentro da viatura, na frente da boate Ibex, baleado três vezes por um sociopata armado. O policial Gibson deixou mulher e uma filhinha ainda bebê.

17

No fim da 2nd Street, a alguns quarteirões do Palácio da Justiça e do bar da Ordem Fraternal da Polícia, quase em frente ao Ministério do Trabalho, havia um boteco chamado Upstairs at Erika's que, como o próprio nome dizia, funcionava no andar de cima de uma casa geminada toda reformada. O bar havia se transformado num ponto de encontro de policiais e da claque da polícia, de agentes federais e também de promotores, tanto estaduais como federais. Ao lado, havia um outro bar e restaurante que atendia sobretudo jogadores de rúgbi, estudantes de faculdade, funcionários do governo e advogados, quase todos brancos. No entanto, o movimento era suficiente para manter os dois estabelecimentos funcionando lado a lado, já que a clientela do Erika's era quase toda ela negra.

Strange pediu duas cervejas para a garçonete do bar, uma jovem muito bonita a quem a penumbra deixava ainda mais atraente, deu a ela uma gorjeta e solicitou recibo. Quando a moça voltou com o papel, pediu para ela colocar uma música do Maze. Noites antes tinha estado ali com uma mulher e conhecia o repertório. Os discos do Maze estavam entre os grandes favoritos da população de Washington; embora gravados anos antes, ainda eram ouvidos pela cidade inteira, nas boates, nas festas de casamento, em reuniões de família e nos piqueniques realizados no Rock Creek Park.

"Que disco você quer ouvir?", perguntou a atendente.

"O que tem 'Southern Girl'."

"Deixa comigo."

Strange levou as duas garrafas para uma mesa junto a uma parede de tijolos, onde havia deixado Terry Quinn. Quinn estava de pé, trocando um abraço com um negro quase da mesma idade, ambos dando tapinhas nas costas um do outro. Strange foi obrigado a concluir que aquele homem devia ser Eugene Franklin.

"Como está?", falou ele, se aproximando da mesa. "Derek Strange, muito prazer."

"Eugene Franklin." Strange pegou a mão que lhe tinha sido estendida, mas o aperto do policial foi deliberadamente morno, e o sorriso que até então ele trazia estampado no rosto começou a morrer.

Franklin era da mesma altura que Strange, estava de cabelo recém-cortado e barba escanhoada, tinham um porte sadio, mas um rosto onde os traços pareciam não se encaixar. Strange achou que talvez fossem os dentes salientes demais, tão salientes, na verdade, que chegavam a ser quase cômicos, e também os olhos imensos e cristalinos do rapaz: duas características que não se coadunavam muito bem com a imagem de durão que tentava projetar.

"Quer uma cerveja?"

"Eu não bebo", disse ele.

Sentaram e tiveram um momento embaraçoso de silêncio. Uma dupla, com aquele inconfundível ar de polícia, aquela mistura de alerta e bravata, passou ao lado da mesa. Um deles cumprimentou Franklin e depois olhou para Quinn.

"Terry, como é que vão as coisas, cara?"

"Vão indo."

"Você está com um bom aspecto. Cabeludo e tudo o mais."

"Eu me esforço."

"É isso aí. E vê se vai pela sombra, tá?"

Strange viu o outro, que permanecera calado, lançar uma olhada meio feia para Quinn antes de ambos se afastarem. Concluiu que Quinn ainda tinha alguns amigos e defensores na corporação e que havia os que não gostariam mais de incluí-lo na turma.

"Será que você vai ter algum problema aqui?", perguntou.

"Eu conheço a maioria do pessoal. Tudo bem, não esquenta."

Strange deu uma olhada rápida pelo bar. Àquela altura, o boato de que Terry Quinn se encontrava no pedaço já havia circulado, e não pôde deixar de reparar em alguns olhares curiosos e nuns poucos enfezados. Talvez estivesse imaginando coisas. O fato é que o problema não era dele; não iria esquentar com aquilo, de todo modo.

"Você ligou", disse Franklin, "e eu vim. Sem querer apressar ninguém, daqui a pouco eu pego no batente e não tenho muito tempo."

"Certo." Strange empurrou um cartão de visitas por cima da mesa. Enquanto Franklin lia o que estava escrito, ele disse: "Obrigado por ter vindo falar conosco".

"Você falou que estava trabalhando para a mãe do Chris Wilson."

"E estou. Ela está preocupada com a reputação do filho. Acha que a memória dele vai ficar manchada."

"Os jornais e a televisão", disse Franklin, com um sacudir amargo de ombros. "Você sabe como eles são."

"Estou apenas tentando esclarecer as coisas. Se puder remover parte daquelas sombras que foram jogadas em cima dele... é só o que estou tentando conseguir."

"Os autos do processo têm tudo registrado. Você não é detetive particular?" Strange detectou uma forte nota de desprezo na voz de Franklin. "Pois então, deve ter uma boa maneira de botar as mãos naquelas pastas todas."

"Já botei. E o Terry também já me deu a versão dele do ocorrido. Se não se importa, gostaria que agora você fizesse a mesma coisa."

Franklin olhou para Quinn. Quinn tomou um gole de cerveja e balançou a cabeça uma vez, num gesto de as-

175

sentimento. Strange tirou o gravador do bolso do blusão, ligou e colocou-o sobre a mesa.

Franklin apontou um dedo lânguido para o aparelho. "Nada disso. Desligue essa merda ou eu me mando já."

Strange fez questão de mostrar que havia apertado o botão, só que não apertou o suficiente para desligar de fato. Tornou a enfiar o gravador no bolso do blusão de couro.

"Agora sim. Por onde quer que eu comece?"

Strange lhe disse por onde, depois se recostou na cadeira.

As duas garrafas estavam vazias até Franklin terminar seu relato. Strange foi obrigado a sorrir bem de leve ao ver que o jovem policial o observava muito atento, à espera de uma reação ou resposta. Porque era quase engraçada a semelhança tremenda que havia entre as histórias de Franklin e de Quinn. E não era possível haver neste mundo duas lembranças de um mesmo acontecimento tão parecidas, tão iguaizinhas.

"O que foi?", Franklin perguntou.

"Nada, não foi nada. Nada que seja significativo... O que eu me pergunto, porém, é o seguinte: se o perigo estava tão iminente, tão claro, tão óbvio, por que você não atirou no Wilson também?"

"Porque o Terry atirou primeiro."

"Você teria atirado nele, se o Terry não tivesse tomado a dianteira?"

"Não digo que eu *teria* atirado."

"Mas diz que ele agiu certo."

"Ele agiu *certíssimo*. Eu vi pra onde a arma do Wilson tava apontada. A intenção era óbvia, deu pra ver no olhar dele. E eu não tenho a menor dúvida, se o Terry não tivesse atirado nele, ele teria atirado em mim. Será que dá pra entender o que estou querendo dizer? Eu não tenho a menor dúvida."

Strange passou o polegar pela linha do maxilar. "Você tem tanta certeza que é justamente isso que me deixa intrigado, Eugene. Olha só, eu estive na seção de arquivos da

176

Martin Luther King, revendo todas aquelas matérias de jornal, tudo o que foi publicado a respeito do caso, as entrevistas, as análises, os desdobramentos, e teve uma coisinha que eu li lá que não estou conseguindo conciliar com o resto."

"Ah, é? E o que foi?"

"Depois que seu parceiro saiu da corporação, você se filiou a um pessoal que se auto-intitula Grupo de Proteção ao Policial Negro. Vocês todos andaram distribuindo folhetos, dizendo para os irmãos de farda protestarem. Se não me engano, você assinou pessoalmente a petição."

Os olhos de Franklin passaram rápido por Quinn. "Exatamente."

"Mas se o Quinn estava com tanta razão..."

"Escuta aqui", falou Franklin. "O Terry *estava* com a razão naquele caso em particular. Mas acontece que de noventa e cinco pra cá nós já tivemos três policiais afro-americanos baleados em horário de folga por policiais brancos. Será que já não basta o perigo que eu corro nas ruas todos os dias? Será que também preciso virar alvo do pessoal do meu próprio time? De forma que é isso mesmo, eu quis ter mais proteção. E, de todo o modo, isso é uma questão interna pra própria polícia resolver, está me entendendo, Strange? Não é assunto seu. É aqui entre mim e meus colegas policiais e meu parceiro, entende?"

"Você quer dizer seu ex-parceiro."

Havia algo ligando Franklin e Quinn, e Strange percebeu que o elo era forte. Talvez até beirasse o afeto. Mas, por mais forte que fosse, ficara marcado pela morte de Chris Wilson, e a parte deteriorada muito provavelmente não tinha mais conserto.

Franklin balançou a cabeça e baixou os olhos para a mesa. "Você é uma figura e tanto, Strange."

"Só estou fazendo o meu serviço."

"Então pode ir encerrando o expediente porque por hoje chega de falação."

"É, pois é, eu desconfio que por hoje já cobrimos o

suficiente." Strange se ergueu da cadeira. "Vou deixar vocês dois sozinhos alguns minutos. Comigo, a cerveja desce rápido."

Enquanto Strange ia na direção do banheiro, caminhando ao longo do balcão, Franklin observou o andar, o quê de arrogância na ginga, o porte de ombros e costas.

"O cara anda feito um policial."

"Ele já foi policial", Quinn respondeu. "Faz muito tempo."

"Mas só dá pra perceber quando ele anda."

Strange parou no balcão para falar com um conhecido seu, um policial aposentado chamado Al Smith. Smith tinha sido parceiro durante anos e anos de um sujeito chamado Larry Michaels. Smith estava com o cabelo todo grisalho e, pela barriga, Strange imaginava onde é que passava seus dias.

"Posso lhe pagar uma cerveja?", Smith convidou.

"Uma é meu limite, durante o dia, Al, e essa eu já tomei."

"Então fica pra próxima. E vamos em frente que atrás vem gente."

Strange riu. Fazia bem uns trinta anos que Al Smith dizia as mesmas tolices de sempre.

Em seguida meneou a cabeça para um sujeito corpulento, de testa alta e nariz chato arrebitado, que estava sentado no balcão fumando um charuto grosso e olhando feio para ele. O sujeito não retribuiu o cumprimento quando Strange passou. Preferiu transferir o olhar para a caneca de cerveja, erguê-la e sorver um bom gole. Strange reparou que a camiseta do Departamento de Polícia Metropolitana caía bem justa no peito largo e que os músculos dos braços forçavam o tecido das mangas.

No banheiro, usou o mictório cantando "Joy and Pain" junto com Frankie Beverly e o Maze; a música saía aguda dos pequenos alto-falantes instalados na parede. Puxou o zíper e virou bem na hora em que o sujeito com a camiseta do DPM entrou; o grandalhão, que mais parecia um urso com duas pernas, deu um empurrão tão forte na porta do banheiro que ela bateu na parede.

Ótimo, você está bêbado, pensou Strange. Agora é só contar para o mundo.

"Com licença, companheiro", disse Strange com voz amistosa para o indivíduo que bloqueava o caminho. "Posso passar?"

O outro, porém, não se mexeu nem reagiu de forma perceptível. Não tinha muita expressão no rosto e a pele brilhava de suor. Strange quase pediu licença outra vez, mas resolveu que era melhor não. Contornou o sujeito, com as costas quase ralando na parede, de tão apertado que era o espaço, e saiu.

Ele já tinha conhecido muitos fardados parecidos. O cara tirava um dia de folga de toda a sacanagem que acontecia nas ruas e, em vez de relaxar, entrava num bar usando uma camiseta do Departamento e ia ficando mais agressivo a cada cerveja ingerida, louco para arranjar uma briga. Um daqueles policiais eivados de sérias inseguranças, sempre tentando se testar. Bem, se ele estava tentando provocar alguém, teria de encontrar outra pessoa. Strange já tinha deixado essas tolices todas para trás fazia um tempão.

"Como é que você está se virando?", Franklin perguntou.

"Eu estou legal. Trabalhando numa loja de livros usados, aqui pegado ao D.C. É bem... *calmo.*"

"Então agora você tem tempo de ler todos aqueles livros de caubói e índio que você tanto ama."

"Tempo de sobra."

"Está saindo com alguém?"

"Estou com uma namorada. Você iria gostar dela. É uma garota bem legal."

"E é bonita também?"

"Bastante."

"Um malandro feito você. Nunca vi você saindo com mulher feia."

"Já não se pode dizer o mesmo de você."

"Dá-lhe, cara, pode tirar sarro à vontade. Aliás, foi um dos motivos que me fizeram parar de beber. Cansei de acordar no dia seguinte ao lado daquelas mocréias que eu arrumava nas boates."

"Quantas será que também não pararam de beber, depois de dar uma olhada em você?"

"É, acho que eu devo ter espantado algumas."

Franklin e Quinn riram juntos. A aparência bizarra de Franklin sempre o incomodara, juntamente com sua incapacidade de namorar com garotas bonitas. Quinn era um dos poucos que podiam tocar nesse assunto e fazer piada dele com Eugene.

Quinn olhou em volta do Erika's. Reconheceu Al Smith, sentado em sua banqueta de hábito, e um patrulheiro chamado Effers, com quem havia jogado cartas uma vez, além de um policial feio, antipático, a quem ele conhecia apenas de vista, um tal de Adonis Delgado, que estava se afastando do balcão.

"Você tem saudade, não tem?"

"Tenho."

"Escuta, Terry..."

"O quê?"

"Aquele troço que o Strange mencionou, aquele grupo pro qual eu entrei, o Grupo de Proteção ao Policial Negro."

"Eu já sabia disso."

"Não teve nada a ver com a maneira como eu me sinto a seu respeito, nem com você ter tido razão ou não no caso Wilson. Você entende isso?"

"Claro."

"Nós passamos anos e anos pedindo a distribuição de rádios pros policiais de folga. E olha que eles custaram a chegar. Agora, toda vez que alguém se vê forçado a agir fora do horário de serviço, o cara pode ligar pro distrito e avisar a central que é da polícia e que se encontra no local da ocorrência."

"Eu sei disso."

"Se o Chris Wilson tivesse um rádio desses, naquela noite, e se nós soubéssemos quem ele era, quando paramos do lado, ele estaria vivo hoje."

"Agora todos vocês têm seu rádio. Eu já tinha lido no jornal a respeito."

"Precisou haver aquela última morte e a ameaça de um protesto pra que as coisas andassem. E tem mais. O Ramsey endureceu na questão do treinamento e das provas de tiro, inclusive instituiu o retreinamento dos mais antigos. O chefe está com um monte de novos projetos prontos pra serem implementados e implantou também novos padrões mínimos de contratação."

"Você está querendo me dizer que até que foi bom o Wilson ter morrido? Olhe, não fique tentando botar panos quentes não, cara, porque a gente se conhece já faz um tempo."

"O que estou dizendo é que algo de bom *acabou* saindo daquilo. Independentemente do que eu tenha pensado sobre o que houve naquela noite, cabia a mim me envolver, garantir que nada parecido acontecesse de novo."

"Aposto que também foi um belo de um alívio pra sua consciência."

"Também teve esse lado."

"Não se preocupe, Gene. Eu não culpo você por nada. Eu bem que gostaria de ter tido notícias suas de vez em quando, mas não o culpo por absolutamente nada."

"Eu cheguei até a pensar em dar uma ligada pra você. Mas depois pensei: Fora do horário de serviço, eu e o Terry nunca fomos a nenhum lugar juntos, de qualquer maneira. Não me lembro de termos falado ao telefone mais do que uma ou duas vezes, quando fazíamos a ronda juntos."

"Tem razão. Nunca saímos juntos."

"Tínhamos interesses diferentes. Tipos diferentes de

vida, amigos diferentes, coisas diferentes. Você e eu até falávamos sobre isso às vezes, lembra? Não tem crime nenhum em as pessoas quererem ficar entre sua própria gente."

"É uma pena", falou Quinn. "Mas crime não é."

"Bom, mas seja como for, eu preciso ir andando."

"Vai lá. Foi bom ver você, Gene. E fique longe das mocréias, cara."

Franklin enrubesceu. "Vou tentar."

Eles levantaram da mesa, trocaram mais um abraço e se separaram meio desajeitadamente. Franklin não cruzou mais o olhar com Quinn e se foi. No caminho, passou por Strange, que voltava do banheiro, mas ignorou-o por completo.

"Lugarzinho mais amistoso esse que o pessoal arrumou aqui", disse Strange, ao chegar à mesa. "Seu amigo Eugene é fã de carteirinha da minha pessoa e tem um panaca estilo Carl Eller lá no banheiro pronto pra arrancar minha cabeça com os dentes."

"Você sabe como são esses policiais", falou Quinn. "Eles gostam de permanecer entre sua própria gente."

"Eu tenho mais umas duas ou três coisinhas pra providenciar", disse Strange. "Eu até que levaria você pra casa, mas fica meio fora de mão pra mim."

"Pode me deixar no metrô Union Station. Eu pego a Linha Vermelha pra ir embora."

Strange saiu do meio-fio. "Vai passar *Nevada Smith* hoje no TNT. Você já viu?"

"Ahã. É bom. E o Steve McQueen está fantástico", Quinn respondeu.

"Esse é o que termina com o velhão daquela série de televisão, *São Francisco: Urgente*, aquele do nariz..."

"Karl Malden."

"Isso mesmo, o próprio. O Steve McQueen atira nele

umas duas vezes, mas não mata. Salta fora daquela viagem de vingança que estava fazendo bem naquele momento, redescobre a própria humanidade, larga o Malden no rio, sai no seu cavalo e deixa o outro berrando, pedindo pro Steve acabar de vez com a agonia dele e gritando um monte de vezes 'Você é um frouxo, você não tem peito!'. Me dá arrepio só de lembrar dessa cena, cara."

"Você vai ver o filme de novo?"

"Não. Eu vou sair, vou assistir a uma luta de boxe."

"Acompanhado?"

"Ela está mais pra amiga do que pra namorada. Administra tudo no escritório. O nome dela é Janine Baker. A gente já sai faz um tempão. Mas nada de muito sério."

"Do tipo mais pra amiga do que pra namorada é o melhor tipo que existe, na minha opinião."

"É, acho que você tem razão. E você, tem alguém na parada?"

"Tenho sim. Uma garota chamada Juana, a gente também vai sair à noite."

Strange deu uma olhada para o lado. "E vocês têm algum plano específico?"

"Não, a gente vai sair e ver no que dá depois."

"Por que vocês dois não vêm comigo e com a Janine? Eu tenho duas entradas sobrando."

"Por mim tudo bem. Mas preciso ver se a Juana topa."

"Veja isso com ela e me dê uma ligada. O número do meu bipe está naquele cartão que eu deixei com você."

"Pode deixar."

Strange virou na North Capitol e Quinn disse: "Aqui já deu". Abriu a porta enquanto Strange diminuía a marcha e parava.

"Ei, Terry. Mais uma vez muito obrigado pelo disco."

"Não há de quê."

Trocaram um aperto de mão. Quinn caminhou na direção da Union Station. Strange pegou a direção norte.

183

18

Strange estava no quarto de Chris Wilson, examinando os objetos sobre a cômoda. Havia uma caixa de charutos contendo abotoaduras, um crucifixo numa correntinha, um anel maçom com uma pedra preta de ônix, canhotos de entradas para o MCI Center e para o RFK e um recibo do Safeway. Havia uma caneca da Federação da Polícia com calçadeiras e canetas dentro e, enfiada embaixo dela, uma pequena foto colorida da irmã, muito bonita e muito chique. Sobre o móvel havia ainda um cortador de unhas, uma máquina fotográfica de lente grande-angular, um punhal com cabo de madrepérola, um vidro de colônia Calvin Klein e um pote de cristal com fósforos de diversos bares e restaurantes, bem como uma bola autografada de beisebol muito gasta e arranhada, toda marcada com manchas de lama e grama.

Bem ao lado do espelho da cômoda havia um retrato de Chris Wilson ainda criança, abraçado a Larry Brown, com uma mensagem e o autógrafo de Brown esparramado por cima. Nas paredes, enquadrados em molduras baratas, espalhavam-se fotos com mais de quinze anos de idade do time do Redskins e pôsteres de profissionais do basquete, de equipes universitárias, boxeadores e atletas diversos. Em suma — o quarto refletia a previsível mistura de homem e menino.

"Deixei tudo exatamente como estava", disse Leona Wilson, parada atrás de Strange. "Ele tinha tanto orgulho dessa foto que nós tiramos dele com o Larry Brown."

"Eu também tenho uma foto autografada do Larry. É o maior orgulho dela."

"Uma vez, eu estava endireitando a moldura dessa foto na parede e o Chris entrou no quarto. Ele ficou tão bravo, falou que não era pra eu mexer ali de jeito nenhum. E foram pouquíssimas as vezes em que meu filho ergueu a voz pra mim."

"Tem certas coisas que são especiais pra uns e que parecem banais aos olhos dos outros. Eu tenho um bonequinho do Redskins na minha escrivaninha, com uma mola no pescoço..."

"O meu filho cresceu neste quarto. Nunca viveu em outro lugar que não fosse aqui. Imagino que se tivesse mudado para um apartamento só dele, teria um quarto bem diferente. Mas, aqui, ele manteve tudo quase igual ao que era nos tempos de menino."

"Sei."

"Eu nunca pedi para que ele ficasse, senhor Strange. Depois que o pai morreu, ele fez questão de assumir o papel de homem da casa. Achava que era função dele, tomar conta de mim e da irmã. Nunca lhe pedi pra fazer isso. Foi ele quem quis."

Strange olhou em volta. "A senhora sabe se por acaso ele mantinha algum tipo de diário?"

"Que eu saiba não."

"Se não se importa, eu gostaria de levar estas carteiras de fósforos. Mas pode ficar descansada que eu devolvo, assim como qualquer outra coisa que eu resolva levar."

Leona Wilson meneou a cabeça, em sinal de assentimento, e torceu as mãos.

"Seu filho tinha uma namorada, não tinha?", Strange perguntou. "Estou falando daquela moça que deu uma declaração aos jornais, na época."

"Isso mesmo."

"A senhora acha que eu poderia falar com ela?"

"Ela tem sido maravilhosa. Vem jantar comigo uma ou duas vezes por mês. Ela e a filhinha, uma criança encantadora que teve antes de conhecer o Chris. Eu ligo pra ela, se o senhor quiser."

"Quero sim. Gostaria de ir vê-la o quanto antes, pra falar a verdade. E seria bom se eu pudesse falar com a sua filha também."

Leona baixou os olhos.

"Senhora Wilson?"

"Sim?"

"A senhora sabe como eu posso entrar em contato com a sua filha?"

"Não." Leona balançou a cabeça. "As drogas foram mais fortes que nós, senhor Strange. Nós a perdemos."

"O que aconteceu?"

"Só Deus sabe. Ela estava na faculdade, estudava na Bowie, e trabalhava de *hostess* num restaurante no centro da cidade. Era uma moça linda. E estava indo tão bem na vida."

"Ela morava aqui com a senhora, na época?"

"Não. Quando a Sondra se mudou, começamos a perder contato. Nós, o Chris e eu, a víamos cada vez menos, e quando ela aparecia... estava mudada, tanto fisicamente como nas atitudes. Eu nem reconhecia mais a minha filha, não conseguia mais confiar nela como antes. E foi o Chris que um dia acabou me contando o que estava acontecendo. No começo eu não acreditei. Nós fomos tão cuidadosos com ela durante os anos de colegial, e ela tinha conseguido ultrapassar essa fase tão bem. Mas depois que se meteu naquele meio e se envolveu com drogas, foi como se tivesse esquecido tudo o que aprendeu aqui em casa e na igreja. Eu não entendi nada. Aliás, continuo sem entender. No dia do enterro do meu filho, ela apareceu no cemitério. Fazia mais ou menos um mês que eu não via a minha filha. O telefone dela havia sido desligado e ela tinha sido despedida do emprego. E largado a faculdade também."

"Mas se a senhora tinha perdido o contato com ela, como é que sabe disso tudo?"

"O Chris me contava."

"E ele se mantinha em contato com a irmã?"

"Eu não sei como ele sabia dessas coisas. Só sei que os dois eram muito apegados... O Chris ficou muito triste com o rumo que ela tomou, senhor Strange. E, no fim, até ele perdeu a irmã de vista. Não sabíamos mais se ela tinha um lugar onde morar, se estava comendo, onde vivia, onde dormia, nada. Não sabíamos nem mesmo se ela estava viva ou morta."

"Quer dizer então que ela foi ao enterro."

"Foi, mas parecia um zumbi. Os olhos, até mesmo os passos dela não tinham vida. Fazia tanto tempo que eu não via minha filha. E não tornei a vê-la, depois daquele dia."

"Eu sinto muito."

"Se o Chris estivesse aqui, ele descobriria onde ela está." As lágrimas explodiram e escorreram pelas faces murchas de Leona. "Com licença, senhor Strange."

Ela se virou e saiu rapidamente do quarto.

Strange ficou onde estava. Depois de uns tempos, escutou a voz dela na sala, falando ao telefone. Foi até a cômoda, tirou as carteiras de fósforos da vasilha de cristal e guardou-as no bolso do blusão de couro. Puxou a foto de Sondra Wilson de sob o caneco e colocou-a na carteira. Cruzou o quarto algumas vezes. Sentou-se na cama de Chris Wilson e olhou pela janela.

Não teve muita dificuldade em imaginar Wilson, ainda menino, acordando naquele quarto todas as manhãs, escutando os passarinhos, identificando o latido de certos cachorros. Olhando por aquela mesma janela, sonhando em ser o autor da melhor jogada em campo, em deixar a platéia inteira maravilhada, sobretudo a menina bonita perto de quem se sentava nas aulas. Sentindo o cheiro de café fresco, quem sabe escutando a mãe cantarolar alguma música na cozinha enquanto preparava a primeira refeição do dia, esperando até ela enfiar a cabeça no vão da porta para lhe dizer que estava na hora de levantar para ir à escola.

Strange escutou os soluços de Leona Wilson lá na sala — as tentativas de abafá-los, depois a explosão.

"Você é um bom sujeito, Derek", murmurou bem baixinho, sentindo-se inútil e irritado consigo mesmo por ter dado à mãe de Wilson uma falsa esperança.

Saiu do quarto para a sala e parou do lado dela, sentada no sofá, agarrada a um lenço. Pôs a mão no ombro ossudo.

"É tão difícil", ela falou quase num sussurro. "Tão difícil."

"Eu sei."

Ela enxugou o rosto e ergueu um par de olhos avermelhados para ele. "Já fez algum progresso?"

"Eu farei um relatório para a senhora em breve."

Leona lhe entregou um papel que tinha posto sobre a mesinha de centro. "Aqui está o endereço da Renee. Ela vai apanhar a filha na creche, mas não demora pra voltar. E concordou em falar com o senhor, se quiser."

"Muito obrigado."

Em seguida lhe deu um tapinha impotente no ombro e se afastou.

"O senhor vai à igreja no domingo?"

"Espero estar lá", Strange respondeu, sem parar para falar com ela.

Não via a hora de atravessar aquela porta. Na calçada, estancou alguns momentos e respirou o ar fresco.

Renee Austin morava num condomínio ajardinado de prédios baixinhos, atrás de um shopping center em Maryland, perto da Route 29, numa travessa da Cherry Hill Road. Strange esperou dentro do carro, no estacionamento, escutando uma gravação antiga de Harold Melvin e os Blue Notes, já que a ex-namorada de Chris Wilson ainda não tinha chegado com a filha. Acompanhava "Pretty Flower" junto com o conjunto, de olhos fechados, tentando imitar os rosnados de Teddy, quando o Civic vermelho de Renee parou na frente da casa.

Sentaram-se à mesa da cozinha, tomando uma xícara

de café instantâneo. A filha de Renee, uma doçura de menina chamada Kia, três anos de idade, brincava no chão, sentada no linóleo. Segurava uma boneca de pele escura numa das mãos, e na outra um bebê branco sardento, com cara de personagem de desenho animado, e apertava a cabeça de um contra o outro, imitando sonoramente o som de duas pessoas se beijando.

"Meu bem", falou Renee, "fique quietinha, agora, por favor. Está difícil a gente conversar com essa barulheira toda."

"É que o Rugrat gosta da Groovy Girl, mami."

"Eu sei, meu amor. Eu sei."

Renee era uma jovem atraente, de pele escura, longas unhas pintadas e rosto magro, de traços bem delineados. O cabelo passara por um processo de relaxamento e ela o usava na altura dos ombros, cortado conforme a moda. Trabalhava como assistente administrativa para uma firma de contabilidade situada na altura da Connecticut com a L e continuava no emprego, segundo ela, não pelo salário nem pelas oportunidades, e sim pelo horário flexível da empresa, que lhe permitia ter mais tempo para dedicar a Kia.

Encurtando a história, era uma moça de vinte e um anos de vida atribulada. Contou a Strange que havia planejado se inscrever em alguma faculdade pública, mas que a chegada de Kia e a subseqüente partida do pai da menina tinham posto um fim a esses planos. Strange reparou em todos os brinquedos, aparelhos de televisão e equipamento de som espalhados pelo apartamento; além disso o Honda de Renee parecia ser novo em folha. Perguntou-se o quanto a moça não estaria devendo nos cartões de crédito e se por acaso não teria cavado um buraco tão fundo para si mesma que nem conseguia mais ver a luz do dia do lugar onde estava.

"Talvez quando ela entrar para o primário, quando ela começar a estudar em período integral", disse ele, "você possa ir atrás daquele diploma de faculdade."

"Quem sabe." A voz de Renee não demonstrava grande entusiasmo, e ambos sabiam que as coisas jamais aconteceriam dessa maneira.

Renee falou sobre Chris Wilson, explicou como tinham se conhecido e que tipo de homem ele era. Disse que ele fora "um pai muito melhor" para Kia do que o próprio pai da menina.

"E quando ele bebia?", Strange perguntou. "Ele continuava bonzinho com ela?"

"Era muito raro que o Chris tomasse mais de uma, no máximo duas cervejas por vez. Quando nos conhecemos, ele quase não bebia."

"E na noite em que ele morreu?"

Renee confirmou com um meneio de cabeça, olhando para a xícara de café. "Ele tinha bebido um bocado aquele dia, aqui no apartamento. Deu cabo sozinho, sei lá, quem sabe de uma meia dúzia de latas de cerveja."

"O que pra ele não era comum, certo?"

"Exato. Só que nas últimas semanas ele tinha começado a beber cada vez mais."

"Tem idéia do motivo?"

"Ele estava chateado."

"E estava chateado na noite em que foi morto?"

"Estava."

"Com o quê?"

"Não sei."

Renee se inclinou para a frente, ainda sentada, e deu a Kia uma boneca Barbie que ela tinha derrubado. Depois se endireitou na cadeira e tomou um gole de café.

"Renee?"

"Hein?"

"O que é que estava chateando o Chris? Pros jornalistas você disse que não sabia. Mas você *sabe*, não sabe?"

"Que diferença teria feito falar no assunto com eles? Não tinha nada, não tinha a *menor* relação com a morte dele. Era um assunto de família, senhor Strange."

"E eu estou aqui justamente para tentar ajudar a família. A mãe do Chris me contratou. Foi a mãe dele que me mandou vir *aqui*, Renee."

Renee desviou os olhos. Olhou para o relógio na parede, para a filha no chão e por fim passou os olhos pela cozinha.

"Ele estava chateado por causa da irmã, a Sondra?"

Renee assentiu com a de cabeça, lentamente, hesitando.

"Ele tinha estado em contato com ela?"

"Não sei." Renee olhou Strange nos olhos. "Não estou mentindo. Não sei mesmo."

"Continue."

"Depois que a Sondra perdeu o emprego e foi despejada, o Chris foi ficando cada vez mais distante. Estava tentando descobrir o paradeiro da irmã e ser um policial ao mesmo tempo, e ainda tinha de dar atenção pra mãe dele, pra mim e pra Kia... Acabou sendo pesado demais, suponho. E eu também acabei aprendendo a não fazer muitas perguntas a respeito da Sondra. Isso só o deixava ainda mais aborrecido."

"Onde é que a irmã dele trabalhava, quando as coisas começaram a desmoronar pro lado dela?"

"Num lugar chamado Sea D.C., na Fourteenth com a K. Ela trabalhou como *hostess* lá, mas foi por pouco tempo."

"A mãe me disse que ela era basicamente uma boa moça que se misturou com as pessoas erradas."

"Bom, não sei se foi isso ou não, mas não é dizer que antes ela tivesse uma auréola na cabeça, nada disso. Sempre gostou de se divertir, pelo que o Chris me contou. Houve uma época em que andei saindo com esse pessoal de restaurantes e boates da moda. Cheguei a me encontrar algumas vezes com eles depois que a cozinha fechava e as cadeiras iam pra cima das mesas. De modo que sei como são as coisas nesse meio. Por lá, depois do expediente? Tem sempre alguém com alguma coisa na mão. É muito fácil cair de boca naquele estilo de vida, se você não se cuidar bem direitinho, senhor Strange."

"Me chame de Derek."

"A Sondra entrou no barato da heroína. O Chris me disse que ela sempre teve medo de agulha, de modo que ele achava que ela devia ter começado cheirando. Muito provavelmente imaginou que tudo bem, só cheirar, que não ia ficar fissurada na coisa nem nada. O que, aliás, é um outro erro muito freqüente entre os futuros viciados. Eu sei porque um tio meu entrou com tudo e se ferrou. Cheirar é só um jeito mais lento de dançar, mais nada. Você acaba igualzinho a todos os outros, ferrado."

"Naquela noite em que o Chris foi morto — me conte o que aconteceu por aqui, antes de ele sair."

Renee arrastou a xícara de café para o outro lado da mesa. A voz saiu firme e sem emoção. "Ele recebeu uma ligação no celular. Atendeu no meu quarto. Não escutei o que foi dito e também não perguntei. Mas ele estava agitado quando apareceu de novo na sala, muito agitado. Falou que tinha que sair. Disse que ia dar um pulo num bar, ou coisa parecida, pra tomar uma cerveja, que precisava dar uma arejada e pensar. Eu não achei a idéia muito boa, afinal ele já tinha bebido, coisa e tal, e disse isso pra ele. O Chris falou pra eu não me preocupar. Me deu um beijo, deu um beijo na testa da Kia e saiu. Duas horas depois, recebi um telefonema da mãe dele, dizendo que estava morto."

Strange recostou na cadeira. "Da ficha dele constavam algumas reclamações por excesso de brutalidade. Alguma vez ele comentou alguma coisa com você a respeito disso?"

"Comentou. Disse que de vez em quando precisava ser mais duro com algum suspeito, mas que nunca tinha sido duro com quem não merecia. O que eles disseram nos noticiários, o que a imprensa publicou, é tudo verdade: o Chris tinha bebido muito na noite em que foi morto. E os jornais, a televisão, até o próprio distrito onde o Chris trabalhava, todos podem pintar a imagem que quiserem. Só que ninguém vai conseguir explicar por que ele foi assassinado. Agora, no fundo, no fundo, tudo se resume no seguinte: se aquele policial branco não tivesse aparecido no local, o Chris estaria vivo até hoje."

"Aquele policial branco não sabia que o Chris era da polícia. Ele viu um homem com uma arma..."

"Ele viu um *negro* com uma arma. E tanto você como eu sabemos muito bem que é por isso que o Chris está morto."

Strange não respondeu. Não tinha certeza se, num nível mais básico, ela não estaria com a razão.

Debruçou-se mais à frente e tocou no rosto de Kia. "Esse bebê é seu, menina bonita?"

"*Meu* bebê", disse Kia.

"Espero ter ajudado um pouco", falou Renee.

"Ajudou sim. Obrigado por ter me recebido."

No Purple Cactus, Strange sentou no bar do térreo e pediu uma *ginger ale* para observar as pessoas. Ali o predomínio ficava com a grana branca, e também com a grana nova, do tipo que provém de investimentos. Os funcionários eram todos jovens de boa estampa que trabalhavam numa espécie de intensidade crescente, servindo os primeiros clientes da noite — aqueles que ainda iriam assistir a algum espetáculo — e que começavam a encher o local. As cadeiras do salão eram de espaldar reto e havia triângulos e outros desenhos geométricos pendurados nas paredes. A iluminação direcionada, feita com spots, colocava cada uma das mesas como se num palco onde os clientes podiam ser "vistos" jantando a preços extorsivos.

Quando da inauguração, tanto o guia de restaurantes do *Post* como o *Washingtonian* alardearam de tal forma suas virtudes que o Cactus acabou virando "o" restaurante daquele ano. Strange já tinha ido lá uma vez, na esperança de causar a melhor impressão possível num primeiro encontro, um erro sempre fatal. Havia desembolsado cento e vinte e cinco dólares por dois drinques e três entradinhas que não satisfariam a fome nem de um cãozinho lulu. E o garçom, mais um daqueles rapazes de olhar esfuziante e cabelo tingido de loiro, ainda tivera o desplante de aparecer com um carrinho de sobremesas para tentar seduzi-los a experimentar uma fatia "decadente" de um bolo de chocolate que custava doze dólares o pedaço e que, dizia o moço, com um sorriso ensaiado, era "arquitetonicamente brilhante". Sentir-se usado daquela forma abusiva arruinara a noite de Strange. E, para piorar ainda mais as coisas, o encontro não dera em nada.

Um garçom com uma linha fininha de barba no queixo aproximou-se da área de serviço do balcão, onde era feito o atendimento às mesas, e disse ao barman: "Absolut com tônica e uma casquinha de limão", para em seguida acrescentar: "Você viu aquela turista, a da *peruca*, na mesa pra quatro? Ai meu Deus, será que ela tá fazendo quimio ou coisa parecida?". Havia uma garçonete do lado, também à espera de algum pedido, pondo ordem nas contas, que disse: "Fala baixo, Charlie, ou a cliente vai acabar escutando".

"Ah, *fodam-se* os clientes", disse Charlie, enfeitando a vodca que havia chegado com um palito de coquetel.

Strange se perguntou como é que um lugar daqueles conseguia se manter. Mas já sabia como: as pessoas iam lá porque alguém lhes dissera para ir, sabendo muito bem que era pura roubalheira. Iam pelos mesmos motivos que as levavam a ler os livros que os amigos liam e a assistir a filmes de seqüestro de avião e de asteróides em rota de colisão com a Terra. Não tinha a menor importância se prestavam ou não. O que ninguém queria era ficar de fora da conversa na festa seguinte. Estavam todos desesperados para fazer parte de tudo o que fosse novo e abominavam ser deixados para trás.

"Quer mais alguma coisa?", perguntou uma das moças que serviam no balcão, uma loira de olhos claros e pele boa.

"Não, obrigado", disse Strange. "Mas gostaria de lhe fazer uma pergunta. Lembra-se de um sujeito que traba-

194

lhou aqui uns tempos, chamado Ricky Kane? Estou tentando localizá-lo pra um amigo."

"Eu sou nova aqui", disse a moça.

"*Eu* me lembro do Ricky", falou Charlie, o garçom, ainda parado junto à área de serviço do balcão. Típico da figura, pensou Strange, isso de escutar a conversa dos outros e se intrometer sem ser convidado.

"Ele não trabalha mais aqui, trabalha?", disse, forçando um sorriso amistoso.

"Não precisa mais", Charlie respondeu. "Não depois daquele dinheiro todo que recebeu de indenização." E, após uma espiada de esguelha para a garçonete morena a seu lado, acrescentou: "Bom, mas claro que ele nunca precisou trabalhar aqui, certo?".

Porque a figura ganhava a vida vendendo drogas, ocorreu a Strange, de repente.

"Charlie", censurou a garçonete.

Charlie soltou uma risada e saiu apressado com sua bandeja de bebidas. A *bartender* serviu a garçonete morena: "Olha o seu pedido, Lenna".

Depois que Lenna agradeceu, a moça parou na frente de Strange: "Mais uma *ginger ale*?".

"Só a conta. E um recibo."

Strange virou a esquina e subiu quatro quarteirões da Vermont Avenue, depois desceu os degraus que levavam ao bar do Stan, um porão que às vezes ele freqüentava. Era um lugar enfumaçado e movimentado, cheio de moradores da área — uma mistura de washingtonianos de classe média e raças variadas, quase todos de meia-idade. Passando por algumas mesas barulhentas, escutou um sujeito chamar seu nome.

"Derek, como é que vai você!"

"Ernest." Era Ernest James, um morador da região, vestindo um terno e acompanhado de uma mulher.

"Andei sabendo que os negócios vão muito bem pra você."

"Estou me virando."

"Tem tido notícias de Donald Lindsay?", James perguntou.

"Ouvi dizer que o Donald faleceu."

"Que nada, rapaz, ele continua firme."

"Bom, mas eu não o vi mais." Strange balançou a cabeça e sorriu para a acompanhante de James. "Agora, se me dão licença, vou dar uma chegadinha até o bar pra pedir uma bebida."

"Então até qualquer hora, Derek."

"Até."

Strange pediu um Johnnie Walker rótulo vermelho com club soda. No Stan, eles serviam a bebida até a borda do copo, com uma minicoqueteleira do lado, do jeito que costumavam fazer no velho Royal Warrant e no Round Table, do outro lado da cidade. Quando Strange tinha vontade de uma bebida de verdade, e de estar junto com pessoas normais, ia lá.

Bebericando seu uísque, sentiu-se mais relaxado. Trocou idéias com o vizinho de balcão a respeito do novo zagueiro do Redskins, que tinha sido do Vikings, e sobre o que o time precisava fazer para ganhar. O camarada, que era mais ou menos da idade de Strange, disse que se lembrava de ter visto Bobby Mitchell jogar, e aí a conversa desandou para outros jogadores do passado e para o velho esquadrão liderado por Jurgenson.

"'Fight for old D.C.', como dizia o hino do Redskins", falou o sujeito, com uma piscada de olho. "Lutemos pra defender as cores do D. C."

"Só que na época a letra não dizia 'D. C.'. Dizia 'Dixie'. 'Fight for old Dixie.' Afinal, nós somos um estado sulista, não somos? Somos da Dixie Land."

"Você se lembra disso, é?", perguntou o sujeito.

"Disso e de muitas outras coisas. Uma pena que a juventude que vive dizendo *nigger* isso, *nigger* aquilo não se lembre também."

"Eu conheço um monte de gente que fica irritada só porque a palavra consta do dicionário Webster. Mas essas mesmas pessoas escutam o termo ser usado por filhos, filhas e netos o tempo todo e deixam passar batido."

"Pois é. Como é que os brancos podem aprender a não usar o termo se nossos *próprios* jovens não têm a menor idéia do que estão fazendo?"

"É o que eu sempre me pergunto."

O bipe de Strange tocou. Ele leu os números, pediu licença, foi até os telefones públicos que ficavam na entrada dos banheiros e fez uma ligação. Quinn atendeu na outra ponta.

"Fico contente que tenham resolvido ir", disse ele, depois que Quinn parou de falar.

"Nós também. Onde nos encontramos?"

Strange lhe disse, repôs o telefone no gancho e espiou o relógio. Acertou a conta, pagou mais uma bebida para o sujeito no balcão e saiu do Stan.

Em sua casa geminada, Strange largou todas as carteiras de fósforo e a foto de Sondra Wilson em cima da escrivaninha, verificou a correspondência e trocou de roupa. Foi até o porão, onde o aguardava um saco de areia pendurado nas traves de aço do teto. Ao som da trilha sonora de *Guns for San Sebastian* no aparelho portátil, exercitou-se um pouco. Alimentou Greco, depois tirou o abrigo suado e foi tomar uma chuveirada. Se se apressasse, ainda teria tempo de visitar a mãe na clínica antes de apanhar Janine para ir à luta.

19

Ray e Earl Boone pararam no farol vermelho no cruzamento da Michigan com a North Capitol. Ray deu uma tragada no cigarro, e Earl mais um gole numa lata de Busch. Na esquina, um cartaz com letras vermelho-alaranjadas, colado num poste telefônico, anunciava algum tipo de evento de boxe para aquela noite.

"Tá a fim de ir ver umas lutas esta noite, papai?", Ray perguntou, sabendo perfeitamente bem que o pai não gostava nem mesmo de saltar do carro quando estava em Washington. "Eles costumam ter umas coisas bem boas lá no centro de convenção. Pelo visto o Don King vai estar lá também."

"Don King? Eu prefiro um cachorro lambendo pasta de amendoim no racho da minha bunda."

"Por acaso isso é um não?"

"O farol abriu, Cria. E vê se pára de bancar o imbecil."

Ray fez uma ligação para o escritório de Cherokee Coleman avisando que ele e o pai estavam chegando. Desligou o telefone e seguiu para a antiga região de depósitos e armazéns, numa travessa da Florida Avenue.

Ao chegar, viu uma viatura da Polícia Metropolitana parada nas imediações do escritório de Coleman, com o motor ligado. Reconheceu os números miúdos impressos no pára-choque do Crown Victoria e os mesmos números, em caracteres bem maiores, estampados nas laterais da carroceria. Passando em velocidade moderada pela viatura, Ray teve tempo de ver de relance o policial atrás do volante, um preto grandalhão e enfezado que olhava direto para a frente. Certa vez Coleman havia lhe dito o nome do policial que estava em sua folha de pagamentos, um nome meio gozado para um homem, e mais gozado ainda para um sujeito tão corpulento, mas não conseguiu se lembrar direito de qual era. Soava meio parecido com Madonna, um troço assim.

Foram deixar a muamba na garagem da gangue. Os tipos de costume estavam à espera, com mais umas duas ou três caras novas adicionadas ao bando, de gorro de meia na cabeça, olhares mortiços e sorrisos de "eu te mato dando risada". Na hora em que Ray e Earl saltaram do carro, rolava uma discussão envolvendo zona norte e zona sul, com um dos garotos arreliando e cutucando outro, enquanto os demais mexiam a cabeça no ritmo de uma pegada típica lá deles. Ray estava cagando para todos ali. Enquanto ele e o pai fumavam e observavam o pessoal pesar a heroína, só conseguia pensar numa coisa: Se tudo der certo, esta vai ser a última vez que ponho os pés nesta merda de cidade.

Tonio Morris saiu de um canto escuro do térreo do Lixão, onde, com outros viciados terminais, insetos e ratos, passava o tempo deitado num colchão bolorento, em cima das próprias imundícies. Quando não estava ali, estava nas ruas, roubando, mendigando, recolhendo pontas de cigarro jogadas no chão ou então remexendo nas latas de lixo das vielas nos fundos das casas de Trinidad e LeDroit Park.

Ali no Lixão sentia sobretudo tédio, aliviado vez por outra por uma ameaça de drama, um ou outro ato ocasional de violência física, ou, então, por uma rara piada que considerava engraçada e que o fazia soltar uma risada chiada lá do fundo do peito. Dormia mal e comia pouco, a não ser por uns pedacinhos de chocolate que conseguia ganhar desse ou daquele. No geral, a vida era formada por blocos de tempo entre um barato e outro e, na maior parte do tempo, o que fazia era esperar, algumas vezes consciente, embora sem dar a menor pelota, de estar apenas esperando pela morte.

Tonio atravessou a sala maior, os pés esmagando cocô de pombo, as poças umedecendo as meias marrons, a água entrando por onde as solas haviam se separado da parte de cima dos sapatos. Foi até o lugar onde tinha sido aberto um buraco na parede de tijolos e viu o Ford Taurus cruzar com a viatura policial parada em ponto morto na rua. Lá estavam eles, pontuais como sempre. Tonio virou e tomou o rumo da escada.

Passou por um dos homens de Coleman e subiu até os cubículos sem porta que aqueles que ainda tinham forças, ou alguma mercadoria de troca, haviam reivindicado para si. A garota antes tão bonita chamada Sondra morava no último, sempre encostada na parede de aço, esfregando o braço com a mão como se estivesse tentando apagar uma mancha.

Tonio parou bem juntinho da moça, para poder enxergar seu rosto. Estava começando a ficar cego, a última gargalhada debochada que a praga lançava nos infectados.

"Oi, Tonio."

"Oi, boneca. Seus rapazes chegaram."

Sondra sorriu, mostrando dentes baços; nutrição zero havia deixado todos eles cinzentos. Os lábios, rachados e sangrando em alguns pontos, estavam gretados do frio. Ela usava um casaco pesado por cima das roupas de sempre, a camisa branca e a calça preta. Uma velha senhora, perto da Faculdade Gallaudet, vira Sondra na rua, uma semana antes, e lhe dera o casaco no portão de sua casa.

"Acho melhor você se limpar pro seu homem", Tonio falou.

"Eu tenho uma água aqui." Sondra tinha achado uma garrafa vazia de Fruitopia numa caçamba de lixo e enchido de água numa torneira das vizinhanças.

"Usa isso daqui, ó, pra limpar a cara." Tonio lhe entregou um pano imundo que havia tirado do bolso traseiro. "Força, garota." Sondra pegou o trapo, examinou-o e em seguida despejou nele um pouco da água quase congelada da garrafinha. Passou no rosto. A imundície oleosa do trapo manchou seu rosto.

"Você é bonzinho comigo, Tonio."

"Então vê se não esquece de ser boazinha comigo, tá?"

"Não vou me esquecer, Tonio. Sempre guardo um pouquinho, não guardo?"

Ele olhou para ela de um jeito guloso, mas totalmente desprovido de intenções sexuais. Queria coisas dela, porém não isso. Tonio não era mais capaz de fazer sexo com uma mulher, mesmo que quisesse. E não queria mais. Nem pensava mais nisso.

"Acho melhor eu ir descendo."

"A gente se vê daqui a pouco", ela disse, vendo o outro se afastar puxando para cima a calça que tinha escorregado pelo traseiro.

Sondra gostava de Tonio. Ele nunca tentava lhe passar uma rasteira, como os outros. Tonio era seu amigo.

"Qual é o problema, Cherokee?", Ray perguntou. "Pensei que você fosse gostar. Do jeito como você explicou as coisas da última vez, achei que queria se livrar da pressão que os irmãos Rodriguez estavam botando pra cima de vocês."

"Mas eu não pedi pra você liquidar com eles, Ray", disse Coleman.

"Foram eles mesmos que pediram isso."

"Quer dizer que eles se mataram, foi?"

"Olha que não ficou muito longe, não. E, de todo modo, agora não dá mais pra acordar eles, de forma que estamos perdendo tempo com esses fricotes todos. Além do quê, eu cuidei de tudo, pode ter certeza."

Sentado à escrivaninha, com as mãos em concha sobre o mata-borrão, Cherokee Coleman olhava fixo para Ray. Atrás dele, seu tenente, Angelo Fodão, a tudo observava com a cara carnuda transformada em máscara impassível. Earl Boone não se conformava com os óculos escuros de Angelo, do tipo usado em Hollywood, com as hastes douradas bem grossas. A iluminação ali dentro não era das melhores, só tinha aquela luminária verde de banqueiro para clarear o ambiente, como é que o gordão podia enxergar as coisas, essa era a dúvida dele.

"Será que você poderia elaborar um pouco mais e nos dizer como foi que cuidou de tudo?", Cherokee perguntou.

"Um dia depois da visita deles", começou Ray, "eu liguei pra mulher do Lizardo e perguntei onde caralho ele e o Nestor tinham se metido. Eu falei que eles tinham ficado de vir pra cá, entregar uma encomenda, mas que não tinham dado as caras nem avisado nada. Nem meio minuto depois recebi um chamado no meu celular de um dos caras dos Vargas, lá da Flórida. Eu falei pro cara a mesma coisa que tinha dito pra mulher do Lizardo. Ele resmungou sei lá o que em espanhol e desligou. Depois disso, eu e meu pai fizemos duas viagens com os Contours deles, levamos os dois carros até a Virgínia e largamos lá perto de Richmond, numa vicinal da Noventa e Nove Sul. A gente jogou um pouco do sangue do Nestor e do Lizardo no assento dos carros. Também arrancamos uns cabelos deles e espalhamos por dentro dos carros. Quando a polícia encontrar os veículos e verificar de quem eram, vão pensar que os irmãos foram mortos lá mesmo, a caminho do norte."

"E os corpos?"

"Escondi na minha propriedade até o tempo melhorar um pouco. Vou cuidar dessa parte também."

"E o que acontece", continuou Cherokee, "quando eu receber a ligação da família Vargas?"

"Porra, Cherokee, você só precisa dizer pra eles a mesma coisa. Que eu entrei em contato e que o Nestor e o Lizardo não apareceram."

"E por que eu faria uma coisa dessas?"

"Porque quem é parceiro tem de ser unido", falou Ray.

"Ah, quer dizer que agora nós somos parceiros? Ouviu essa, Angie?"

"Escuta aqui." Ray se debruçou um pouco mais para a frente na cadeira. "Eu tô com nove quilos da mais pura heroína marrom bem debaixo da minha bunda, cara."

"Tá com ela aí, é?", Coleman perguntou.

"Qual é, cara. Eu não sou burro!"

Ray deu risada. Coleman e Angelo deram risada e continuaram rindo bem depois de Ray já ter terminado. Ray franziu o cenho, observando os dois. Será que estavam tirando um sarro da cara dele? Não saberia dizer.

Coleman puxou um lenço do bolsinho da frente do belo paletó que usava e enxugou os olhos.

"Bom", continuou Ray, "o negócio é que eu e o pai, a gente anda querendo dar um tempo. Então eu pensei o seguinte, a gente descarrega o resto daquela marrom direto pra vocês, por um preço que vocês vão achar muito bom mesmo, e se afasta um tempinho."

"É mesmo? E que preço seria esse?"

"No momento você paga cem por quilo, correto?"

"Contando com o bônus de vocês. Mas agora é *tudo* bônus, de maneira que não precisa incluir isso de novo, já que não houve nenhuma, como é que se chama mesmo, *despesa de comercialização*, na história."

"Justamente. De modo que eu ia dizer sessenta o quilo e você leva o carregamento todo. Nove quilos vezes sessenta..."

"Quinhentos e quarenta paus."

"Quinhentos e quarenta, isso. Mas como eu gosto de você, Cherokee..."

"Gosta é, Ray?"

"Claro. E por causa disso vou fazer um precinho mais camarada ainda."

"Quão camarada?"

"Digamos quinhentos redondo, mas só pra você, Cherokee, pelo lote todo."

"Muita generosidade sua, Ray."

"Também acho."

"E quando é que você vai trazer a muamba?"

Ray deu uma olhada para Earl, depois voltou a olhar para Coleman. "A gente meio que andou pensando, o meu pai e eu, quer dizer, a gente meio que pensou em não voltar aqui pra cidade, pra essa última transação."

"Vocês têm algo contra a nossa capital, é?"

"A gente prefere o interior, se quer saber mesmo."

"Tá brincando."

Coleman e Angelo deram risada de novo. Ray e Earl, com a fisionomia tão impassível quanto uma pedra, esperaram até o acesso de riso terminar.

"Vamos fazer o seguinte", disse Coleman. "Vamos fazer uma conta de chegada, que tal? Vocês trazem a primeira metade do carregamento pra nós, e eu mando alguém apanhar a segunda metade com vocês."

"Que troço é esse de metade?"

"Você não está achando que eu posso botar a mão em quinhentas mil pratas assim de uma hora pra outra, certo? Ou será que pensa que eu posso entrar lá no NationsBank e pedir um empréstimo?"

"Não, mas..."

"Preciso passar a mercadoria que você trouxe hoje adiante, rapaz, obter capital de giro, sabe como é? Se não, não dá pra completar o negócio."

"Não sei não", disse Ray.

"Mas que porra", exclamou Earl, pegando Coleman de surpresa com a intervenção. Era a primeira vez que Earl abria a boca, desde que entrara ali no escritório.

"Tem alguma coisa em mente, *papai*?", Coleman perguntou.

"A gente traz o próximo carregamento até aqui", falou Earl, "se é isso que você quer. Mas eu também quero uma coisa."

"Deixa ver se eu adivinho. Será que essa coisa tem olho verde e pele clara?"

"É justamente isso. Eu quero levar aquela garota bonita comigo, aquela que mora aí do outro lado da rua. Vou levar ela hoje mesmo comigo."

"Cacete, papai."

"Quieto aí, Cria. Quem está falando agora sou eu."

"Ah, mas olha só isso", disse Coleman. "Ele gostou da garota. Que simpático."

"E então? Algum problema se eu levar ela comigo hoje?"

"Problema nenhum, rapaz. Dali não me interessa mais nada. Mas claro que tem uns caras lá do Lixão que talvez pensem diferente. Pode ser que pinte problema pro seu lado, se tentar levar a mina embora. Porque a maioria já mandou ver, compreende?"

"Mandou ver?"

"Curtiu ela, cara."

Angelo Fodão soltou aquele seu som chiado, uma espécie de "*sh, sh, sh*", sacudindo as carnes dos ombros.

Earl não tomou conhecimento dele e disse: "Então é isso. Nós já vamos".

Ray se levantou. "Eu te ligo. A gente volta com aquele primeiro carregamento daqui uns dias. Aí então você vai e pega o resto."

"Olha só, Ray, acho que não sou eu assim em pessoa que vai fazer a viagem, compreende? Estou pensando em mandar uma escolta policial, cara, pra sair tudo bem legalzinho, tudo no oficial."

"Vai mandar aquele cara lá, o tal do Madonna?"

Coleman soltou uma risada curta. "Claro, Ray, claro. Vou mandar o Madonna."

"Então estamos combinados. A gente se fala."

"Combinado."

Coleman e Angelo ficaram espiando os dois saírem.

Coleman falou: "Manda um fio pro nosso pessoal, Angie. Diga pra eles que temos coisa boa entrando na parada. E não se esqueça de ligar praquele garotão branco também. O cara tem como circular a mercadoria no outro lado da cidade e nós precisamos fazer ela girar rapidinho. Botar o primeiro carregamento na rua pra poder fazer o mesmo com o segundo. Essa é uma oportunidade e tanto que pintou pra nós, Angie. A gente vai ganhar uma bela grana dessa vez."

"É, tá certo, mas vamos ter que ir até a casa do chapéu pra pegar a farinha."

"Sem problema, Angie. A gente ia ter de atirar um pouco de merda no ventilador dos Boone, mais cedo ou mais tarde. Então é melhor fazer isso logo. Largar uma bela pilha de presuntos por lá, os deles junto com os dos irmãos Rodriguez. Deixar aquilo ali meio parecido com Jonestown, um troço assim. E limpar a nossa barra com os colombianos. Porque você sabe que eu não quero nem saber de ver a família Vargas aqui na cidade tentando começar uma guerra."

"*Eu* é que não vou lá."

"Fica frio, malandro. Eu vou mandar o Adonis e o sombra dele."

Angelo abriu um sorriso. "Você quer dizer o *Madonna*?"

"Ray Boone", disse Coleman. "Aquilo é um verdadeiro gênio."

"Eu não sou *burro*", imitou Angelo Fodão.

Coleman caiu na gargalhada e estendeu as palmas das mãos. Angelo retribuiu o cumprimento do gueto.

Earl Boone percorreu os cubículos devassados e só parou no último. Viu Sondra Wilson lá dentro, o rosto iluminado pela chama de uma única vela. A blusa branca estava imunda e o rosto todo rajado de poeira. Parecia não conseguir se equilibrar direito em pé.

"Oi, benzinho", disse Earl.

"Earl."

Ele se aproximou mais um pouco e olhou bem em seus olhos. Um era castanho, o outro, verde.

"O que houve com os seus olhos, mocinha?"

"Eu devo ter perdido uma lente, acho." Sondra tentou

revirar os lábios num beicinho sedutor. "Trouxe alguma coisa pra mim, Earl?"

"Trouxe. Mas não aqui. Vou tirar você deste lugar."

"E pra onde a gente vai?"

"Você vai vir morar comigo uns tempos. Vai tomar um banho, ganhar roupa nova e dormir em lençóis limpos toda noite."

"E aquele outro lance, como é que fica?", disse ela, porque isso era tudo que lhe importava, agora.

"Vai ter o que baste disso também."

Sondra virou para a parede e descolou a modelo que tinha arrancado de uma revista. Dobrou a foto, pegou o peso de papel de cima do dispensador de papel higiênico e olhou em volta para ver se havia mais coisas. Apanhou uma carteira de fósforos molhada e já usada do chão de ladrilhos e se deu conta de que não havia mais nada.

"Vamos logo, boneca. O Ray está esperando a gente no hall."

"Será que não dá pra você deixar uma presença pro meu amigo Tonio antes da gente ir embora?"

"Deixa ele pra lá. O negócio é sair daqui rapidinho e em silêncio. Pelo que me contaram, parece que tem muita gente por aqui que curte você, e nós não queremos provocar ciúme em ninguém, se for possível evitar."

"Me curte?", Sondra repetiu. Coçou o nariz e riu.

Pai e filho desceram com ela a escada e atravessaram um buraco largo na parede. Lá das profundezas da escuridão, na lateral, Tonio Morris viu Sondra ir embora com os dois brancos, o velho e o filho. Não entendeu por que Sondra tinha partido sem se despedir. Sentiu uma tristeza momentânea, depois um estremecimento de pânico ao perceber que talvez sua fonte tivesse secado para sempre.

Na rua, o policial atrás do volante da viatura parada em ponto morto viu os Boone saindo do Lixão com a viciada jeitosa do primeiro andar. Os três estavam indo para a garagem onde o bando tomava conta do carro da dupla. O policial apagou o charuto que segurava na mão e jogou-o no chão.

20

"Sharmba Mitchell", comentou Strange. "Eis aí um belíssimo lutador."

"Olha só que esquerda", disse Quinn.

"Se eu tivesse uma esquerda dessa, jamais usaria a direita."

Strange e Quinn estavam na arquibancada do Centro de Convenções de Washington, tomando chope a quatro dólares o copo. Dos cerca de quatro mil espectadores presentes, Quinn era um dos poucos brancos, ele e mais os pais de um meio-pesado texano, outros quatro universitários de olhar assustado e diversas brancas acompanhadas por negros. O centro de convenções era um mastodonte sombrio e ultrapassado que nunca tinha prestado bons serviços à cidade, desde sua inauguração. Entretanto o boxe é um dos poucos esportes que não sofrem com arenas feiosas e espartanas; aliás, em se tratando de locais para a realização de lutas de boxe, até que o centro de convenções não era dos piores.

O meio-pesado texano, que havia lutado com o nome de Joe Bill "Rocky" James, caminhava ao longo da arquibancada, já vestido, depois de uma desastrosa derrota. Estava com o rosto todo marcado, inchado, e um olho fechado.

"Ei, Rocky!", gritou um espectador.

"Ei, Adrian!", berrou outro.

"Você pega ele na próxima, Rock", bradou um terceiro, com a mesma inflexão de Burgess Meredith, para enorme gáudio dos que estavam em volta.

"O pessoal está acabando com a raça daquele sujeito", Quinn comentou.

"Por acaso você já reparou", disse Strange, "na quantidade de lutadores brancos que têm Rocky no nome?"

"É, acho que já houve um ou dois com esse nome."

"Olha só, lá vem aquele gancho de novo", disse Strange, apontando para o ringue.

Sharmba Mitchell, de Takoma Park, estava defendendo o título de superpena da WBA, a Associação Mundial de Boxe, numa luta com Pedro Saiz, do Brooklyn. Saiz, que na última hora substituíra o acidentado William Joppy, não era uma grande promessa, mas estava se saindo muito bem. Mitchell usava um calção listrado de vermelho, branco e azul. Saiz usava branco.

O quarto assalto terminou. Enquanto os boxeadores iam para seus cantos, uma loira com um bocado de perna à mostra subiu ao ringue e deu a volta, fazendo o contorno das cordas com um cartaz redondo suspenso nas mãos.

"E as mulheres, hein?", Strange perguntou.

"Gostei mais da dona Segundo Assalto", disse Quinn. "Pena o rosto."

"Aposto como ela tem um coração desse tamanho."

"Um coração *invertido* desse tamanho, certo?"

"É, a bunda de fato *era* meio grandinha mesmo. Mas eu pensei que vocês gostassem disso."

"Pensou, é? De todo modo, eu não estava falando das mulheres no ringue, Terry, estava falando das *nossas* mulheres. As que estão conosco, aqui."

"Elas foram buscar mais cerveja."

"Já faz quinze minutos."

"Elas estão bem, não se preocupe. Provavelmente confabulando. Falando de nós."

"Tomara que sim. É quando elas param de falar na gente que os problemas começam." Strange tomou um gole do chope e deu uma olhada de esguelha para Quinn. "E você que não me contou da Juana."

"O quê, que ela era legal?"

"Que ela era negra."

"Ela é metade porto-riquenha."

"Que metade porto-riquenha que nada. Quem tem uma gota de sangue negro no corpo é *negro*."

"E você tem alguma objeção quanto a isso?"

"Não. Quer dizer, não vou mentir pra você, levei um susto a princípio, porque não estava esperando."

"É por causa da forma como a gente foi programado, só isso."

"Lá vem você de novo me dizer o que é e o que deixa de ser."

"Eu estava lá no Wheaton Plaza umas semanas atrás, sabe o shopping? Metade dos casaizinhos jovens, alguns até já empurrando carrinho de bebê, eram casais miscigenados. Quinze anos atrás, quando eu dava banda no Plaza, não tinha isso, não. Agora, pra essa garotada, é tudo muito normal. E me fez pensar, o jeito como a minha geração é, e sobretudo o jeito como a sua geração é, esse é que é o nosso *grilo emocional*, cara. E é um troço que *nós* vamos ter de superar, porque o mundo está mudando, quer a gente queira, quer não."

"Para o caso de você não ter reparado, as pessoas estão de olho em você, aqui, e elas são de todas as gerações possíveis, acredite-me."

"Eles estão de olho é nela, e não culpo ninguém por olhar pra Juana."

"Você vai ter ao menos de enfrentar o fato, Terry, de que existe um bocado de gente, negros e brancos, que simplesmente não acredita em miscigenação. O que não torna essas pessoas racistas nem nada disso. É apenas uma opinião, mais nada."

"Contanto que não metam o bedelho onde não foram chamadas, podem ter a opinião que quiserem."

O quinto assalto começou. Estourou uma briga ao lado do banheiro masculino, à direita de onde eles estavam; no ato os seguranças se atracaram com os baderneiros e levaram um deles para fora esperneando e berrando obscenidades por cima do ombro. Não era a primeira briga que ocorria aquela noite, e o número de escaramuças estava aumentando sensivelmente à medida que crescia a quantidade de cervejas e destilados sendo servidos.

"Faz tempo que você está saindo com a Juana?"

Quinn girou os olhos nas órbitas. "Pô, você ainda está nessa, Derek?"

"Devo admitir que quando dei com vocês dois esperando a gente, a primeira coisa que me ocorreu foi: o cara arrumou um encontro de última hora com uma mulher negra só pra me agradar. Está tentando causar uma boa impressão no velho Strange. Meio como que querendo dizer: Olha eu aqui, Terry Quinn, amante de todos os seres deste mundo, querendo apenas que haja um convívio pacífico entre *todos* nós."

Quinn deu risada. "Cansei de tentar impressionar você, Derek. Aliás, a essa altura você devia ter percebido isso. Já contei tudo o que eu sabia. Quer dizer, será que dá pra gente ficar junto sem tocar no assunto ao menos por uma noite?"

"Então me diga há quanto tempo está saindo com ela?"

"Não faz muito tempo não. Mas sou louco por ela, se quer saber a verdade."

"Não se preocupe que eu ainda enxergo."

"E você e a Janine, faz quanto tempo?"

"Minha nossa. A gente sai junto, eu sei lá, deve estar fazendo uns dez anos. Mas sem exclusividade, nada disso."

"Ela é apaixonada por você."

"Sem essa, cara."

"Escuta aqui, eu também enxergo."

"Minha mãe vive me contando uma antiga parábola sobre um sujeito que saiu pelo mundo à procura de diamantes e nunca lhe passou pela cabeça procurar no próprio quintal."

"Diamantes no quintal. Já ouvi essa um par de vezes."

"É, não foi ela quem inventou. Mas quando é a mãe da gente que conta, escutamos com mais atenção. Seja como for, acho que eu e a Janine, nós fazemos bem um ao outro de várias maneiras."

Strange sabia que era mais profundo que isso, seu relacionamento com ela. Mas era um homem fechado e não conseguiria pôr para fora mais nada, além do que já tinha dito.

Saiz desfechou um mais que evidente golpe baixo em Mitchell, botando o adversário de joelhos. A multidão cada vez mais ruidosa vaiou quando o árbitro mandou Saiz para o canto e deduziu um ponto dele. A um aceno de cabeça do outro lutador, ele mandou recomeçar a luta. Mitchell partiu com fúria, desfechando uma série de socos numa mistura de velocidade e potência.

"Agora sim, você vai ver com quantos paus se faz uma canoa", disse Quinn.

"É isso aí. O Sharmba vai fazer picadinho do adversário."

Mitchell venceu por pontos. Janine e Juana apareceram na arquibancada, levando duas cervejas cada. Um casal já idoso, sentado na ponta, se levantou para deixá-las passar.

"Cacete, onde é que vocês se meteram?", disse Strange, quando elas sentaram. A voz soou um tanto irritada, mas ficou óbvio pela expressão de alívio em seu rosto que estava preocupado com Janine.

"A Juana queria ver o Sugar Ray", disse Janine. "Ele está lá perto do ringue."

"E você viu?"

"Ahã", Juana respondeu, rindo junto com Janine.

"Também vimos o Don King", Janine acrescentou.

"Você deve ter ficado com vontade de comer algodão-doce", falou Strange.

"Agora entendi por que foi que meu estômago começou a roncar assim que olhei pro cabelo dele", disse Janine.

"Tudo bem com você?", Quinn perguntou, tocando na mão de Juana.

"A Janine é muito simpática", ela cochichou.

"Está se divertindo?"

"Ahã."

Ele beijou-a na boca.

Um sujeito de smoking subiu ao tablado, puxou o microfone para baixo e começou a descrever, com muitos floreados, os adversários da luta principal.

"Quem é esse cara?", Quinn perguntou.

"Jones, o rei do espalhafato." Strange falou isso com afeto. "O melhor locutor do D. C., em se tratando de boxe."

"E lá vamos nós", disse Quinn. "Bernard Hopkins."

"O Hopkins enfrentou Simon Brown", falou Strange. "Você sabia disso?"

O principal evento da noite seria a disputa pelo cinturão dos pesos médios da IBF, a Federação Internacional de Boxe; era um tira-teima entre Hopkins e Robert Allen. A primeira luta, realizada em Las Vegas, fora prejudicada pelos empurrões e agarradas de Allen, e terminara sem decisão depois de Hopkins ter despencado por entre as cordas e torcido o tornozelo.

"Olha lá, olha o Allen aprontando de novo", disse Strange, já quase no final do primeiro assalto. "Ele está catimbando outra vez. O cara não está a fim de lutar."

Allen parecia estar fingindo uma contusão, dizendo-se vítima de um golpe baixo. Os espectadores, irritados, começaram a chamá-lo de safado e catimbeiro. No calor dos protestos, e com a ira aumentando, as pessoas foram se deslocando em massa para perto do ringue. A luta continuou, e os assaltos se sucederam de forma mais ou menos igual. As vaias e provocações da multidão foram ficando mais ruidosas e ainda mais ameaçadoras.

"Esse pessoal quer sangue", Strange comentou.

"Vamos dar o fora daqui", Quinn sugeriu. "Essa luta está uma droga mesmo, e todo mundo já sabe que quem vai ganhar é o Hopkins."

Os quatro tiveram de abrir caminho entre o denso aglomerado. As moças na platéia, pelo menos as mais jovens, eram em sua maioria bonitas; quase todas haviam feito relaxamento no cabelo e usavam-no na altura dos ombros, num corte que Juana chamava de "estilo Brandy". Para os rapazes, a onda era usar tudo com muita sobra de pano. Vários estavam de blusão de beisebol com mangas de couro e dizeres coloridos bordados nas costas. Alguém deu um encontrão em Quinn, mas ele seguiu em frente, sem saber e tentando não se importar se a coisa fora intencional ou não. Mas bem que sentiu o rosto esquentando ao se afastar do local.

Na parte externa do centro de convenções, quando atravessavam o saguão acarpetado, um jovem que se achava num grupo com outros três rapazes fez um comentário diretamente para Juana, dizendo quanto ele "gostaria de mandar ver na belezura". Na mesma hora Quinn sentiu o rosto ferver, mas Juana puxou-o pela manga do blusão. Continuou andando, e o movimento acalmou-o.

Saíram sem maiores contratempos e seguiram a pé pela 10th. Strange e Quinn iam atrás de Janine e Juana, que andavam a passos rápidos, conversando entre si. Havia um rapaz negro parado no canteiro central, gritando a mesma coisa para todos os carros: "Eu odeio tudo quanto é branco filho-da-puta! Juro por Deus que vou matar o próximo branquela que me aparecer pela frente!".

"Está me parecendo que o nosso amigo aí tem algum tipo de *grilo emocional*", disse Strange, com um brilho maroto no olhar. "Será que ele ainda não soube, Terry, que o mundo está *mudando?*"

"Você acha que eu devia ir lá contar pra ele?"

"À vontade." Strange deu um sorrisinho. "Pode deixar que eu providencio pra que a sua namorada chegue bem em casa."

Juana e Quinn seguiram Strange e Janine até o Stan, onde os quatro tomaram um drinque, outro e mais outro até que chegou a hora de fechar, altura em que já se achavam todos um tanto bêbados. Mas Juana e Janine pareciam não querer dar a noite por encerrada, de modo que combinaram de ir para a casa de Strange, tomar a "saideira".

Strange parou numa mercearia para comprar mais cerveja e depois seguiu para casa pela Georgia, com Janine do lado, bem juntinho no banco, coxa com coxa. Ele pôs *War Live* no gravador e mexeu nos botões para avançar a fita até a música que queria ouvir.

"Qual é a que você está procurando?", Janine perguntou.

"'Get Down'. Pronto, achei." Strange ajustou os botões e deu um pouco mais de força aos graves. "O que é que o Ron vai fazer na segunda-feira, você sabe?"

"Vai trabalhar em dois casos de violação de condicional, se não me engano."

"Bem que eu gostaria que ele me ajudasse."

"A gente precisa do dinheiro que está pra entrar com esses dois casos, Derek. E não venha me dizer que essa história do Wilson vai acabar resultando numa bela bolada porque eu sei que no fim você não vai cobrar o suficiente da mãe dele. Deixa o Ron fazer as coisas dele e continue com as suas."

"É, você tem razão." Strange aumentou o volume e cantou: "A po-lícia... Estamos falando da po-lícia".

Janine deu risada. "Você está em grande forma hoje."

"Acho que estou me divertindo."

"Eu também. Gostei da Juana. É uma moça com a cabeça bem no lugar. Vai fazer Direito na George Washington, sabia? Estou até pensando em levá-la pra bater um papo com o Lionel a respeito disso, mostrar pra ele, assim de forma bem indireta, que qualquer um pode fazer o que quiser, desde que tenha vontade suficiente. Sabe que ela não vem de nenhuma família privilegiada nem nada? É só força de vontade, ali."

"E o que você achou do Terry? Será que ele é bom o suficiente pra ela?"

"Se esses dois continuarem juntos, vão ter problemas

que por enquanto eles nem sonham que existem. Isso sem contar, aliás, basta dar uma olhada rápida nos olhos dele pra sacar, que o Terry é esquentado demais. Vai precisar trabalhar muita coisa dentro dele mesmo antes de poder assumir as responsabilidades de um relacionamento de verdade. Mas eu gostei dele."

Strange meneou a cabeça em sinal de assentimento e olhou pelo retrovisor para o Volkswagen preto que seguia seu carro. "Eu também."

No Fusca, Quinn mudava a marcha enquanto Juana pisava na embreagem e guiava com a mão esquerda. Com a direita, procurava alguma coisa numa caixa de fitas que tinha no colo.

"E que tal a Lucinda Williams?", perguntou.

"Aquela guria do *Laverne & Shirley*?"

"Você está confundindo com a *Cindy* Williams."

"Estou tirando um sarro de você, garota."

"Olha aqui, põe essa que você vai gostar."

Quinn enfiou a fita no gravador. "Metal Firecracker" tomou conta do interior do carro.

"Tem seu balanço", disse Quinn.

"A Lucinda é show."

Quinn soltou uma risadinha, olhando pelo vidro do pára-brisa. "O Derek está com o Cadillac dele tinindo. Aposto como adora esse carro."

"E o que tem de errado nisso?"

"Nada. Só estou dizendo que ele se orgulha do carro dele, mais nada. Pra faixa etária dele, o símbolo do sucesso é um Cadillac. Você sabe o que estou querendo dizer."

"Imagino que sim."

Quando Juana era pequena, uma vez escutou um menino branco na classe do primário chamar um Cadillac de "barca de preto". Ela tinha dito a si mesma, desde o princípio, que Terry não era "assim", não importava de que prisma fosse examinado. Mas como saber o que se passa de fato no coração de uma pessoa? Ele já tinha tomado uma quantidade razoável de cerveja e talvez aquele fosse seu verdadeiro eu, à vontade, falando com sinceridade pela primeira vez. Talvez não fosse responsável pelas coisas em que acreditava, talvez todas as suas crenças constituíssem um ensinamento antigo que fora absorvido de forma irreversível havia muito tempo. Ou talvez ela é que estivesse sendo sensível demais. Se você seguisse esse tipo de raciocínio, corria o risco de enlouquecer, de tanto pensar em algo que provavelmente não era nada.

"Algum problema?", Quinn perguntou, olhando para o rosto dela.

"Não, não, Terry", disse Juana, buscando a mão do namorado para lhe dar um aperto delicado. "Estava só pensando em você, mais nada."

21

Strange fazia um passo que chamava de "a coxa da galinha", Janine dançava a seu lado e "Night Train" reboava pela sala. Quinn, ali perto, gritava incentivos entre um gole e outro de cerveja. Juana, sentada no sofá, enrolava um baseado no papel de cigarro que havia encontrado no fundo da bolsa. Greco, deitado no chão, de focinho escondido entre as patas, batia devagar o rabo no tapete.

"Você sabia que o Sonny Liston costumava se exercitar ouvindo isso?", Strange comentou, quando a música terminou.

"Quer dizer que ele botava as luvas de boxe e ficava fazendo isso que você acabou de fazer?", perguntou Quinn.

"Não, que nada, aquilo ali foi uma dança. Olha só esse." Strange lhe estendeu um CD com foto de uma garota branca estilo anos sessenta na capa. "O grande Otis Redding. *Otis Blue.*"

"Você já tocou o Solomon Burke. Qual é, estamos caminhando a passos lentos rumo aos tempos modernos, é isso?"

"Este aqui ninguém supera, este aqui é o máximo." Enquanto Strange dizia isso, vieram os primeiros acordes de 'Ole Man Trouble' com a guitarra bluseira de Steve Cropper, depois os metais, e na seqüência a voz do próprio Otis.

"Você não tem algum disco da Motown, não?"

"Sai dessa, Terry, Motown não passa de música *soul* feita pra branco, mais nada."

"E eu lá sei dessas coisas? Eu não tinha nem nascido quando esses troços tocavam no rádio."

"E eu ainda usava trancinha", Janine acrescentou. "Mal tinha saído dos cueiros."

"Pois eu estava lá", disse Strange. "E foi muito bom."

Juana se aproximou com o baseado na mão. "Alguém quer um tapa?"

"Eu quero", disse Quinn.

"Faz um bom tempo que eu não toco nisso", falou Strange.

"Vai lá, um só", disse Juana.

"Mas depois vocês não vão começar a agir meio estranho, vão?", Janine perguntou.

"Que história é essa de 'vocês'?", Strange reclamou.

De pé, no meio da sala de visita da casa de Strange, os quatro fumaram a maconha. Strange fez uma dobradinha com Quinn e aspirou a fumaça que ele soltou. Juana recusou. Janine se limitou a descartar a possibilidade com um aceno de mão e deu risada. Até o baseado virar ponta, estavam todos alternando risadas com uma discussão sobre o que pôr em seguida para tocar.

Strange optou pelo *Motor Booty-Affair*, colocou o CD e aumentou o volume. "Agora sim vocês vão ver o que é balanço. E o poder do Parliament."

Dançaram meio hesitantes, a princípio, ao som de acordes densos e complexos. A guitarra impunha uma sinuosidade insistente, as melodias borbulhavam na mistura e, à medida que os ritmos foram se insinuando no corpo dos quatro, eles se soltaram e encontraram cada um a sua ginga. Na quinta faixa estavam todos suando a camisa.

Strange reduziu as luzes e pôs o *The Belle Album* de Al Green.

"Isto está me lembrando aquelas festas com luzes azuis que nós dávamos na época", falou.

"Também não é do meu tempo", disse Janine, beijando Strange na boca.

Coladinhos, dançaram a música que dava título ao disco. Janine estava com o rosto apoiado no peito de Strange e deslizava pelo chão só de meia. Quinn e Juana se agarravam mais do que dois colegiais enquanto dançavam. Quando a faixa terminou, Janine espiou o relógio e disse a Strange que estava na hora de ela ir.

"O Lionel deve estar voltando pra casa agora. Quero estar lá quando ele chegar."

"Pois é, precisamos dar o fora daqui", Strange concordou.

"Onde é o banheiro?", Quinn perguntou.

"Lá em cima", disse Strange.

Quinn subiu a escada. Lá estavam o banheiro, uma porta aberta que levava ao aposento onde Strange dormia e mais dois outros quartos, sendo que um deles fazia as vezes de escritório. Espiou por cima do ombro, viu a escada vazia e entrou no escritório.

Ali dentro, tudo dava a impressão de estar em uso constante. A mesa de Strange era um tampo colocado em cima de duas colunas de armário de arquivo. Sobre a escrivaninha havia um monitor, caixas de som, um teclado, um mouse, papéis espalhados e uma desordem generalizada. Quinn deu a volta na escrivaninha.

Ao lado dela, Strange instalara um porta-CD de madeira na parede. Nesse porta-CD estavam inúmeras trilhas sonoras de filmes de faroeste: a trilogia dos *Dólares* de Sergio Leone, *Era uma vez no Oeste*, *Sete homens e um destino*, *A volta dos sete magníficos*, *Meu nome é ninguém*, *Navajo Joe*, *Gigantes em luta*, *Os abutres têm fome*, *Os profissionais*, *Duelo em Diablo Canyon*, *Da terra nascem os homens*, *O dia da desforra* e por aí afora. Não havia o menor vestígio, naquela sala, da música *funk* e *soul* dos anos sessenta e setenta que Strange tanto apreciava. Quinn se perguntou se por acaso seria uma forma de esconder sua coleção, se por acaso Derek Strange se sentiria constrangido de revelar aos amigos seu gosto por trilhas sonoras de bangue-bangue.

Deu também uma espiada nos papéis sobre a mesa. Documentos relacionados com o mercado de ações junto a formulários para a redação de relatórios de investigação com o logotipo da empresa de Strange impresso no topo. Também uma pilha de carteiras de fósforos e uma fotografia desbotada de uma jovem muito bonita. Apanhou a foto e reconheceu a imagem como sendo a da estonteante irmã de Chris Wilson. Quinn lembrava dela por causa dos artigos de jornal e dos noticiários da televisão que saíram no dia do enterro.

"Está vendo algum banheiro por aqui?", perguntou Strange da porta.

Quinn ergueu a vista. "Desculpe, cara. Eu sou naturalmente xereta, não tem jeito."

O olhar de Strange estava lerdo, os olhos, avermelhados. Ele cruzou os braços e se encostou no batente da porta.

"Por que ter uma foto da irmã do Wilson?", Quinn perguntou.

"Simples. Porque estou começando a desconfiar que Sondra Wilson é a chave pra essa história toda."

"Você falou com ela?"

Strange balançou a cabeça, indicando que não. "Primeiro vou ter de encontrar a moça. Nem a mãe sabe onde ela está. Sondra é uma viciada. Viciada em heroína. Já está fora de casa faz um tempo. E o Wilson estava tentando entrar em contato com ela, talvez até levá-la de volta pra casa, pelo menos é isso que eu acho. E uma outra coisa que eu acho é que na noite em que foi morto o Chris recebeu um telefonema que envolvia a irmã."

Quinn largou a foto sobre a escrivaninha. "Você acha que o Ricky Kane tinha alguma coisa a ver com isso tudo?"

"Gosto do seu instinto, Terry."

"Me diga. Você acha que ele estava envolvido na coisa?"

"Passou pela minha cabeça."

"Então precisa ir falar com ele."

"Se o Kane estiver envolvido, não vai adiantar nada ir falar com ele. E se eu for falar com ele, aí sim é que o cara vai se trancar pra valer. Além do mais, não tenho nenhuma base pra poder arrancar alguma coisa desse sujeito. Talvez até comprometa minhas chances de encontrar o paradeiro da Sondra."

"E é isso que está tentando fazer agora?"

"Justamente. Terminar o que o Chris Wilson começou. Levar a moça de volta pra casa."

"Porque você sabe que não tem mais nada pra oferecer a Leona Wilson, não é? Porque você sabe que não houve nada de mais complicado a respeito do meu envolvimento na morte do filho dela do que aquilo que consta do processo, certo?"

"Isso é uma pergunta ou uma afirmação?"

"Uma *pergunta*, Derek."

"Olha só, Terry." Strange coçou a bochecha e soltou o ar bem lentamente. "Pô, que *merda*, cara, eu fiquei chapado! Fazia anos que eu não puxava fumo, pra falar a verdade. Nem sei por que resolvi fumar, hoje. Mas eu tenho que pôr a culpa em alguma coisa, certo?"

"Culpa do quê?"

"Da maluquice que estou me preparando pra pedir que você faça. Sabe o que é, meu associado, o Ron, ele vai estar ocupado a semana que vem. E uma ajudazinha sua viria bem a calhar."

"Vai falando."

"Queria que você campanasse o Ricky Kane, pra começar. Estava pensando na segunda de manhã."

"Me diga a que horas."

"Você não tem nem carro."

"Estou com planos de comprar um este fim de semana."

"Assim, sem mais nem menos?"

"Estou ficando meio cansado de ver a Juana me choferando pra baixo e pra cima."

"Certo. Eu ligo pra você no domingo à noite e lhe digo onde é que a gente pode se encontrar."

"Derek?"

"Que foi?"

"Isso por acaso significa que eu caio fora da mira?"

"Não dá pra acreditar." A risada de Strange saiu lá do fundo da barriga. "Você é uma figura mesmo."

"Eu estou falando sério, Derek."

"Claro que está." Strange descruzou os braços. "Só que foi *você* mesmo que se colocou na mira, Terry. Você tem que admitir pra si mesmo a realidade da situação. E se sair da mira sozinho, cara."

"Mas você acabou de dizer..."

"O que eu disse é que tenho cá minhas desconfianças de que existe alguma ligação com a irmã. De que foi o estilo de vida dela que levou o Chris Wilson até a D Street aquela noite. Mas você mesmo admitiu que o Wilson estava tentando dizer pra você e pro seu parceiro que ele também era policial. Ele estava gritando o número dele pra você, cara, mas você não ouviu."

"Olha..."

"Você não quis *escutar*. Você viu um sujeito preto com uma arma na mão, você viu um criminoso e *tomou uma decisão*. Sim, claro, havia barulho, confusão, luzes, eu sei disso tudo. Mas será que você não teria escutado o camarada se ele fosse branco? Será que teria mesmo puxado o gatilho se o Wilson fosse branco? Eu acho que não, Terry. Se a gente tirar de lado todo o papo-furado e a conversinha mole, você vai ter que enfrentar o fato e reconhecer o seguinte, cara: Você matou um homem porque ele era negro."

Quinn olhou fixo nos olhos de Strange. Ele queria dizer mais alguma coisa para se defender, mas as palavras não saíam. Tinha a certeza de que fossem quais fossem as escolhidas por ele, não seriam suficientes. Como é que um branco pode dizer a um negro que ele não é assim sem parecer que está defendendo interesses próprios ou agindo de má-fé?

Eles escutaram a voz de Janine chamando ao pé da escada. Strange baixou os olhos para o chão.

"Vamos lá, Terry", disse ele, com a voz que era quase um sussurro. "Melhor a gente ir andando."

* * *

Quinn e Juana tomaram o sentido leste para chegar à casa dela, na Tenth. Foram os dois direto para o quarto. Ele tirou a roupa, despiu Juana por trás, depois passou ambas as mãos pelo interior das coxas dela e mergulhou dois dedos lá dentro. Juana arqueou as costas e gemeu enquanto ele beliscava os bicos inchados de seus seios. Aí, muito rapidamente, estavam trepando, Juana na beiradinha da cama, com as canelas em cima dos ombros dele, e Quinn ainda com os pés no chão. Foi uma transa rápida e quase violenta; Juana gozou com um uivo rosnado. Quinn foi logo em seguida, as veias saltadas na testa e no pescoço. A cama havia escorregado pelo chão até bater na parede e parar.

Quinn saiu de dentro de Juana, empurrou-a delicadamente para o meio da cama e pôs um travesseiro debaixo de sua cabeça. Entraram ambos debaixo dos cobertores, abraçados bem juntinho, e o que sobrou deles dois molhou um ao outro e os lençóis. Ela o fitou sem dizer nada, o olhar dizia tudo. Em pouco tempo, respirava de maneira uniforme. Os olhos piscaram um pouco, depois se fecharam por completo e ela adormeceu.

Lionel Baker entrou em casa à uma e quarenta e cinco da manhã, quase duas horas depois do horário em que deveria ter chegado. Janine estivera à espera na sala de estar, espiando por entre as cortinas a cada poucos minutos para ver se o filho estava chegando, enquanto Strange, com toda a paciência, lhe fazia companhia. Por fim parou um Lexus na Quintana, na frente da casa dela, Janine viu o filho saltar do carro e disse: "Louvado seja Nosso Senhor".

Assim que Lionel cruzou a soleira da porta de entrada, Strange viu que o garoto tinha fumado maconha ou feito alguma outra coisa além de apenas beber. Ele não olhou a mãe direto no olho, quando cumprimentou ambos com um "Oi" e tentou chegar à escada sem dizer mais nada.

"Espera só um instantinho, Lionel", falou Janine.

"O que foi?", ele respondeu, olhando diretamente para a mãe pela primeira vez. Deu uma espiada em Strange e depois voltou a se concentrar na mãe, com um sorriso impudente ameaçando despontar no rosto.

"Por onde você andou, filho?"

"Eu saí com o Ricky, a gente só ficou dando um giro de carro, ouvindo música... Será que não dá pra me deixar ir pro quarto, não? É sempre essa mesma merda de ficar pegando no meu pé."

Janine se levantou do sofá. "Não tente erguer a voz pra mim, não, mocinho. Eu e o Derek estamos há horas sentados aqui na sala, preocupados com você, com medo de que tivesse se metido em alguma encrenca, ou coisa pior ainda. E você me chega em casa muito mais tarde do que devia, com esse olho todo avermelhado..."

"E vocês, então?"

"*O quê?*"

"Deixa pra lá, mãe", disse Lionel, com um aceno de mão, antes de se virar e subir a escada.

Janine ficou paralisada uns instantes, depois ameaçou ir atrás do filho. Strange segurou-a pelo braço.

"Agüenta as pontas um pouco que eu vou lá falar com ele, certo?"

No andar de cima, Strange bateu na porta fechada do quarto de Lionel. Ele não respondeu. Strange girou a maçaneta e entrou. Lionel estava parado em frente à janela que dava para a rua, olhando para fora. Strange foi até onde ele estava. Lionel virou para olhá-lo.

"Lionel?"

"Que foi?"

"Você sabe que a sua mãe ama você, não sabe?"

"Claro."

"Quando ela pergunta onde você esteve a noite toda, é apenas a maneira que ela tem de desabafar um pouco.

Ela passou duas horas lá sentada naquela sala, morrendo de preocupação, e claro que quando você põe os pés em casa ela vai descarregar pelo menos uma parte do que você a fez passar a noite toda."

"É, eu sei. É só que... eu já sou quase um homem. Não preciso ficar ouvindo essas perguntas todas o tempo inteiro, o senhor me entende?"

"Enquanto estiver morando sob o mesmo teto que ela, e ela estiver pagando por esse teto, vai ter de aprender a conviver com isso."

"E ela ainda vem dizer pra *mim* que meus olhos estão vermelhos quando vocês dois é que estão com pinta de quem andou puxando fumo por aí."

"Nós tomamos algumas cervejas, mais nada", mentiu Strange. "Sei lá, pode ser que a gente tenha tomado uma além da conta, mas a verdade é que nos divertimos. E eu não vou me desculpar por isso porque a sua mãe merece se divertir um pouco, depois de trabalhar a semana toda como ela trabalha. Além do mais, eu nunca disse que era perfeito, mesmo quando estava tentando alertar você sobre todas as maneiras que existem pra se ferrar com uma vida antes mesmo de transpor o portão de casa. Eu já lhe disse o que acho de você sair por aí, andando num carrão todo chique, bebendo e essa coisa toda. Continuo achando que você está entrando numa história que pode vir a afetar o resto da sua vida. E a sua vida mal começou, filho."

"O senhor não é meu pai", falou Lionel, baixinho, e no mesmo instante seus olhos se encheram de lágrimas. "Não me chame de filho."

Strange pôs a mão no ombro de Lionel. "Você tem razão. Nunca tive o tipo de coragem que é preciso ter para ser pai de verdade de um garoto. Mas tem horas, quando eu olho pra você, quando você está soltando uma daquelas suas piadinhas na mesa do jantar, ou quando eu te vejo todo arrumado, todo bonitão, pronto pra sair com alguma garota, em que eu sinto uma sensação de orgulho... Tem horas, Lionel, em que eu *olho* pra você e sinto aque-

227

la sensação que eu sei que um pai deve sentir pelos próprios filhos."

Ao puxá-lo para si, Strange sentiu o coração de Lionel bater forte junto do próprio peito. Abraçou-o por um tempinho e depois deixou que se afastasse.

"Seu Derek?"

"Sim?"

"Do jeito como as coisas vão entre o senhor e a minha mãe... Bom, o que eu estou tentando dizer é que, bom, eu sei que horas são, percebe? Eu sei que o senhor está tentando não desrespeitá-la ficando no quarto dela enquanto eu estou em casa, mas andei pensando... Andei pensando, sabe, que talvez seja mais desrespeito ainda, não sei direito por que, não acordar no quarto dela de manhã."

"Como é que é?"

"O que eu estou querendo dizer é que eu gostaria que o senhor ficasse a noite toda com ela."

"Eu, humm, eu vou falar com a sua mãe", gaguejou Strange. "Ver se ela concorda."

Ao sair, foi direto para o quarto de Janine. Encontrou-a sentada na beira da cama, os pés no chão, ainda com as meias calçadas. Ronald Isley cantava "Voyage to Atlantis" no rádio-relógio na mesinha-de-cabeceira, e ela tinha diminuído as luzes.

"Está tudo em ordem?"

"Tudo ótimo. Ele quer que eu passe a noite aqui."

"E você? Quer?"

"Quero."

"Deu comida pro Greco?"

"Abri uma lata de Alpo pra ele antes de sairmos de lá."

"Então vem cá." Janine sorriu e deu um tapinha no espaço vazio a seu lado na cama.

Quinn saiu da cama e cobriu Juana até o pescoço com as cobertas. Tinha passado as últimas duas horas assistindo à mudança dos números no mostrador do relógio que havia sobre a mesinha-de-cabeceira e sabia que não iria conseguir pegar no sono.

Já estava sóbrio de novo. Espreguiçou-se, foi até a janela como estava, nu mesmo, e girou a vareta da minipersiana para ter uma visão da rua. Pela calçada da Tenth, iluminada por postes públicos, vinha descendo um negro ainda bem jovem, dentro de uma jaqueta enorme, a cabeça coberta por um capuz. O rapaz caminhava espiando os vidros de todos os carros parados.

Quinn tirou conclusões imediatas sobre ele, todas negativas. Depois tentou pensar em outros motivos que explicassem o fato de o garoto ainda estar na rua, àquela hora da madrugada. E se por acaso, vendo que não conseguiria dormir, como acontecia a ele, Quinn, o garoto tivesse resolvido dar uma volta? E se por acaso, tendo acabado de sair da casa da namorada todo cheio de ousadia e orgulho, estivesse apenas conferindo sua imagem no vidro das janelas dos carros estacionados? Eram hipóteses perfeitamente lógicas, mas não foram as *primeiras* hipóteses que lhe passaram pela cabeça ao ver o jovem negro.

Quinn se lembrou da primeira vez em que tinha visto Juana, no dia em que ela entrara na loja de livros usados da Bonifant.

Strange acertara ao menos sobre uma coisa, mesmo que Quinn não tivesse se dado conta disso, pelo menos não de início e não plenamente: ele havia se aproximado de Juana, a princípio, para deixar algo bem claro para si mesmo e para o mundo em volta.

"Que puta sacanagem, Terry", cochichou bem baixinho. Depois fechou os olhos e beliscou a ponta do nariz.

22

No domingo de manhã, Strange tomou o desjejum com Janine e Lionel no Three Star, um *diner* na Kennedy Street, na zona noroeste. O Three Star era administrado por Billy Georgelakos, filho do primeiro dono, Mike Georgelakos. O pai de Strange, Darius Strange, havia trabalhado como chapeiro na lanchonete de Mike durante vinte e cinco anos.

Billy Georgelakos e Derek Strange eram mais ou menos da mesma idade. Aos sábados, quando ficavam sob os cuidados dos pais, saíam para brincar nas ruas da vizinhança enquanto Mike e Darius trabalhavam. Strange tinha ensinado Billy a lutar boxe e Billy o iniciara nos segredos dos gibis e pistolas de espoleta. Billy era o amiguinho de fim de semana de Strange e foi seu primeiro amigo branco.

Quando Mike Georgelakos morreu de um ataque cardíaco, no final dos anos sessenta, Billy largou o curso colegial e foi substituir o pai nos negócios, uma vez que não havia nenhuma apólice de seguro, aposentadoria ou coisa parecida para a família. A intenção de Billy não era ficar, mas acabou ficando. O bairro sofrera algumas mudanças, e o cardápio havia se aproximado mais da culinária negra do Sul do país, mas ele continuava administrando o *diner* da mesma forma que fizera seu pai, servindo só café-da-manhã e almoço, sete dias por semana.

Strange sabia que Mike Georgelakos adquirira o imóvel havia muito tempo — quase todos os gregos da geração dele tiveram essa sabedoria —, de modo que as despesas fixas do Three Star eram muito baixas. O *diner* conseguira pagar a faculdade dos dois filhos de Billy e sustentar também sua mãe. Outra coisa que Billy fazia exatamente como seu velho era encerrar o movimento da caixa registradora duas horas antes do fechamento. Com transações feitas quase todas em dinheiro vivo, como era o caso da lanchonete, dava para ocultar um bom dinheiro do fisco.

"Me passa esse molho apimentado, Lionel", disse Strange.

Lionel empurrou o frasco de Texas Pete pelo tampo do balcão. Strange sacudiu e pôs um pouco sobre a omelete de queijo *feta* com cebola e outro pouco nas lingüiças que estavam no prato ao lado.

"Isto é que é um café-da-manhã decente, certo?"

"Humm, ahã", fez Janine.

"A comida até que é legal", disse Lionel, "mas eles podiam tocar uma coisa melhorzinha."

"A música está ótima, Lionel." Billy tocava *gospel* aos domingos pela manhã, já que muitos dos clientes iam direto da igreja para lá. O pai dele já fazia isso.

"Por que é que você deu o nome de Greco pro seu cachorro?", Lionel perguntou. "Por causa desta lanchonete grega aqui?"

"Não. É que eu conhecia um outro grego quando eu era menino, um garoto chamado Logan Deoudes. O pai dele tinha um estabelecimento bem parecido com este, chamava John' Lunch, lá na Georgia, perto do Fort Stevens. Bom, mas como eu ia dizendo, o Logan tinha esse cachorro, um boxer, chamado Greco. Um cachorro muito filho-da-puta, por sinal, com o perdão da palavra, Janine, mas eu sempre gostei do nome dele. E decidi, já naquela época, que quando eu tivesse um cachorro meu, ele iria se chamar Greco."

Billy Georgelakos se aproximou de mansinho pela esteira de borracha que havia atrás do balcão, empunhando um bule de café recém-tirado da máquina. Usava camisa branca com as mangas arregaçadas até a altura dos cotovelos e uma caneta Bic enfiada atrás da orelha direita.

Billy tinha ossos grandes e um rosto de traços fortes, sobretudo o enorme nariz adunco. À exceção de dois tufos grisalhos, um de cada lado, tinha perdido todo o cabelo.

"Quer que eu complete pra você, Janine?", perguntou ele, indicando com um gesto do queixo a xícara de café dela.

"Só mais um pouquinho, obrigada." Billy lhe serviu mais um pouco de café e encheu a xícara de Derek até a borda, sem perguntar nada.

"E a sua mãe como vai, Derek?"

Strange fez um movimento de mais ou menos com a mão, agitando-a de um lado e de outro. "*Etsi-ke-etsi*", falou.

"É", falou Billy, "a minha também. Mas que velhinhas mais resistentes, as duas, não?"

Depois foi até a área da chapa, falar com sua antiga funcionária, Ella Lockheart, que também tinha crescido na região.

"O senhor fala grego, seu Derek?"

"Um pouquinho", Strange respondeu em tom misterioso. Billy lhe ensinara uma ou duas expressões úteis e um bocado de palavrões.

"Pô, que legal", disse Lionel.

"Você tem alguma coisa planejada pra hoje?", Strange perguntou a Janine.

"Por quê? O que é que você está pensando em fazer?"

"Eu queria dar uma esticada nas pernas. Vou estar superocupado amanhã e talvez fique assim por uns tempos. Está meio frio, mas com todo esse sol estou pensando em levar o Greco prum passeio lá pros lados de Rock Creek. Depois, quem sabe, dar uma passada na casa de repouso e fazer uma visita pra minha mãe."

"Eu topo", disse Janine.

"Lionel?"

"Eu tenho meus planos. Essa excursão da Família Silvestre até que parece boa, coisa e tal. Mas, se vocês não se incomodam, eu prefiro passar meu domingo olhando as gatinhas no shopping."

Billy registrou a conta dos três no caixa. Na saída, Strange parou, como fazia sempre, em frente à parede junto à porta da lanchonete, onde estavam penduradas diversas fotografias emolduradas e desbotadas. Uma delas mostrava o pai dele, com o chapéu de mestre-cuca equilibrado num ângulo matreiro na cabeça, uma espátula na mão e um sorriso no rosto bonito, de traços bem marcados. Mike Georgelakos, baixinho e rotundo, posava ao lado de Darius.

"Olha ele bem ali", disse Strange, e nem Lionel nem Janine fizeram nenhum comentário, porque sabiam que Strange estava apenas falando consigo mesmo.

"*Yasou*, Derek", falou Billy Georgelakos de trás do balcão.

"*Yasou, Vasili*", disse Strange, virando para acenar ao amigo. Depois, a caminho da porta, piscou para Lionel, que estava obviamente impressionado.

Quinn seguiu a pé pela Georgia, no sentido sul, até sair de Silver Spring e entrar na divisa do D. C. em algum momento após o meio-dia do domingo. Passou por salões de tatuagem, por lava-carros e autopeças, por barbeiros e lojinhas de roupa de propriedade de afro-americanos, por quiosques vendendo cerveja, barracas de frango frito e por lojas de celulares e bipes. Caminhou durante uma hora sem parar. Estava um dia frio, mas o sol e o movimento o mantinham aquecido.

Parou no pequeno pátio de uma loja de carros usados, do lado oeste da Georgia. Hélices multicoloridas de plástico haviam sido penduradas em volta do perímetro do estabelecimento e giravam ao vento. Havia um *trailer* numa das extremidades do terreno, onde os vendedores fechavam negócio e, acima da porta do *trailer*, uma enorme placa rodeada por lâmpadas ao estilo dos antigos cinemas. A placa dizia "Eddie Andis, Onde Todo Mundo Anda!". Quinn resolveu entrar.

Ele não era nenhum tarado por carro, mas sua passagem pela polícia lhe rendera o hábito de manter um arquivo mental dos modelos produzidos pela indústria automobilística e os anos respectivos. Seu grande problema durante a carreira policial, e o grande problema que estava tendo naquele momento, era distinguir um fabricante do outro. A maioria dos carros, dos anos noventa em diante, parecia mais ou menos igual. Os japoneses haviam construído o protótipo arredondado, e na mesma hora americanos, coreanos e até alguns alemães copiaram. De tal sorte que a traseira de um dos modelos mais recentes da Hyundai era, à primeira vista, idêntica à de um Lexus ou de um Mercedes. Um Ford de quinze mil dólares parecia igualzinho a um Infiniti de quarenta mil. E todos os Toyotas — sobretudo os super carne de vaca Camry, o equivalente dos anos noventa do Honda Accord dos anos oitenta — traziam tanta ou mais emoção que uma casa nos arrabaldes da cidade e uma morte prematura. Quinn tinha ficado tanto tempo sem carro que nada do que via o animava.

"Como é que estamos passando hoje, cavalheiro?", disse uma voz surpreendentemente nasal atrás de Quinn.

Ele se virou e deu de cara com um negro baixinho, magrinho, de meia-idade. O sujeito usava óculos de lentes grossas, de armação preta, um paletó esporte imitando alguma grife famosa, camisa branca e gravata de bolinhas. E lhe lançou um sorriso cheio de dentes recapeados.

"Muito bem, obrigado."

"Pode me chamar de Tony Tibbs. Eles me chamam de *senhor* Tibbs. Há-há! Brincadeira, cara. Na verdade eles me chamam de Tony, o Pônei, por aqui, *porque eu ando bem*, está me entendendo? E a sua graça, qual é?"

"Terry Quinn."

"Irlandês, certo?"

"Ahã."

"Eu acerto sempre. E me orgulho muito, também. Ei, já ouviu a dos dois gays irlandeses?" Tibbs franziu o cenho, numa preocupação teatral. "Você não é gay, é?"

"Escute..."

234

"Brincadeira; já deu pra ver que você é homem de cabo a rabo. Portanto, deixe-me perguntar de novo: Já ouviu a dos dois gays irlandeses?"

"Não."

"Patrick Fitzgerald e Gerald Fitzpatrick. Há-há!" Tibbs empinou o quadril. "Está procurando alguma coisa especial, Terry?"

"Estou precisando comprar um carro."

"Acho que não vou poder ajudar, não, rapaz. Brincadeira, claro! Há-há!"

Quinn deu uma olhada melhor para Tony Tibbs: um sujeito patético e ao mesmo tempo heróico. Os privilegiados, aqueles que nunca tiveram que trabalhar, mas trabalhar para valer, trabalhar para pagar as contas, podiam ridicularizá-lo quanto quisessem. Quinn gostou dele, gostou até mesmo das piadinhas infames do camarada. Mas em nome da economia de tempo, achou melhor ir direto ao ponto.

"Olha só, Tony. O plano é o seguinte. Se por acaso eu vir alguma coisa que me agrade, aqui, e se o preço for justo, eu não vou pechinchar nem nada. Vou apenas tirar meu talão do bolso e fazer um cheque pra você pelo total pedido. Não quero financiar nada, está me entendendo, tudo que eu quero é pagar à vista e sair daqui com um carro."

Tibbs pareceu ter ficado meio magoado e um tanto confuso. Lugares como aquele vendiam financiamento, não carros, e vendiam-no a uma taxa de vinte por cento. E aquilo de não pechinchar nada também esmorecera um pouco o ânimo do pobre coitado.

"Entendo."

"E antes que eu me esqueça, na hora em que a gente entrar naquele *trailer* ali, pra fechar negócio, não me venha oferecer serviço de manutenção. Se você tocar no assunto, eu me mando e não compro nada, certo?"

"Certo."

"Ótimo. Agora me venda um carro."

Nada conseguiu atrair a atenção de Quinn na volta que deram pelo pátio. Mas aí chegaram a uma pequena fileira de automóveis parados bem ao lado do *trailer*, onde havia três Chevrolets reluzentes rebrilhando ao sol.

"Esses aí são o quê?", Quinn perguntou.

"Os xodós do Eddie Andis. Ele adora um Chevelle."

"E estão à venda?"

"Claro. Ele negocia esses carros o tempo todo." Foi então que Tibbs viu algo no olhar de Quinn. Sentiu o cheiro da caça e endireitou a postura. "Esse aí é um sessenta e sete de alta performance. Com capô aerodinâmico e turbinas Hooker."

"E aquele ali?", perguntou Quinn, apontando com o queixo para o último carro da fileira, um *fastback* azul lindo, de bancos pretos e com rodas Cregar de magnésio.

"Aquele ali é um ss muito bacana mesmo. É um três-nove-seis, trezentos e cinqüenta cavalos. Câmbio manual de quatro marchas da Hurst, e ainda vem com um silencioso Flowmaster também."

"Que ano é?"

"Sessenta e nove."

"O ano em que eu nasci."

"Então você ainda é uma criança."

"Será que dá pra abrir o capô pra mim, por favor?"

Quinn enfiou o nariz no motor. As mangueiras eram novas e as correias estavam em ordem. Querendo, dava para esparramar um coldre de batatas fritas em cima daquele bloco e comer direto do motor, de tão limpo que estava. Ele puxou o medidor de óleo e cheirou a ponta.

"Limpinho, certo?", Tibbs perguntou. "Não sentiu o menor cheiro de queimado, aí, sentiu?"

"É, está limpo. Posso dar uma volta com ele?"

"As chaves estão lá dentro."

"Por quanto está, falando nisso?"

"Eu vou fazer um precinho supercamarada pra você", disse Tibbs, "visto que a sua não é *pechinchar*."

"Quanto?"

"Seis e quinhentos. É queima total. Se o patrão descobre que eu vendi por um preço desses, já posso até ir limpando minha mesa."

"E o carro vale os seis e quinhentos?"

"Opa se vale!" Tibbs franziu a boca e arregalou os olhos. "Cem por cento."

Quinn deu risada.

"Qual é a graça?"

"Nada, não. Se este carro for tão bom de andar quanto de olhar, é negócio fechado."

23

Na segunda-feira de manhã, Quinn foi se encontrar com Strange para fazer o desjejum na cantina Sweet Daddy, que pertencia à Igreja de Todas as Almas do Paraíso; o complexo ocupava boa parte da M Street, entre a 6th e a 7th, na zona noroeste. A igreja era uma construção moderna, dotada de verbas abundantes, que, através de programas religiosos e de integração, servia a comunidade com a ajuda de uma equipe de funcionários motivados que mantinham sob cuidados constantes uma área na melhor das hipóteses complicada. Quinn parou seu Chevelle no estacionamento da igreja, todo murado, e foi até a cantina que ficava no térreo do complexo.

Policiais fardados e à paisana, colaboradores, negociantes, párocos e moradores locais comiam ali todas as manhãs. As porções eram generosas, e os preços, baixíssimos. O comportamento agradável e alegre dos funcionários era alimentado pela religiosidade.

Depois de montar sua bandeja com ovos mexidos, bacon, torradas e polenta, Quinn foi se sentar em frente a Strange numa mesa comprida onde várias outras cadeiras já estavam tomadas por pessoas de cores e situações econômicas variadas. Strange estava dando cabo de um prato de polenta com carne de porco e ovos fritos.

Um camarada branco com um sorriso simpático, chamado Chris O'Shea, veio até a mesa e conversou rapidamente com Strange.

"E você se cuide, Derek", falou O'Shea.

"Pode deixar, Chris. E você também, se cuide."

Quinn reparou que para onde quer que eles fossem sempre havia alguém em Washington que conhecia Strange.

"Pronto pra pegar no batente?", Strange perguntou, empurrando a bandeja vazia para o lado.

"O que é que você planejou pra hoje?"

"Vamos dar um tempo lá pros lados da casa de Ricky Kane, agora pela manhã. Ele mora em Wheaton com a mãe. Se por acaso sair de casa, a gente vai atrás e vê o que o rapaz faz com o dia. Toma." Strange tirou um celular do bolso do blusão, junto com uma folha de papel. "Usa isto aqui, é do Ron. O número do meu está aí no papel, e o do seu também."

"Quer dizer que rádio não entra mais na brincadeira, é?"

"O celular é mais fácil. E ninguém nem pisca, ao contrário do que acontecia com aqueles rádios antigos, se te vê andando na rua e falando num destes."

"Porque a gente fica igualzinho a todos os outros panacas por aí, certo?"

"Justamente. Você veio de carro, não veio?"

Quinn meneou a cabeça, confirmando. "E acho que você vai gostar do carango."

No estacionamento, Strange caiu na risada ao ver o Chevelle Super Sport com rodas de corrida.

"Algo errado?", Quinn perguntou.

"É bacana."

"Então o que foi?"

"Vocês de sangue novo sempre têm que sair ao volante de algo que diga 'Olhe pra Mim'. O Ron Lattimer é a mesma coisa."

"Esse seu Caprice é idêntico a uma viatura de polícia. Corremos menos risco de sermos descobertos no meu carro do que no seu."

"Talvez você esteja com a razão. Mas de uma forma ou de outra nós vamos com os dois carros, e daí a gente vê qual é o andar da carruagem."

* * *

A casa da mãe de Ricky Kane, um imóvel pequeno de tijolos e madeira, ficava numa travessa da Viers Mill Road, numa rua repleta de casas idênticas. A construtora responsável por erguer aquela comunidade, nos anos sessenta, não nutrira grandes ambições arquitetônicas e demonstrara ainda menos imaginação na hora de levantar as casas. Pela atividade observada nos sessenta minutos anteriores, Strange deduziu que a área era habitada por um resquício da classe média branca original e por uma nova classe operária composta de hispânicos, etíopes, paquistaneses e coreanos.

Ligando para Quinn, que estava estacionado na outra esquina, Strange perguntou se ele continuava acordado.

"Eu trouxe uma garrafa térmica com café."

"E aposto como já deve estar precisando urinar."

"Agora que você tocou no assunto..."

"Viu o nosso rapaz quando ele saiu?"

"Vi."

"Mais um bandidinho com um cachorrão."

Kane tinha saído para dar uma volta com um pit bull castanho, uma hora antes. Fora só até o meio do quarteirão, mas isso bastou para que Strange pudesse tirar algumas fotos com a sua teleobjetiva AE-1. Kane, de altura mediana, loiro e magrinho, usava uma camiseta térmica debaixo de um anoraque, um gorro de tricô e jeans três vezes o seu tamanho, bem abaixo da cintura. Havia a sugestão de um cavanhaque invocado no rosto ossudo.

"O carinha anda tentando ser um preto honorário", disse Strange.

"Pois pra mim ele se parece com todos os outros garotos brancos que eu vejo por aí, hoje em dia."

"É, claro, até o dia em que eles descobrem o que significa de fato ser negro na América."

"Mas esse cara deve ter quase a minha idade."

"Ahã. Mas que ele não se parece nem um pouco com o cara que deu entrevistas na televisão, não parece, certo?"

"E olha só o carro dele, agora. O cara se livrou daquele Toyota feio pra caramba." Havia um Prelude vermelho novo parado na frente da casa de Kane, de rodas cromadas e *spoiler.*

"Estou vendo. Mas ele recebeu uma indenização."

"É. Pode ser que tenha saído daí."

Quinn tomou um gole do café que estava na garrafa térmica. "Sabe que nós achamos a Janine um barato?"

"É, ela é legal. E uma tremenda de uma gerente, ainda por cima. E você também arranjou uma moça excelente, Terry."

"Eu sei."

"Certo, aí vem nosso garotão."

Kane estava saindo de casa com uma sacola na mão, como se estivesse indo para a academia de ginástica. Ele abriu o porta-malas do Prelude, pôs a sacola dentro e trancou.

"Será que ele está indo malhar?", Quinn perguntou. "O que é que você acha?"

"Pode ser."

"Eu vou na frente."

"Certo. Vai que ele me flagre ou coisa parecida."

Strange e Quinn deram a volta no quarteirão enquanto Kane comprava café e cigarros numa loja 7-Eleven, depois colaram nele de novo e seguiram na direção sul, rumo ao centro de Washington. Mantiveram uns três ou quatro carros de distância porque era fácil localizar o carro vermelho de Kane. Ele desceu pela 13th o tempo todo, até o centro, ali pegou a 14th e parou num estacionamento da rede Carr Park um pouco depois da F.

"O que eu faço agora, entro com ele no estacionamento?", Quinn perguntou.

"Pare na rua", Strange respondeu pelo celular. "Mesmo que seja proibido, estacione. Eu pago a multa."

Quinn manobrou o Chevelle. Strange fez o mesmo com o Caprice, meio quarteirão adiante.

"E agora?"

"Os elevadores desse estacionamento dão no prédio à esquerda. A menos que nosso amigo tenha negócios a tratar aí, coisa que eu duvido, ele vai sair por aquelas portas de vidro em três ou quatro minutos."

"E por que é que você acha que ele não vai subir até algum escritório do prédio?"

"Porque ele está indo pro Purple Cactus, aquele restaurante do outro lado da rua."

"Quer que eu vá atrás?"

"Bom, ele te conhece, mas não com essa juba de leão que você arrumou. Vá atrás, sim. Tem óculos escuros?"

"Claro."

"Então use. É o único tipo de disfarce que uma pessoa precisa, sem exagerar as coisas. E atenção: sempre que estiver seguindo alguém, use a cidade, Terry."

"Explique."

"Fique o tempo todo de olho na pessoa que estiver seguindo, mas de forma indireta. Observe pra onde ela está indo pelos reflexos nas vitrinas, nas janelas e até na própria carroceria dos carros. Se perca na multidão."

"Lá vem ele."

"Vá."

Quinn saltou e esperou diante do prédio. Kane saiu por entre as portas de vidro do edifício. Quinn seguiu-o a certa distância, conservando-se misturado ao aglomerado de proporções moderadas que transitava pela calçada àquela hora, com a manhã já alta. Strange observava tudo. Com os óculos escuros e aquele cabelo comprido, Quinn mais parecia um roqueiro de ombros largos do que um policial. Kane atravessou a rua e entrou no Purple Cactus.

Strange ligou para Quinn. "Entre também. O pessoal

deve estar preparando o salão para o almoço; diga apenas que está pensando em levar a namorada pra jantar, mas antes queria dar uma espiada no local. Tente ver o que ele foi fazer lá."

"Mas não é pra deixar ele me reconhecer, certo?"

"Engraçadinho."

Quinn saiu do Purple Cactus cinco minutos depois e atravessou a rua. Entrou no Chevelle e ligou para Strange.

"Ele foi conversar com dois garçons e com o barman lá embaixo. Em nome dos velhos tempos, imagino. Lá vem ele saindo."

Quando Kane apontou com o Prelude na 14th de novo, Strange disse: "Vambora".

Kane parou quatro quarteirões à frente, numa outra garagem. Dessa vez quem o seguiu foi Strange, apostando consigo mesmo que sabia para onde o rapaz ia.

Kane entrou no Sea D. C., o restaurante de frutos do mar metido a besta, na esquina da 14th com a K. A frente toda era de vidro, de modo que Strange não precisou se arriscar a ir além. Ele estava conversando com um sujeito no bar, que ficava numa espécie de plataforma elevada, acima do nível do restaurante.

De volta ao carro, Strange falou no celular: "Ele está fazendo a ronda".

"E o que esse cara é, fornecedor de alimentos?"

"*Alguma coisa* ele está vendendo; isso eu aposto. Em geral, quando um cara fica rondando funcionários de restaurante desse jeito, é pra pegar as apostas."

"Ou os pedidos."

"Não tenha dúvida *disso*. Lá vem ele, cara. Atenção, agora." Strange desligou. Não disse a Quinn que o Sea D. C. tinha sido o último lugar em que Sondra Wilson havia trabalhado antes de desaparecer.

Kane foi até um clube exclusivíssimo na 18th com a Jefferson, daqueles de cordão de veludo na porta, onde o sujeito podia ser barrado por estar com o corte de cabelo errado ou a etiqueta equivocada de calça. Depois passou por uma Eurodisco na 9th, bem na frente do antigo 9:30, conhecido ponto de encontro da turma da boina e de jovens administradores de fundos de investimento do Oriente Médio chegados numa cocaína. Foi até a U Street e estacionou em frente a uma boate de pretos bem de vida. O padrão foi idêntico: cinco minutos para entrar e sair.

Kane seguiu para leste pela Florida Avenue. Quinn e Strange foram atrás.

Cherokee Coleman pegou a caneta de ouro de cima da mesa e batucou-a no mata-borrão. "Você tá fortão, Adonis."

Adonis Delgado, sentado do outro lado da mesa, deu uma olhada para os músculos que apareciam definidos debaixo do azul da farda. Flexionou os braços cruzados muito de leve, e as dobras e rugas das mangas sumiram. "Tô dando uma malhada."

"É o que parece. Não tá achando ele maior, Angie?"

Angelo Fodão estava atrás de Coleman, que por sua vez estava em sua poltrona de couro. Ele deu de ombros, com o rosto impassível por trás dos óculos escuros de grife.

"Não vai me dizer que resolveu usar esteróide", Coleman comentou, com falsa preocupação na voz.

"Você sabe que eu não uso essas merdas", disse Adonis. Ele tinha injetado uma dose naquela manhã mesmo, depois de uma sessão de duas horas na academia.

"É, porque essa porra fode com as tuas ferramentas, cara. Deixa menor que as dum china, cara."

"Minhas coisas estão todas ótimas", disse Adonis, com um sorriso amedrontador e uma boca cheia de dentes tortos bem longe uns dos outros.

Adonis Delgado era um mulato claro e feio. Tinha uma testa alta, muito larga, e um nariz achatado, com narinas voltadas para cima, como as de um porco. Seus olhos eram pretos, pretos, e asiáticos no formato. Angelo Fodão dizia que Delgado lembrava aqueles mongolóides retardados, feito um que aparecia num programa de televisão que costumava ver no domingo à noite, quando era pequeno. Angelo chamava Delgado de "Baratinado", mas nunca na presença dele.

"E a que devemos a honra dessa sua visita, Adonis?", Coleman perguntou. "Não é sempre que você topa um cara-a-cara com a gente. Você prefere mais ficar na ronda, garantindo a segurança dos nossos cidadãos. Eu e o Angie aqui, a gente já tava até começando a achar que você não queria mais nada com a nossa galera."

"Eu vim só pra esclarecer aquele troço dos dois Boone. Quando chegar a hora, quero fazer a última viagem até lá eu mesmo."

"Você e o Dentuço, correto?"

"Claro."

"E ele vai topar?"

"Ele faz o que eu mando ele fazer."

"Certo." Coleman arqueou uma sobrancelha. "Você tá me parecendo meio tenso. Será que ficou puto comigo, é, Adonis? Será que foi porque eu deixei o Earl Boone levar tua namoradinha embora, é?"

"Porra. Tá falando daquela vendida lá do Lixão?"

"Quer dizer então que você não tá puto?"

Coleman e Delgado se encararam durante certo tempo.

Delgado fungou e esfregou o nariz. "Como eu já disse, ela não passa de um demônio com uma bela duma boca. Eu deixei ela chupar meu pau uma ou duas vezes, mais nada. Depois que eu terminar de resolver a coisa com o Ray e o Earl, dou uma faturada antes de dispensar a guria."

"Escuta só meu conselho de amigo, se você tá pretendendo se divertir com a mina uma última vez, acho melhor usar proteção dupla ou tripla, cara."

"Eu sempre uso duas", Delgado disse. "Tamanho XG."

"Não duvido", disse Coleman.

O celular tocou sobre a mesa de Coleman. Ele atendeu, disse "Tá bom" e desligou.

"O que foi, Cherokee?", Angelo perguntou.

"Nosso irmãozinho cara-pálida está vindo pra cá."

"Vou esperar aqui mesmo", disse Adonis, "se vocês não se importam."

"Tem algum negócio particular com o garoto?"

"Ele me deve uma grana."

"Tá mordendo ele também, é? Legal, saber que você tá aumentando a clientela, *seu guarda*."

"Eu fiz um favorzão pra esse garoto. E eu não sou de fazer porra nenhuma de graça." Delgado tirou um charuto do bolso da jaqueta pendurada no dorso da cadeira.

"Eu preferia que você não fumasse isso daí aqui dentro", Coleman falou. "Eu e o Angie, a gente não vai com esse cheiro, cara."

Quinn e Strange seguiram Kane até uma rua a leste da Florida e North Capitol. Ao ver qual era o lance na área e a rapaziada à espera da droga, Strange tomou uma decisão. "Segura as pontas aí, Terry", ele disse ao telefone. "Eu vou na frente. Você me segue, e na hora que eu parar você me pega."

"Combinado."

Kane embicou numa porta aberta de garagem e enfiou o carro lá dentro. Strange acompanhou a movimentação, depois virou à direita. Quinn foi atrás. Strange voltou até a Florida, continuou na direção leste até o mercado coreano de comida, guardou seu carro no estacionamento e entrou no Chevelle de Quinn.

"Manda brasa agora", disse Strange.

Quinn voltou para a travessa da Florida onde as atividades do tráfico ocorriam em plena luz do dia. Estacionou a uma boa distância — a três quarteirões da transação propriamente dita — e pôs em ponto morto. Mais adiante, havia diversos jovens encostados feito gatos preguiçosos nos muros, parados nas esquinas e em volta de um armazém em ruínas, isolado por uma fita amarela da polícia rompida em vários trechos. Junto com carros japoneses e alemães, e vários utilitários esportivos, havia uma viatura da polícia metropolitana parada diante de uma fileira de casas geminadas, muitas delas com tapumes nas janelas.

"Está vendo aquele Crown Victoria ali?"

"Tô." A voz de Strange foi pouco mais que um sussurro.

"Quer que eu chegue mais perto?"

Strange se debruçou na janela e bateu diversas fotos. "Não, tudo bem. Com uma lente como esta, é o mesmo que estar com binóculos."

"Olha lá o nosso garotão."

Viram Ricky Kane sair da garagem e atravessar a rua como se estivesse em terreno bem conhecido. Cumprimentou dois jovens na esquina do trecho residencial da rua e foi escoltado até a casa quase em frente à radiopatrulha parada.

"Olha só a *porra* que tá acontecendo ali", falou Strange.

"Que porra?"

"Já ouviu falar num cara chamado Cherokee Coleman?"

"Já, claro que já. Como todo mundo que trabalha pra polícia e como a maioria dos moradores de Washington. O que você sabe sobre o sujeito?"

"O Coleman jogava na defesa do Green Wave, quando estava no Spingarn. Terminou o colégio em oitenta e nove. Podia ter ido adiante, mas não tinha altura suficiente nem jogava tanto assim, de modo que faculdade nem pensar. Galgou a pirâmide aqui do pedaço rapidinho, depois de cometer dois homicídios em que nunca ninguém conseguiu provar nada. E assim foi que o colégio que deu ao mundo um Elgin Baylor e um Dave Bing também nos deu um dos traficantes mais perigosos que esta cidade já teve."

"Eu li uma entrevista que o *Post* fez com uma garotada de LeDroit Park. Eles falavam desse Coleman como se o cara fosse um herói."

"Porque essa garotada tem mais pais, primos e tios trabalhando pra ele do que pras lojas McDonald's, por isso."

"Cherokee", repetiu Quinn, olhando de viés para Strange. "Por que vira-e-mexe pinta um mulato dizendo que tem sangue índio, Derek? Sempre quis saber isso."

"Porque o cara não quer admitir que carrega sangue de branco nas veias, imagino." Strange baixou a teleobjetiva. "O Coleman domina toda a região por aqui."

"Todo mundo sabe disso, mas a coisa continua."

"Ele é esperto, não bota a mão na droga nunca. Como é que os caras vão enquadrar ele, me diga? Tá vendo aqueles moleques ali, no meio da rua? Todos têm sua função. Tem os pilotos, que levam os fregueses até as bocas e fazem a transação manual. Tem os olheiros e tem os tesoureiros, que lidam com a grana. Os novatos que estão acabando de entrar pro negócio, sempre os mais jovens, claro, são os que botam a mão na massa e mexem com a heroína, o crack e o pó. E mesmo eles nunca têm nada em cima. Mas se você olhar bem de perto, vai ver que sempre existe um lugar ao redor deles onde dá pra esconder dez dólares de crack — um porta-chaves de fecho magnético, uma fresta na parede, algo do gênero. E eles costumam ficar perto de alguma rota de fuga por onde dá pra escapar rapidinho a pé: uma viela ou um buraco numa cerca.

"Uma vez ou outra, a polícia passa por aqui e dá uma prensa geral. E não adianta merda nenhuma. Você pode prender essa garotada, compreende, e pode prender também os usuários, mas e daí? Os fornecedores não cumprem pena nas duas primeiras detenções, sobretudo se a apreensão não tiver sido de uma quantidade razoável. Os usuários passam uma noite em cana, se tanto, e depois prestam serviços comunitários. E os cabeças continuam numa boa."

"Está querendo me dizer que o Coleman nunca vai cumprir pena na vida?"

"Vai, vai sim. Os agentes federais acabam pegando ele por evasão fiscal, do mesmo jeito como pegam quase todo mundo, no fim. Ou então alguém da gangue mesmo faz um acordo com a promotoria e entrega ele por algum crime antigo. De um jeito ou de outro, ele acaba em cana. Mas não até já ter ferrado com um monte de outras vidas."

Quinn meneou a cabeça na direção do armazém, onde os viciados entravam e saíam devagar de grandes buracos abertos nas paredes de tijolo. Um rato passou correndo por cima de um monte de lixo, sem receio da luz do dia nem dos humanos em volta.

"É ali que eles vão pra tomar os picos", disse.

"Ahã. E aposto como tem um monte que mora ali dentro também."

"E onde é que entra o Kane nessa história?"

"Pois é, onde é que entra o nosso garoto Ricky Kane, hein? Assim de bate-pronto eu diria que ele veio pegar a muamba. E que antes fez a ronda pra anotar as encomendas do pessoal dos bares e restaurantes. E você, o que acha?"

"Acho a mesma coisa."

Kane saiu da casa geminada. Atravessou a rua a passos rápidos, na direção do velho armazém abandonado.

"Que porra que ele vai fazer agora?", Strange exclamou, olhando através da lente da máquina e batendo mais duas fotos.

"Derek", disse Quinn.

Kane entrou por um dos buracos maiores que fora aberto nas paredes do armazém.

"Nosso tempo tá se esgotando, Derek. Não vai dar pra esperar o Kane sair de novo."

"Eu sei. Um dos rapazes do Coleman vai acabar sacando que estamos aqui, e aquele policial, seja lá onde for que ele se meteu, a qualquer momento vai voltar pra viatura."

249

"Vamos dar o fora daqui. Já vimos o suficiente por hoje."

"Chega a um quarteirão daquela viatura, cara, depois vira à direita."

Quinn engrenou uma primeira na Hurst, tirou o pé da embreagem e saiu cantando pneu. Jogou uma segunda. Dois dos moleques na esquina viraram a cabeça e um deles começou a berrar na direção do carro. Strange pôs metade do corpo para fora do carro, sentou na janela e apoiou os cotovelos no teto. De onde estava, tirou várias fotos da viatura policial e tornou a entrar na hora em que Quinn fez a curva à direita, na rua seguinte. Pelo retrovisor, Quinn viu um dos garotos perseguindo o carro a pé.

"Porra, Terry. Por acaso eu disse pra fazer essa barulheira toda? Você deve ter deixado dois centímetros de pneu naquele asfalto."

"Ainda não me acostumei com o carro."

"É, tô vendo. E não vai dar mais pra vir com ele pra cá."

"O quê, a gente vai voltar?"

"*Eu* vou." Strange endireitou o corpo no banco e deixou o vento frio soprar em seu rosto. "Tem mais coisas pra se aprender, lá naquela rua."

24

Quinn acordou na terça-feira pela manhã em seu apartamento e se sentou na beirada do colchão. Além do colchão no chão, havia uma cômoda pequena, um criado-mudo que ele comprara numa loja de objetos em consignação e, em cima dele, um abajur, um despertador e quatro ou cinco livrecos de faroeste empilhados atrás do relógio. Não havia quadros nem pôsteres de espécie alguma nas paredes do quarto.

Quinn massageou as têmporas. Havia tomado umas duas cervejas no Quarry House, na noite anterior, depois fora a pé até o Rosita, mas era dia de folga de Juana. Tinha voltado para casa, na Sligo Avenue, ligado para ela, deixado um recado na secretária e depois esperado um pouco, para ver se ela ligava de volta. Como ela não ligou, saíra de novo, descera a pé até o Tradesmen's Tavern, um pouco mais adiante, jogara uma partida de bilhar, tomara mais duas garrafas de Budweiser e voltara para casa. Juana não havia ligado.

Quinn fez café e algumas torradas na cozinha estreita, pôs um abrigo e desceu até o porão do prédio, para onde havia levado um banco para levantamento de peso, um espelho, colchonetes e uma corda de pular, que deixava pendurada num prego na parede de blocos de concreto. O síndico permitia que usasse o espaço comum se, em troca, deixasse os outros moradores usarem os equipamentos. Um punhado de garotos negros e um ou dois hispânicos de prédios vizinhos ficaram sabendo sobre o porão e às vezes apareciam para malhar com Quinn. Quando não eram daquele tipo de língua afiada e muita pose, Quinn até lhes dava umas dicas de musculação e ocasionalmente guardava o nome deles. No geral, porém, se exercitava sozinho lá embaixo.

Depois do chuveiro, Quinn foi até a última gaveta da cômoda e pegou a Glock nove-milímetros que havia comprado vários meses antes, após uma conversa com um homem no balcão de um bar nas imediações da Georgia. Desmontou a arma e usou seu kit Alsa para limpá-la, depois tornou a montar. Não havia um motivo lógico para ter aquela arma e ele sabia disso. Começara, porém, a se sentir nu e incompleto depois de entregar seu revólver de serviço, ao deixar a corporação. Um policial se acostuma a andar armado, e era bom saber que havia algo por perto, naquele momento. Tornou a pôr a Glock no estojo, guardado junto com um cinturão adquirido de um fornecedor de Springfield, do outro lado do rio.

Viu um pouco de televisão, mas desistiu logo. Ligou para Strange, no escritório, e quem atendeu foi Janine.

"Ele saiu, Terry."

"Não dá pra chamá-lo pelo bipe?"

"Claro, vou tentar. Mas pode ser que ele esteja no meio de um serviço e não dê pra me ligar de volta imediatamente."

Quinn pressentiu algo de falso e certo remorso na voz de Janine.

"Diz que eu estou querendo falar com ele, Janine. Obrigadíssimo."

Quinn largou o telefone. Juana andava fugindo dele. E agora, pelo visto, Strange também procurava escapulir.

Strange parou diante da mesa de Janine.

"O Ron ligou, por acaso?", ele perguntou.

"Ele está trabalhando naquelas duas violações de condicional. O que deve botar algum dinheiro no caixa, esta semana."

"Ótimo. Foi ao banco?"

"Aqui está", disse ela, entregando um envelope para Strange. "Duzentos em notas de vinte, como você pediu."

"Obrigado. Eu vou ficar fora o dia todo. Qualquer emergência, você sabe como me achar. Caso contrário, pegue as mensagens que eu ligo de vez em quando pra conferir."

"Você está pondo todas as suas fichas nesse caso do Wilson."

"Estou quase chegando lá. E não esquece de ir pegar aquelas fotografias que eu mandei revelar ontem, tá? E liga pro Lydell Blue, diz que talvez eu peça mais um favorzinho pra ele."

"Você está registrando todas as horas trabalhadas, Derek? Todas as despesas?"

"Tô, tô fazendo isso, sim."

Janine cruzou os braços e recostou na cadeira. "Não gostei de ter mentido desse jeito pro Terry."

"Você só está fazendo o que eu mandei você fazer. Nos próximos dois dias tenho que trabalhar nisso sozinho. É muito arriscado pra dois. Quando chegar a hora, eu ponho ele de volta no caso."

Strange foi na direção da porta.

"Derek?"

Ele se virou. "Hein?"

"Foi legal, o fim de semana. Foi legal acordar do seu lado, quero dizer. E bom pro Lionel também. Nós três saindo pra tomar o café-da-manhã juntos num domingo, foi como se fôssemos uma família..."

"Certo, Janine. A gente se vê mais tarde, tá bem?"

Na 9th, Strange abotoou o blusão de couro até em cima, para se proteger do frio, e no caminho até o Caprice passou pela barbearia Hawk, pela funerária Marshall e pela lanchonete que tinha uma placa dizendo "Carne" na porta. Pensou em Janine e no que ela dissera. E ela estava certa, o fim de semana fora bem legal mesmo. Saber que ela estava certa também o deixou meio assustado.

Decidiu que precisava ligar para aquela mulher chamada Helen, aquela que ficara conhecendo numa boate, durante o período das festas de Natal, para ver se ela queria sair e tomar uns drinques. Fazia um tempinho que vinha pensando nisso, mas ocupado como estava, simplesmente esquecera da moça.

Strange parou o Caprice na North Capitol, perto do cruzamento com a Florida Avenue, e continuou a pé na direção leste. Andou um tempo e, ao se aproximar da rua de Coleman, pegou um punhado de terra na mão e esfregou no rosto, depois se curvou e passou outro tanto nas botas impermeáveis de peão. Já tinha penteado o cabelo para cima, no carro. Usava um velho paletó de veludo cotelê que guardava dobrado no porta-malas.

Na rua, começou a passar por alguns dos jovens de Coleman. Acrescentara um andar meio arrastado ao disfarce e não olhava para ninguém, só para a frente. Cruzou com um viciado em crack que lhe pediu uma grana e continuou andando, rumo ao armazém rodeado pela fita amarela rompida. A viatura policial não estava por lá. Ultrapassou um monte enorme de lixo, tropeçando de propósito ao descer do outro lado, e se dirigiu para um buraco na parede do armazém. Atravessou o buraco.

O aposento era grande, o espaço interrompido por vigas mestras, havia cocô de passarinho e água empoçada no chão de concreto. Os pombos faziam ninho no topo das vigas e alguns voavam de um lado a outro. Manteve o olhar baço, mirado sempre para a frente, mesmo com o bate-que-bate de asas.

Das sombras de seu quarto, Tonio Morris viu o mano de ombros largos entrar no salão principal do térreo, cantarolando o que reconheceu como um dos primeiros raps a aparecer no mercado, num LP de Gil Scott-Heron que ele já tivera um dia e que depois vendera. O cara, já bem madurão, se movia com lerdeza e tinha um olhar meio zerado na cara, como se tivesse a doença, e estava sujo, usando umas roupas fodidas, só que não era quem estava tentando parecer ser. Tonio já vivera aquilo e em volta daquilo o que bastava. Ele *sabia*.

Observou o mano atravessar o salão, cantarolando baixinho, metendo o pé nas poças sem se preocupar com a sujeira, indo na direção da escada. Não era da polícia. Policial nenhum entraria naquela porra sozinho. Mas o cara queria algo, raciocinou Tonio. Queria tanto que até entrara ali.

"'Kent State'", disse Strange, "'Jackson State...'"

Tinha chegado perto do jovem ao pé da escada que segurava uma pistola automática do lado. O rapaz mediu-o de alto a baixo, quando passou, e Strange continuou a subir lentamente os degraus expostos. Repetia os versos de "H_2Ogate Blues" bem baixinho; sabia todos de cor, e recitá-los em voz alta lhe permitia avançar sem ter de pensar muito no que iria dizer, além de funcionar como calmante para os nervos.

"'O Bobby Seale foi levado, algemado e ferrado'", falou ele. "'E aí quem vai dizer pros bacanas qual que é o babado'".

Chegou ao patamar de cima e seguiu o ruído de conversas abafadas e atividades diversas na área dos cubículos sem porta do banheiro. Um homem berrou qualquer coisa na direção dele, mas Strange continuou andando, respirando comedidamente pela boca, para evitar o pior do fedor. Os cubículos eram iluminados a vela. O chão estava grudento de vômito e excremento. Foi até o último cubículo, ocupado por um sujeito com uma malha cujos punhos lhe cobriam as mãos por completo. O homem, um esqueleto revestido de pele, sorriu para Strange; ele deu as costas e voltou pelo mesmo caminho. Não havia nada, ali, ninguém com quem falar, ninguém para ver, nada.

O mano estava de volta ao salão principal, indo para o buraco por onde entrara, com pombos voando por cima da cabeça dele. Ainda andando devagar, mas não tão devagar quanto antes, Tonio Morris pensou com seus botões: ele não achou nada e agora quer dar o fora rapidinho.

"Psiu", ele fez, o rosto metade para fora das sombras de seu quarto. "Eu tenho o que tu tá procurando, mano."

O sujeito diminuiu o passo, mas não parou nem virou a cabeça.

"Tenho informação pra você, cara." Tonio fez um gesto com o indicador flexionado para chamar Strange, mas manteve a voz baixa. "Vem até aqui pegar, mano. Não vai doer nada ficar sabendo. Vem cá."

Strange virou e se deparou com um homenzinho doente parado na entrada de um quarto escuro. O sujeito usava um abrigo cinza imundo, e as calças eram mantidas no lugar com um pedaço de barbante. Os sapatos estavam totalmente rotos, a parte de cima separada das solas.

Foi até onde estava o indivíduo e parou ao lado de uma poça grande, perto de uma viga, a menos de dois metros da porta. A viga bloqueava a linha de visão do rapaz parado ao pé da escada. Strange olhou bem para o rosto esquelético do outro; os olhos estavam leitosos e glaucomatosos. No decorrer dos anos, ao visitar a mãe na casa de repouso, vira algumas vezes essa máscara da morte estampada naqueles que estavam prontos para ir embora.

"O que você quer?", disse Strange, mantendo a voz baixa.

"O que eu quero? Eu quero ficar chapado. Mas chapado pra caralho, cara. Só que pra isso eu preciso de grana. Você tem?"

Strange não respondeu.

"Eu chupo teu pau por dez dólares", disse Morris. "Porra, eu chupo o filho-da-puta por cinco."

Strange virou a cabeça e olhou de novo para o buraco na parede.

"Espera um pouco, cara", disse Morris. "Meu nome é Tonio."

"Por acaso eu perguntei?"

"Você tá procurando alguma coisa, certo? Alguma coisa ou alguém, *certo?* Qualquer imbecil vê na hora que você não é dos nossos. Pode até tentar, mas não é. Pode se sujar o quanto quiser, mas ainda tem corpo e tem olhos. E então, o que é que tá procurando, mano? Hein?"

Strange mudou de posição. Água pingava de uma fenda no teto e salpicava a poça d'água junto do pé direito.

"Um garoto branco que veio aqui ontem de tarde", disse Strange. "Vocês não devem receber muitos iguais a ele, por aqui."

"Não muitos."

"Um branco magricela com gorro de tricô, tentando parecer numa boa."

"Eu sei quem é. Vi ele, cara; eu vejo *tudo*. Tem uma grana aqui pro Tonio, cara?"

"O que é que ele veio fazer aqui? Tomar um pico lá em cima?"

"O cara não é disso não."

"Então o quê? Que tipo de negócio ele tem com o Coleman?"

"Por acaso tá me achando com cara de louco? Eu não sei *picas* desse tal de Coleman. Mesmo sabendo eu não ia saber de nada."

Strange tirou um maço de notas de vinte do bolso, dobradas ao meio. Puxou uma, amassou até virar uma bola e atirou no chão, aos pés de Morris. Morris apanhou a nota rapidamente e enfiou-a no bolso da calça.

"O que o branco veio fazer aqui?"

"Veio atrás de uma garota", disse Morris. "Uma amiga minha. Uma velha amiga dele também."

O sangue de Strange correu mais rápido. "Uma garota?"

"Uma garota chamada Sondra."

"Ela tem sobrenome?" A voz de Strange soou rouca e estranha a seus próprios ouvidos.

"Tem. Mas eu não sei."

"Por acaso é esta aqui?"

Strange tirou a foto de Sondra Wilson do bolso do paletó de veludo e mostrou-a a Morris. Morris meneou a cabeça, indicando que sim, e a boca involuntariamente repuxou. Strange enfiou a foto de volta no bolso.

"E ele achou ela?"

"Hein?"

"Ela está *aqui*?"

Morris passou a língua pelos lábios ressecados e apontou com o queixo para o maço de notas na mão de Strange. Strange embolou mais uma de vinte e soltou no chão.

Morris sorriu. Os dentes eram tocos enegrecidos, como uvas passas pendendo meio soltas de gengivas apodrecidas. "Qual é, cara? Não fica a fim de tocar em mim, é?"

"Onde ela está?"

"A Sondra se mandou, cara."

"Onde ela está?", Strange repetiu.

"Dois homens brancos levaram ela embora daqui, não faz muito tempo. Um vesguinho filho-da-puta e um velho. Eu não conheço os caras. Não sei o nome deles. E também não sei pra onde eles foram."

Strange não disse nada. Fechou e abriu a mão algumas vezes.

"Mas eles vão voltar", Morris completou, animado.

"Como é que sabe disso?"

"Por aqui os boatos circulam... Os que ficam na casa em frente, os que ficam no pé da escada... eles sabem quando a fome da gente aperta. E aí contam pra nós quando é que chega a farinha. A gente tá pra receber. Aqueles brancos é que vão trazer."

"Quando?"

"Amanhã. Pelo menos foi o que ouvi dizer."

Strange pôs a mão no bolso do paletó e tirou mais uma nota de vinte dólares. Morris estendeu a dele, mas Strange não pôs nada lá dentro.

"O que você sabe sobre a moça?"

"O garoto branco, ele costumava trazer ela junto, quando vinha fazer as visitas dele. Levava ela praquele lugar do outro lado da rua. Um dia, deixou ela lá. Ela ficou aí na frente algumas semanas, indo e vindo naqueles carrões bacanas. Um mês, quem sabe, por aí. Depois veio pra cá. Tinha um cubículo só dela, no andar de cima. Mas nunca mais atravessou a rua."

"Sabe a que horas aqueles dois outros brancos vão chegar amanhã?"

"Não", disse Morris, olhando com tristeza para a nota de vinte, ainda com Strange.

Strange pôs a nota na mão estendida de Morris. "Se por acaso você se encontrar comigo de novo por aqui, nunca me viu mais gordo, a menos que eu diga pra você o contrário. Entendido?"

"Viu quem?"

Strange meneou a cabeça. Era muito provável que tivesse acabado de dar àquele viciado mais dinheiro do que ele já vira nos últimos anos.

Virou e foi se arrastando na direção do buraco por onde entrara. O sangue corria rápido nas veias e o coração batia acelerado. Era difícil, para ele, mover-se tão devagar. Mas conseguiu, e logo estava de novo sob a luz do dia.

25

Strange acordou da soneca no final da tarde. O quarto estava às escuras e ele acendeu uma luz. Greco, deitado num tapete ao pé da cama, ergueu a cabeça de sobre as patas e, devagar, abanou o rabo.

"Tá com fome, amigão?", perguntou ele. "Então vamos lá. Mas deixa antes o velho sair daqui debaixo das cobertas."

Depois de alimentar Greco, ouvindo a trilha sonora de *Uma pistola para Ringo*, Strange repassou as carteiras de fósforos que espalhara sobre a escrivaninha: Sea D. C., Purple Cactus, Jefferson Street Lounge, Bank Vault, na 9th, Shaw Lounge, na U, Kinnison, na Pennsylvania Avenue, Robert Farrelly, na Georgetown e por aí afora. As carteiras de fósforos pertenciam a Chris Wilson; Wilson *sabia.*

Strange passou a mão no telefone e ligou para o Purple Cactus. Obteve a informação desejada e desligou. Esfregou o rosto e depois os olhos.

Tirou a roupa, tomou um banho, vestiu calça limpa, uma camisa preta de gola rulê, depois ligou para a mulher chamada Helen. Helen estaria ocupada naquela noite e no fim de semana seguinte também. Ligou para outra conhecida, que nem atendeu ao telefone.

Vestiu o blusão de couro, enfiou algumas coisas nos bolsos, fez um agrado na cabeça de Greco e saiu. Pegou o Cadillac e foi no sentido do centro, escutando *Live It Up* durante o caminho inteiro, repetindo o refrão "Hello It's Me" porque gostava de fato do arranjo de Isley para aquela música. Estacionou na 14th com a H, caminhou até o cruzamento da K Street e entrou no Sea D. C.

O salão principal e o jardim de inverno estavam lotados, e o bar elevado, apinhado de gente. Muitos fumavam cigarros e charutos. Um gerente de ombros estreitos, com um bigodinho minúsculo, tentava levar um grupo de marmanjos, todos eles fumando, mais para perto do balcão do bar. A vozinha emotiva, exasperada e ardida estava provocando risadas no bando. Havia uma televisão suspensa acima da área de serviço transmitindo um boletim sobre bolsas de valores, e alguns no balcão acompanhavam os símbolos e números que passavam da esquerda para a direita na tela, enquanto tomavam suas bebidas.

Polidamente, Strange abriu caminho à força até a ponta do balcão. Os brancos, num lugar como aquele, em geral deixavam um negro fazer o que quisesse.

Strange esperou durante uns instantes e, por fim, conseguiu atrair a atenção do barman. Era um rapaz esbelto, bem barbeado, de estatura média. Tinha um sorriso falso e exibiu-o quando Strange se debruçou no balcão e colocou a palma da mão sobre o mogno.

"O que vai querer, amizade?", perguntou o rapaz.

"Ricky Kane", disse Strange, lançando para o barman o mesmo tipo de sorriso.

"E isso o que é, alguma bebida?"

Strange pôs a mão sobre o dorso da mão do rapaz. E enterrou o polegar bem no nervo localizado no triângulo carnudo entre o polegar e o indicador. A cor sumiu do rosto do barman.

"Eu te vi batendo papo com o Ricky Kane ontem." Strange continuou sorrindo e manteve um tom de voz sereno. "Eu sou investigador, *amizade*. Se quiser, puxo as credenciais e te mostro aqui mesmo. E mostro também pro seu gerente."

O pomo-de-adão do barman subiu e desceu e ele balançou uma vez a cabeça.

"Eu não tenho nada contra você", continuou Strange,

"mas estou pouco me *lixando* com você, compreendeu? O que eu quero saber é o seguinte: o Ricky Kane estava transando com a Sondra Wilson?"

"Sondra?"

"Sondra Wilson. Ela trabalhou aqui, caso tenha esquecido."

"Não sei... talvez sim. Quando ela trabalhava aqui, ele apareceu uma vez para apanhá-la, no fim do expediente, mas é que a Sondra não ficou muito tempo com a gente. Durou, sei lá, uma semana, se tanto."

"Foi despedida?"

"Ela tinha um problema sério de absenteísmo", disse o barman, baixando os olhos para o balcão. "Minha mão."

"Ei, você!", berrou um sujeito de suspensórios na outra ponta do balcão.

Strange insistiu: "Kane e Sondra Wilson".

"Eles se conheceram no Kinnison, o restaurante de frutos do mar perto da estátua de George Washington. Ela trabalhava lá, antes de vir pra cá. E ele era garçom lá, antes de ir pro Cactus."

"Ô, garçom!"

Strange se debruçou um pouco mais. "Se você disser uma palavra pro Kane ou pra seja lá quem for sobre mim, eu mando meu pessoal dar uma geral no pedaço e fecho esta merda. Depois você vai em cana, veste um daqueles macacões cor de laranja lá do presídio e fica numa cela cheia de marmanjos muito machos. Entendeu o que estou tentando lhe dizer, amizade?"

O barman fez que sim com a cabeça. Strange soltou-o. Trombou com uma mulher ao se virar e disse: "Desculpe". Desgrudou o sorriso que tinha pregado na cara e foi para a porta, mexendo os ombros sob a jaqueta de couro.

Dali foi até o Stan, na Vermont Avenue, e pediu um Johnnie Walker Red com uma club soda à parte. Estavam tocando "Disco Lady", com Johnnie Taylor, a faixa que tinha Bootsy Collins no baixo. Strange gostava do jeito como aquela música fluía. Um homem sentou-se a seu lado, no balcão.

"Strange, como vão as coisas?"

"Vão indo, Junie, e *você*, como anda?"

"Tudo bem. Mas estou te achando meio caído, cara, se me permite o comentário. Tudo bem pro seu lado?"

Strange olhou para seu reflexo no espelho do bar. Pegou um guardanapo de papel da pilha e enxugou o suor do rosto.

"Estou ótimo", falou. "É que está meio quente aqui dentro, só isso."

No Purple Cactus, Strange foi direto para o bar do térreo. Havia várias mesas vazias no salão do restaurante e ele era o único freguês no balcão. Os sorrisos e as fisionomias relaxadas dos funcionários diziam que o auge do movimento já terminara.

Pediu uma cerveja e bebeu devagar. A morena chamada Lenna, a moça sensata com olhos inteligentes que tinha visto durante a primeira visita, estava de serviço. Ele sabia disso; tinha ligado antes, para confirmar. Conseguiu atrair sua atenção enquanto ela enfeitava um coquetel de frutas com um guarda-chuvinha na área do balcão destinada a atender os pedidos das mesas. Ela sorriu para ele, antes de pôr a bebida numa bandeja redonda, junto com várias outras. Strange sorriu de volta.

Quando a garçonete passou atrás dele de novo, girou na banqueta e disse: "Com licença".

A moça parou e respondeu: "Pois não?".

"Seu nome é Lenna, certo?"

Ela tirou uma mecha de cabelo do rosto. "Certo."

Strange lhe entregou um guardanapo de papel em que estavam escritas as palavras "cem dólares".

"Não estou entendendo."

"São seus, pra valer, se me der quinze minutos do seu tempo."

"Olha aqui, espera um pouco", ela disse, fazendo o sinal de "pare" com a palma da mão, mas ele viu logo, pelo sorriso enviesado dela, que estava mais curiosa do que brava.

"Sou investigador", disse Strange, abrindo uma carteirinha para mostrar as credenciais. "Particular, não da polícia."

"E qual é o problema?"

"Ricky Kane."

"Esqueça."

"Minha intenção não é arrumar encrenca pra você ou pra alguém com quem você trabalha. Não quero saber sobre ele nem o que ele faz aqui. Tem a minha palavra."

Lenna cruzou os braços e olhou em volta do salão.

"Me encontra no bar lá de cima", disse Strange. "Eu vou dobrar os seus lucros hoje em troca de quinze minutos de conversa. E ainda lhe pago uma bebida."

"Tenho que fechar minha última mesa", disse Lenna, sem olhar para Strange.

"Daqui a meia hora, então."

Strange ficou olhando, enquanto ela sumia de vista. Prostitutas e drogados eram os melhores informantes de rua. Garçonetes, garçons, motoristas da UPS e trabalhadores braçais também eram bons. Custavam um pouco mais, mas fosse qual fosse o custo, Strange aprendera que a maioria das pessoas — as que sabiam o valor de um dólar — tinha seu preço.

"Quanto tempo o Ricky trabalhou aqui?", Strange perguntou.

"Não muito tempo", disse Lenna. "Aquele incidente com o policial aconteceu um mês depois dele ter começado. A indenização veio logo em seguida e ele foi embora."

Strange tomou um bom gole de cerveja, e Lenna bebericou a dela. Os olhos tinham uma tonalidade pálida de castanho e os lábios eram grossos e viçosos. Tirara o uniforme e soltara o cabelo brilhante que batia na altura dos ombros. Strange reparou que havia posto algum tipo de perfume também.

"O que você achou, quando a coisa estourou? Já que você sabia que o Kane vendia drogas, será que não teve algumas dúvidas sobre o que leu nos jornais? Por acaso não lhe passou pela cabeça que talvez estivesse rolando algo mais naquela noite, que o pessoal não enxergou?"

"Claro que me passou pela cabeça." Lenna olhou em volta. O casal mais próximo estava sentado a quatro banquetas de distância, e o barman trabalhava debaixo de uma luz fraquinha, em frente ao caixa. "Alguns até chegaram a comentar o assunto. Olha só, eu consegui fazer o colegial servindo mesas, e este lugar tem financiado a minha faculdade até o presente momento. Nesses anos todos, trabalhei em alguns dos restaurantes mais famosos da cidade. E sei que quando o ramo é este aqui, de bares e restaurantes, de lugares que ficam abertos até altas horas, é batata que vai ter alguém na folha de pagamentos, o dono sabendo ou não, que mexe com drogas e que fornece tanto pros funcionários como pros fregueses. Todo restaurante tem a sua clientela natural e, no meu entender, não tem lugar mais seguro pra pessoa descolar um barato qualquer do que um bar.

"Sem falar na percepção que a maioria das pessoas desta cidade tem da polícia. O que eu estou dizendo é que temos aqui duas questões diferentes. Ricky Kane era um traficante, tudo bem, mas ninguém acha que naquela noite ele foi parado porque estava vendendo drogas. Provavelmente a polícia parou ele porque estava urinando na rua, exatamente como foi publicado. A sensação foi a de que poderia ter sido qualquer um de nós, lá naquela rua. Mais cedo ou mais tarde, todos nós temos alguma experiência negativa com a polícia."

"Certo. E como se sente a respeito dele agora?"

"Como assim?"

"O nosso velho amigo Ricky continua vindo aqui pra fazer seus negócios. Esteve aqui ontem à tarde, anotando os pedidos, confere?"

"Eu já tinha dito que não abriria minha boca pra falar sobre os meus colegas e amigos. Se eles querem se envolver com o Ricky, é problema deles, não meu."

"Mas você deve ter uma opinião sobre as atividades do sujeito, não é mesmo?"

Lenna fez que sim com a cabeça, olhando para o copo de cerveja na mão. "Eu não gosto dele. Não gosto do que ele faz. Agora eu não uso mais nada, mas já cheirei muito na vida, quando era mais jovem. No meu caso, o negócio era pó. Agora a moçada e a turma da balada prefere heroína. E essa é uma viagem furada. Quem consome não sabe, ou não admite, mas não dá outra. De todo modo, como eu já disse, não é problema meu. Mais alguma coisa?"

"Mais uma coisinha só." Strange retirou a foto de Sondra Wilson do bolso de dentro do blusão. "Reconhece esta moça? Alguma vez Kane apareceu com ela?"

"Não", disse Lenna, depois de examinar a foto de perto. "Não exatamente."

"E o que significa isso, não *exatamente*?"

Lenna sacudiu os ombros, antes de continuar. "O Ricky é fissurado numa mulata, quanto mais clara de pele, melhor. Essa moça se encaixa no perfil. Não que elas durem muito tempo nem nada. Pra falar a verdade, não me lembro de ter visto o Ricky duas vezes com a mesma mulher."

Strange deu um gole generoso na cerveja. Pôs a garrafa sobre o balcão e enfiou cinco notas de vinte na mão de Lenna. "Acho que é tudo. Desculpe se insultei você mais cedo. Em momento algum tive a intenção de insinuar que estava atrás de algo mais."

Lenna tirou o cabelo do ombro com um movimento brusco e sorriu; a luz da vela do bar refletiu em seus olhos. "Você é bem bonitão. Já tinha reparado em você quando

266

veio na outra noite, aliás. E meio que esperava que *fosse* algo mais."

"Estou lisonjeado", disse Strange. "Mas, pra ser honesto com você, já estou comprometido."

"Eu entendo." Lenna se levantou da banqueta e terminou a cerveja de pé. "Prazer em conhecê-lo."

"O prazer foi meu."

Viu quando ela saiu do restaurante e pegou a 14ᵗʰ, no sentido norte. Strange terminou sua cerveja, percebeu que estava com fome, e quem sabe um pouco bêbado. Lenna era uma mulher atraente e a necessidade era inegável. Além de ser sempre muito bom levar uma cantada de uma mulher vinte e cinco anos mais nova. Ultimamente, isso acontecia cada vez menos. Mas essa Lenna não o interessava nem um pouco. A verdade é que as brancas nunca foram do seu agrado.

26

Terry Quinn estava sentado no bar do Rosita, na Georgia Avenue, no centro de Silver Spring, esperando que Juana Burkett encerrasse o expediente. Enquanto esperava, lia uma edição britânica de bolso de *Woe to Live On* e tomava uma Heineken na garrafa. Juana havia sorrido quando ele entrou, mas Quinn já vivera o suficiente para saber que aquele era um sorriso com um quê de tristeza por trás, e também que talvez as coisas estivessem chegando ao fim entre os dois.

Quando os últimos clientes deixaram o restaurante, Juana saiu do banheiro feminino, ainda vestida com seu uniforme, mas arrumada, penteada e de batom nos lábios.

"Dei uma gorjeta pro cumim fazer os retoques finais no meu serviço. Está pronto?"

"Estou", disse Quinn, enfiando o livro no bolso traseiro do jeans. "Vamos."

Raphael, sentado numa mesa para dois, pondo os vales em ordem numérica, deu um tchauzinho para eles, quando iam passando pela porta.

"Recebi uma coisa hoje que você vai gostar", disse Quinn. "Um disco antigo do George Duke — dos tempos do Dukey Stick."

"'Talk to me quick'", disse Raphael. "Guarda pra mim, tá? Eu passo lá pra pegar."

Quinn caminhou com Juana pela Georgia até onde estava parado o Chevelle, debaixo de um poste de iluminação. O carro brilhava bonito sob a luz.

"Este sou eu", disse Quinn. "O que você achou?"

"Sério mesmo?"

"Venha. Vamos dar uma volta."

Quinn pegou a direção do Rock Creek Park e seguiu em ziguezague pelas curvas da Beach Drive com o som de Springsteen saindo do painel. A noite não estava muito fria, e Quinn baixou um quarto do vidro da janela. Juana fez o mesmo. O vento soprava seu cabelo para longe do ombro, batendo gostoso em seu rosto.

"Agora já sei o que você gosta de escutar", ela disse.

"É um som que fala ao mundo em que eu cresci", disse Quinn. "De toda forma, quando a gente compra um carro novo, precisa batizá-lo com *Darkness on the Edge of Town*. Não tem uma fita melhor pra se ouvir no carro."

"Gostei deste carro."

As mãos de Juana estavam cruzadas no colo e ela esfregava um polegar no outro. Quinn estendeu o braço e separou suas mãos. Pegou uma delas e entrelaçou os dedos nos dela.

"Vou facilitar as coisas pra você", disse ele.

"Obrigada."

"Eu tenho essa bagagem toda, Juana. Sei disso, só não sei o que fazer a respeito. Se eu não gostasse de você, eu diria: vou ficar na minha e deixar que *ela* se vire. A verdade é que eu continuaria com você o tempo que você me deixasse continuar, sabia?"

Juana fez que sim com a cabeça. "Quando a gente se conheceu, achei que pudesse dar certo. Mas depois, no mundo real, quando começaram a encarar a gente, a fazer comentários quando passávamos na rua, percebi que você não iria saber como lidar com a situação. E isso não é uma coisa que vai acabar. Nesta nossa sociedade maravilhosa, ninguém jamais vai permitir que a gente esqueça. E houve momentos, juro por Deus, em que você me pareceu querer o conflito. Como se a promessa dele é que tivesse levado você a se interessar por mim pra começo de conversa. Eu nunca quis ser a sua namorada negra,

Terry. Eu só queria ser a sua namorada. No fim, não tinha mais certeza de que você gostava de fato de mim."

"Vou lhe dizer uma coisa. Talvez, no começo, você fosse uma espécie de símbolo pra mim, uma forma de dizer a todo mundo que, lá dentro, eu era um sujeito decente. Mas me esqueci de tudo isso dez minutos, se tanto, depois de estarmos juntos. Depois disso, no meu coração, só havia você."

"É tudo tão intenso com você", disse Juana. "É intenso demais o *tempo inteiro*. Mesmo às vezes quando estamos fazendo amor. A outra noite..."

"Eu sei."

"Eu sou jovem, Terry. Tenho a vida toda pra lidar com esses problemas de relacionamento que todo mundo tem que enfrentar, mais cedo ou mais tarde. Problemas de dinheiro, de infidelidade, de fim do amor... mas não quero lidar com isso ainda. Não estou pronta, compreende?"

"Eu sei", disse Quinn, apertando a mão dela. "Tudo bem."

Quinn virou à esquerda na Sherrill Drive e começou a subir a ladeira íngreme e cheia de curvas para pegar a 16th. Reduziu a marcha e acelerou.

"Uma bela noite", disse ele. "Não é mesmo?"

Quinn voltou para Silver Spring e parou na Selim. Virou para Juana e perguntou: "Tá a fim de dar uma caminhada?".

Atravessaram a Georgia pela passarela para pedestres e deram direto na cerca.

"Eu faço escadinha pra você", disse Quinn.

"Você falou uma caminhada, não uma escalada."

"Vai, é fácil."

Do outro lado da cerca, caminharam ao longo da estação de trem e dos trilhos. Uma composição do metrô se aproximou, vindo da região sul. Quinn parou e abraçou Juana, segurando-a bem apertado contra o peito. Olhou para os semáforos, para os postes de luz e para os néons da Georgia Avenue.

"É bonito, não é?"

Os dedos dela afagaram o rosto dele.

"Não se esqueça de mim", disse Quinn.

Beijou-a na boca, enquanto passava o trem, e mante-ve o beijo durante a tempestade de vento e poeira.

Strange estava faminto e decidiu que cairia bem uma outra cerveja. Saiu do Purple Cactus, pegou o carro e foi até o Bairro Chinês. Estacionou num beco atrás de umas lojas da I Street, entre a 5th e a 6th. Tinha um mendigo na viela e Strange lhe deu cinco dólares para olhar o carro, prometendo mais cinco quando voltasse.

Entrou pela porta dos fundos num estabelecimento com frente para a I. Atravessou uma cozinha e depois um saguão, passando por diversas portas fechadas, até topar com uma cortina de contas que dava para um salão pe-queno, com pouquíssimos enfeites e meia dúzia de me-sas. Diversas jovens chinesas, e uma senhora mais velha, trabalhavam no refeitório. Um único freguês — e mais ca-ra de turista que aquele branco, impossível —, tomava uma cerveja sentado a uma mesa para quatro.

"Eu vim pra jantar um pouco, mama", disse Strange para a mais velha delas. Ela disparou algumas frases para uma das jovens, que o levou até a mesa.

"Qué bebida?"

"Tsingtao", disse Strange.

Ela levou a cerveja e um cardápio, enquanto as outras jovens tentavam captar sua atenção. Havia uma bem es-guia, quase sem bunda, em quem ele já estava de olho; ha-via reparado na moça ao entrar.

Uma delas dizia algo ao turista, que, por sua vez, abri-ra um mapa da cidade ao lado da cerveja.

"Coricença. Crienti nu gosta ditlepá?", falou a jovem. As outras riram.

Strange pediu frango com gergelim, arroz branco, uma porção de guioza frito e uma caneca de sopa condimentada. Tomou mais uma cerveja, escutando os acordes relaxantes da música de cordas que tocava no restaurante. Ao terminar, abriu um biscoito da sorte e leu a mensagem: "Pare de procurar, a felicidade está bem do seu lado".

Largou o papelzinho no prato. Fez sinal para a mulher mais velha e lhe disse o que queria e com quem queria.

"Coricença. Crienti nu gosta ditlepá?", repetiu a jovem para o turista, que àquela altura dava a impressão de estar entre confuso e assustado. "Nu gosta ditlepá?"

Strange deixou o dinheiro do jantar sobre a mesa e se levantou. O turista disse: "Com licença", e Strange foi até a mesa dele.

"Pois não?"

"Por acaso entende o que elas estão tentando me dizer?", perguntou o turista.

"Acho que ela está perguntando se você *não gosta de trepar.*" Strange passou pela cortina de contas resmungando "burro" bem baixinho. Abriu uma das portas fechadas do saguão e entrou numa área cheia de quartos.

Tirou a roupa e entrou debaixo do chuveiro quente, no box azulejado. Depois passou para um quarto branco, muito limpo, largou a toalha que enrolara na cintura e se deitou, nu, numa cama de massagem. A jovem escolhida entrou e começou a massageá-lo. Sentiu os seios nus roçarem as costas, quando ela montou em seus quadris, e ficou excitado. Ela lhe pediu para se virar. Foi um alívio deitar de costas, porque já estava com uma boa ereção.

A jovem fez algumas vezes o gesto de bombear e sorriu. Strange disse: "É isso aí, boneca", e apertou um bico de seio com o polegar e o indicador. Ela passou creme nas mãos e o masturbou. Depois o limpou com uma toalha morna.

Strange pôs a roupa e deixou quarenta dólares na cuia de porcelana posta ao lado da porta. A jovem lhe deu uma olhada decepcionada e estalou a língua dentro da boca. Mas Strange não se comoveu; sabia que quarenta era o preço.

Na viela, entregou mais cinco dólares ao mendigo, antes de entrar no carro.

"Beleza", disse o mendigo.

E Strange repetiu: "*Beleza*".

Depois seguiu na direção norte e parou o Cadillac na 9th, bem na frente do escritório. Girou a chave na fechadura, entrou e acendeu as luzes. A caminho de sua sala, reparou na organização da mesa de Janine. Ela simplesmente não encerrava o expediente enquanto não tivesse dado conta de cada um dos detalhes do dia. Continuou em frente, rumo à sala de trás.

No escritório, sentou-se à escrivaninha. Janine fora buscar as fotos que ele tinha deixado para revelar numa travessa da Florida Avenue. Examinou o resultado: Ricky Kane aparecia com bastante nitidez, assim como os números no pára-choque e nas laterais da radiopatrulha estacionada na rua.

Strange pegou o telefone. Ligou para seu velho amigo Lydell Blue e deixou recado na secretária eletrônica. Mas não quis deixar o número de identificação da viatura no gravador dele. Telefonou para Quinn e também deixou um recado; disse que tinham trabalho para o dia seguinte. Marcou a hora e o lugar onde iria apanhá-lo.

Seria um dia comprido, teria de levantar cedo. Eu não devia ter bebido tanto esta noite, pensou Strange. Eu devia ter...

"Mas que merda."

Havia uma barra de cereais sobre uma folha de papel, bem ao lado do mata-borrão. Ergueu o tablete e examinou o papel. Janine tinha desenhado um coraçãozinho vermelho nele, mais nada. Strange desviou a vista e viu o boneco do Redskins, o que Lionel pintara de marrom, olhando bem fixo para ele do fundo da mesa.

"Você é um bom sujeito, Derek", disse em voz alta. Mas a voz não convenceu, e as palavras soaram como uma baita de uma mentira.

27

Edna Loomis estava montada em cima dele, na cama, escorregando para cima e para baixo do pinto grosso e curto de Ray Boone, mexendo os quadris com movimentos desajeitados, no balanço da música de Alan Jackson que invadia todo o quarto. Inclinada para a frente, com as pontas repicadas do cabelo loiro-alaranjado roçando no peito pálido, acompanhava o ritmo com movimentos de cabeça. "*Ela virou country*", cantou ela. "*Olha só as botas que ela usa!*"

Ray soltou uma risadinha, agarrou um dos peitos com vontade e apertou com força. Edna meio que rosnou. Ele não saberia dizer se de prazer ou de dor.

Ray gozou e logo depois ela fingiu que também gozava. Ele quase deu risada ao vê-la estremecer, uivar e produzir um som meio que idêntico ao de um cachorro que levou um pisão na pata. Devia ter visto alguma atriz fazendo isso na televisão. Ray não entendia por que essa necessidade de fingir; não dava a mínima se ela gozava ou não com ele.

Edna saiu de cima e foi até o outro lado do quarto. Baixou a música, depois acendeu um Virginia Slims tirado de sua cigarreira de couro. A mão que segurava o isqueiro tremia um pouco, devido às bolas que ainda faziam efeito no organismo.

"Desliga de vez essa música", disse Ray. "Não agüento mais ouvir isso."

Edna desligou o aparelho de CD. Ray acompanhava

cada movimento seu e, quando se viu observada, encolheu a barriga. Além de toda aquela celulite nas pernas, Edna também estava criando barriga.

"O papai e eu temos que dar uma saída", disse Ray, sentando-se na beira da cama. Espremeu o restinho da porra do pau e limpou no lençol.

"Vai me deixar uma presença? Assim eu tenho o que fazer enquanto você está fora."

"Você acabou de fumar uma pedra inteira antes da gente foder, mulher."

"Aposto como seu pai vai deixar uma coisinha pra namorada *dele*."

"Ah, cala essa boca", disse Ray.

Edna mostrou a língua para ele, de brincadeira, depois deu uma tragada funda no cigarro. Não faria nenhum escândalo nem nada, se ele não deixasse. Ainda estava com a chave do quarto onde ficava guardada a muamba, lá no celeiro.

Earl Boone subiu o zíper da calça e olhou para a garota estendida na cama. Ela puxou o lençol até os ombros de passarinho e fixou nele aqueles seus olhos engraçados, sensuais, de cores diferentes. Ele não tinha nenhuma — como era mesmo a palavra certa? — *ilusão* a respeito da moça, longe disso. Verdade que depois de limpa, banhada e cheirosa, tinha ficado quase idêntica a qualquer outra jovem bonita que circulava pelas ruas. Mas não passava de uma viciada, Earl sabia perfeitamente disso, e se continuasse naquele ritmo, não viveria muito mais tempo. Mas que era a viciada mais bonita que ele já tinha visto, isso ela era, cacete.

"Você vai ficar bem aqui, benzinho? Porque eu e o meu garoto, a gente tem que dar um pulo na cidade."

"Vai deixar uma coisinha pra mim, não vai, Earl?"

"Claro que sim. Você sabe que eu não deixaria você na mão."

Earl terminou de se vestir. Ouviu aquela maldita música horrorosa tocando no quarto de Ray, quase pegado ao seu; escolha de Edna, claro. Odiava as novidades que aqueles rapazes metidos a bonitinho cantavam, todos eles usando chapéu fajuto de caubói, daqueles comprados em loja de departamentos, todos de jeans agarrado no corpo. Earl não conseguia entender por que alguém haveria de querer escutar aquela merda quando podia estar escutando Cash, Jones, Haggar ou Hank, gente desse naipe. Bem na hora em que achou que não suportaria nem mais um segundo, a música acabou. Imaginou que o filho também estivesse se aprontando para a última entrega que iriam fazer.

Earl pegou um pacotinho de heroína marrom do bolso do casaco e largou sobre a cômoda.

"Volto daqui a umas horas", falou.

Sondra Wilson o viu sair e fechar a porta do quarto. Tentou não olhar para o papelote sobre a cômoda. Não queria cair de boca já; queria que durasse. Mas aí começou a tremer um pouco, pensando naquilo tudo ali largado em cima do móvel. Pensou também na mãe e no irmão e começou a chorar. Não tinha certeza do porquê daquela tristeza toda. Tudo que ela queria se achava ali, a três metros de onde estava deitada.

Enxugou as lágrimas do rosto e saiu da cama. Atravessou o quarto nua.

Da janela do quarto, Edna Loomis viu pai e filho no pátio, travando uma discussão; Earl apontava para uma fileira de tocos logo no início da mata, sobre os quais Ray havia colocado latas vazias de cerveja. Ray estava com a arma na mão e Edna imaginava que estivesse se preparando para atirar nas latas sobre os tocos de árvore. Ray gostava de fazer isso antes das entregas, dizia que assim ficava "mentalmente preparado" para lidar com aqueles crioulos lá da capital. Mas Earl não gostava que Ray ficasse atirando; não apreciava a barulheira toda.

E devia ter convencido o filho a desistir, porque Ray entrou no celeiro, saiu de lá com a sacola de ginástica e enfiou a heroína no compartimento que havia por trás do pára-choque do carro. Edna enxugou seu terceiro Jack com Coca da tarde, observando o término das atividades.

Sentia-se meio gozada, um pouco grudenta, com o coração batendo rápido demais.

O barato sempre pode ser maior, porém. Quanto a isso, não resta dúvida.

Chacoalhou o gelo no copo e espremeu as últimas gotas da bebida enquanto Ray e Earl entravam no Taurus e partiam.

Edna se vestiu, enfiou a chave da porta do celeiro na calça jeans, saiu do quarto e bateu na porta de Earl, de onde aquela mulata viciada, Sondra, não saía nem a pau. Abriu a porta e entrou, ao ver que a moça não respondia.

Sondra estava sentada na beira da cama, nua, com uma gilete na mão, esticando umas carreiras de heroína sobre um peso de papel de vidro. Edna achava que nunca tinha visto ninguém tão magra em toda a sua vida, nem mesmo aquelas modelos de Nova York que apareciam na televisão. Não entendia o porquê do fascínio de Earl, mas o problema não era seu e, de qualquer maneira, não estava nem aí pra ela.

"Eu vou sair pra dar uma volta", disse Edna.

"Certo", falou Sondra, sem nem sequer erguer a cabeça.

"Estou a fim de dar uma volta bem comprida pela mata."

"Certo."

"Então tá."

Edna não sabia por que se dava ao trabalho de disfarçar com aquela ali. Saiu do quarto.

Sondra se curvou para a frente e cheirou uma carreira bem grossa de heroína. Cheirou a carreira ao lado logo em seguida.

O calor subiu quase que instantaneamente até a nuca. Espalhou-se por trás dos olhos e alcançou o alto do crânio. Depois passou para as pernas e nádegas, correndo como um líquido quente e maravilhoso pela espinha e através das veias. Os contornos do quarto se diluíram, e Sondra voltou a deitar na cama quente.

Sondra lembrou que estivera chorando momentos antes, mas não conseguiu se lembrar por quê.

Edna deu uma pancada nos bolsos da calça, ao entrar no celeiro, e atravessou o salão a passos rápidos, dirigindo-se para o quarto dos fundos. Estava com o cachimbinho de latão num dos bolsos dianteiros, a chave no outro. Tinha enfiado a cigarreira de couro com o maço de Slims e o isqueiro Bic no bolso traseiro.

Enfiou a chave na fechadura da porta de aço reforçado, destrancou a porta e acendeu as luzes. Depois de entrar, tornou a fechar a porta. Rapidinho, foi até a prateleira montada em cima do laboratório caseiro de Ray. Apanhou um frasco da prateleira e abriu a tampa. O frasco estava cheio até a boca de pedras de metanfetamina.

Edna enfiou o frasco todo no bolso da calça. Ray ainda iria demorar um pouco para voltar. Iria preparar um belo drinque e faria de fato aquela caminhada pela mata. Fumaria aquilo tudo numa festinha só *sua*. Afinal, ela merecia o agrado, vivendo o tempo todo largada daquele jeito, depois de se matar para servir Ray bem direitinho.

Edna escutou a porta da frente do celeiro abrir. Virou a cabeça, tropeçou, recuou um passo e levou um susto com a própria imagem refletida no espelho de ginástica. Olhando para o chão, viu o pedaço de carpete junto do banco de musculação e, embaixo dele, a porta do alçapão aparecendo.

Edna escutou barulho de botas pisando no assoalho do salão. Sempre fora rápida de raciocínio, a amiga Johanna lhe dizia isso o tempo todo. Pensou depressa e decidiu. Só havia uma coisa a fazer.

* * *

Ray e Earl já tinham rodado um quilômetro e meio quando Ray disse ao pai que eles tinham de voltar em casa.

"Esqueci um negócio", disse Ray.

"O quê, as suas bolas?", perguntou Earl.

"Assim eu fico mais ligado pra lidar com os pixaim."

"Se precisa tanto, então volte", falou Earl, tirando uma
Busch do isopor a seus pés. "Já eu, tudo que preciso vem
numa garrafa ou numa lata."

Ray fez a conversão e embicou o Taurus na direção
da casa.

Earl deu um tranco na janela, depois baixou o vidro
até a metade. "O tempo tá esquentando."

"Vai esfriar de novo."

"Se continuar desse jeito, aqueles cucarachos vão des-
manchar. Acho melhor você botar eles debaixo da terra na
primeira chance que der."

"O chão ainda tá muito duro, papai."

"Acho melhor você fazer isso logo, Cria."

"Eu *cuido* disso, papai."

Ray respirou fundo, se perguntando se algum dia o
pai iria parar de lhe dar ordens.

Ray atravessou o recinto do celeiro transformado em
bar com os punhos fechados. Precisava se acalmar, mas
era muito difícil isso, tendo que tomar conta de toda aquela gente, e dos negócios, e, além de tudo, ainda ter que
ficar agüentando bosta do velho. Suspendeu uma das chaves da argola no cinto e encaixou-a na fechadura da porta dos fundos.

A fechadura já tinha sido aberta. Ele estendeu a mão
para a maçaneta. Cacete, a porta já estava aberta.

"Edna", disse Ray, balançando a cabeça, porque sabia
que só poderia ser obra dela; de alguma maneira, Edna

conseguira obter uma cópia da sua chave. Não havia mais ninguém burro o bastante para desafiá-lo daquele jeito.

Ray foi até a prateleira e pegou suas cápsulas de metedrina. Enfiou o vidrinho no bolso do jeans. Passou o olho pelo local: o outro vidrinho, o que tinha as pedras, sumira. Edna devia estar no meio do mato, fumando tudo de uma vez só, vaca gulosa que ela era. Sabia que não tinha saído de carro porque a F-150 continuava parada no pátio.

Ao ouvir a buzina do carro, Ray voltou a cabeça para a porta. Seu pai estava aprontando um escarcéu danado para lhe dizer que estava na hora de ir.

Ray olhou em volta do aposento. Havia algo errado, ali... Cacete, ainda bem que ele sacou logo o que era, o pedaço de carpete não estava cobrindo a porta do alçapão. Devia ter saído fora do lugar devido a toda aquela atividade que tinham tido por ali, com a história dos colombianos, coisa e tal. Mesmo assim, pensou Ray, enquanto afastava o carpete e erguia a portinhola, prendendo a respiração para não aspirar aquele cheiro conhecido, não faria mal a ninguém dar uma conferida.

Olhou para baixo da escada de madeira que levava ao túnel. As luzes estavam acesas, lá embaixo, mas isso não significava nada porque elas acendiam quando alguém ligava o interruptor principal.

Earl mandou ver na buzina novamente.

"Tá bom!", berrou Ray, embora seu pai não tivesse como escutá-lo.

Ray fechou a porta do alçapão, pôs o pedaço de carpete por cima e arrastou o banco de musculação mais para perto. Agora o banco estava bem em cima da portinhola.

Apagou as luzes antes de trancar de novo a porta pelo lado de fora. Não sentia nenhum prazer especial em machucar Edna. Mas sem sombra de dúvida iria lhe dar uma bela de uma sova quando voltasse para casa.

Edna não sentiu medo, não de verdade. Nem mesmo depois de Ray desligar as luzes lá de baixo, porque nunca tivera medo do escuro. Ficou sentada no chão de terra batida, na maior paciência, esperando até ter certeza de que Ray tinha ido mesmo embora, e, quando se deu por satisfeita, meio que engatinhou em volta durante um tempinho até encontrar a escada e subir.

A porta do alçapão não se mexeu. Ray tinha posto algo por cima. Edna não se surpreendeu. Desceu outra vez a escada e sentou, para se dar um tempo e pensar.

Já tinha visto o suficiente do túnel, enquanto as luzes estavam acesas, para saber que ele continuava em linha reta por mais uns cinqüenta metros, mais ou menos, e que depois virava para a direita. Era um buraco estreito, na verdade, e ela teria de seguir por ele feito um cachorro, de quatro, mas, de resto, não havia surpresa nenhuma ali; *ele seguia reto e depois virava à direita.*

Edna não tinha a menor dúvida de que Ray e Earl haviam feito algum tipo de abertura no fim do túnel, uma forma de escapar para dentro da mata e fugir de todos aqueles rapazes imaginários do FBI e do ATF, que regulam o uso de álcool, tabaco e armas de fogo. Nem mesmo Ray seria burro o suficiente para se dar ao trabalho de cavar um túnel sem providenciar uma saída na outra ponta.

Havia um cheiro de animal morto lá embaixo. Ray dizia que havia cobras dentro do túnel, mas ela também não tinha medo de cobra, não. Já perdera a conta de quantas cobras pretas matara com o ancinho, crescendo ali na região. Talvez fossem ratos. Ratos, porém, nada mais eram do que camundongos crescidos. *Alguma coisa* tinha batido as botas lá embaixo, quanto a isso não havia dúvida, quem sabe um daqueles gatos meio selvagens que viviam rondando o celeiro. Ela conhecia o cheiro.

De todo modo, se por acaso perdesse a direção ou coisa parecida, engatinhando por ali, usaria o isqueiro que tinha no bolso. Ainda bem que estava com ele na mão. E com as drogas.

Edna estava com uma dor de cabeça tremenda. E parecia estar piorando. Achou o vidrinho com a metanfetamina, o isqueiro e o cachimbo. Acendeu o isqueiro para poder encher o cachimbo. Um rebitezinho lhe daria gás suficiente para sair daquele buraco rapidinho, sem erros.

Fumou as pedras, tossiu feito uma louca na última tragada e deixou que a chama se apagasse. Começou a sentir o barato. De início foi um barato gostoso. Depois foi violento e trouxe calafrios. Percebeu que talvez tivesse fumado demais. O espaço parecia muito pequeno e, pela primeira vez, sentiu medo, embora não tivesse certeza do quê. Queria sair dali.

Repôs tudo nos bolsos, exceto o isqueiro. As mãos tremiam e ela tinha muita pressa. Acendeu de novo o isqueiro, olhou para a frente e começou a engatinhar.

Era possível escutar o ruído da própria respiração, enquanto avançava. Começou a cantarolar, achando que isso pudesse acalmá-la, mas só sentiu mais medo ainda. Parou com a cantoria e continuou engatinhando. A cabeça martelava e doía muitíssimo. Passou a engatinhar com uma rapidez surpreendente, e estava fazendo um bom progresso.

"Merda!", ela disse quando a cabeça bateu num muro de terra.

Estou no fim da primeira reta, agora, pensou, tateando, virando para a direita e descobrindo mais espaço. O cheiro estava pavoroso, àquela altura, e lhe dando ânsia de vômito, mas Edna continuou a engatinhar. Estava tonta e entrou em pânico ao pensar que talvez estivesse ficando sem ar.

Teve mais um acesso de ânsia com o fedor horroroso, escutou uma espécie de ruído arranhado, fez um esforço enorme para inspirar mais ar, enquanto avançava, tocou em algo mole e contornou uma outra coisa que estava fria e dura.

Ergueu o isqueiro a sua frente e acendeu. Diante dela havia dois cadáveres cobertos de vermes.

"Aah!", ela berrou. "Ai, Deus, Ray, Deus meu, Ray, *Deus!*"

Recuou, deixando o isqueiro escapar de suas mãos. Edna caiu para a frente, de barriga no chão. Enterrou as unhas na terra fria. Mas estava zonza demais para se mexer, e a impressão é que sua cabeça fora rachada ao meio por uma machadinha. Vomitou na escuridão do túnel e pôs a cabeça no chão, sentindo a quentura do próprio vômito no rosto. Os olhos estavam fixos e vidrados, e a língua escorregou para fora da boca escancarada.

28

"Olha eles saindo", disse Strange, vigiando através da lente da Canon AE-1.

"Eles não ficaram muito tempo lá dentro", disse Quinn.

"Passaram só pra deixar a mercadoria, imagino. Agora vão buscar a grana deles. Capiau bem filho-da-puta, tanto um quanto outro."

"O baixinho tá de salto alto. Sacou?"

"É como eu sempre digo, são os baixinhos que precisam provar seu valor. É neles que a gente tem que ficar de olho."

Strange e Quinn estavam num Lumina alugado, a dois quarteirões a oeste do Lixão. Estavam ali fazia várias horas, e Strange aproveitara para pôr Quinn a par de tudo o que descobrira no dia anterior.

Viram quando Ray e Earl Boone saíram da garagem, atravessaram a rua e se dirigiram para a casa geminada onde Cherokee Coleman tinha escritório. Ray e Earl falaram muito rapidamente com dois jovens carrancudos, que os acompanharam até os degraus e pela porta da frente.

"Estão com a escolta real", falou Quinn. "Quantas armas será que nós temos hoje aqui nesta rua?"

"Eles não passam de garotos."

"Tão mortíferos quanto todos os demais. Qualquer um sabe apertar o gatilho de uma arma."

"Só que eles não precisavam ficar por aqui pela rua. Eles acham que sim, mas não precisavam. No entanto, ligam a televisão, vêem o quanto todo mundo tem, o que eles supostamente deveriam ter, e também querem. Agora, como é que vão conseguir tudo o que eles vêem, Terry?"

"Trabalhando?"

"Qual é, cara, você é capaz de dar uma resposta mais inteligente que essa. O acaso e acidentes de percurso fizeram com que esses garotos viessem ao mundo num determinado tipo de lugar. Nascendo onde nasceram, e aprendendo com a garotada mais velha em volta — e que na maioria das vezes é o único exemplo disponível —, eles já estão com o destino traçado faz muito tempo, pelo menos uma boa parcela deles já está."

"Concordo com você nesse aspecto. Mas o que você faria com a situação agora?"

"Duas coisas. Primeiro, eu legalizaria as drogas. Eu tiraria fora aquilo pelo que todos brigam porque, em si mesma, a coisa não tem o menor sentido, de qualquer forma. A droga é muito parecida com aqueles famosos MacGuffins dos filmes do Hitchcock — meros macetes pra levar a trama adiante e manter o suspense. A legalização funciona em alguns países europeus, não funciona? A gente não vê esse tipo de crime por lá. Sem esquecer que, quando a Lei Seca foi revogada, a violência diminuiu um bocado por aqui, é ou não é?"

"Certo. E qual é a segunda coisa?"

"Proibir armas de fogo no país inteiro. Depois de uma moratória e de um período de graça, eu imporia sentenças automáticas para qualquer um que fosse pego portando uma arma de fogo. Uma pistola não serve pra nada, a não ser pra matar outros seres humanos, cara."

"Você não é a primeira pessoa que pensou nessas duas coisas. Então por que ninguém fala sobre elas a sério, pra valer mesmo?"

"Porque você pode juntar todos os políticos do país debaixo de um único teto que não vai encontrar um só com colhões suficientes. Mesmo os que sabem o que tem de ser feito, mesmo esses sacam que se por acaso resolverem se pronunciar a favor da legalização das drogas e da proibição das armas de fogo, terão colocado um ponto final nas suas carreiras políticas. E o restante está nos bolsos do lobby das armas. Nesse meio tempo, quase metade dos jovens negros desta cidade está presa ou detida."

"Você quer dizer que é uma questão de raça?"

"Estou lhe dizendo que é uma questão de dinheiro. Nós temos duas sociedades distintas neste país. E o fosso entre os que têm e os que não têm está aumentando a cada dia que passa. E o mais frustrante de tudo é que..."

"Ninguém nem se toca", disse Quinn.

"Não é bem assim. Tem muita gente com ótimas intenções, e as ruas estão cheias de ativistas e de grupos religiosos trabalhando em prol da comunidade, tentando melhorar as coisas, acredite. Mas isso só não basta. Para ser mais exato, tem gente que se toca sim, só que a maioria das pessoas se toca com as coisas erradas. Caso contrário, por que um cretino de um disc-jockey racista iria parar nas primeiras páginas dos jornais e encabeçar os telejornais durante semanas a fio, enquanto a morte de *crianças* negras, meros adolescentes, fica soterrada no meio das páginas do noticiário local? Por que minha própria gente escreve ano após ano nas colunas do *Washington Post*, reclamando que os atores negros não são indicados para o Oscar, quando na verdade deveriam estar escrevendo todo maldito dia sobre as escolas fodidas desta cidade, sobre a falta de material escolar, sobre telhados com goteiras e livros didáticos de quinze anos atrás? Tem criança que vai pra escola com medo do que rola nas ruas nesta nossa cidade, e, depois, chegando lá, tem um único guarda pra cuidar da segurança de quinhentos alunos. Quantos guarda-costas você acha que o prefeito tem, hein?"

"Eu não sei, Derek. Quantos, me diga?"

"Estou apenas demonstrando um fato."

"Você tem é que relaxar. Um cara assim da sua idade pode até ter um ataque cardíaco..."

"Ah, vai se *foder*, cara."

Um quarteirão adiante, uma viatura da polícia, um

Crown Victoria, virou a esquina, na direção leste, passando devagarzinho pelo Lixão.

"Aquele lá é o nosso amigo?"

"Tudo indica que sim", disse Strange, franzindo os olhos. "E não tem nada que eu odeie mais nesta vida do que um policial corrupto."

"O que você apurou?"

"Eu só peguei as fotos de volta ontem à noite." Strange lembrou do pacote de fotos que Janine havia deixado sobre sua mesa e alguma coisa se remexeu na memória.

"Vai conferir o número da viatura?"

"Pedi pra um amigo fazer esse serviço."

"Acho melhor a gente dar o fora daqui", disse Quinn. "Ele vai dar a volta no quarteirão, eu imagino."

"Estava pensando a mesma coisa que você. E aqueles capiaus, a hora que saírem de lá, é muito provável que voltem pelo mesmo caminho que vieram."

"Eu iria pra North Capitol e esperaria por eles lá."

Strange ligou o Chevrolet e disse: "Certo".

Quinn tomou um gole do café na caneca da garrafa térmica olhando fixo pelo vidro do pára-brisa. Strange destampou uma garrafa de água mineral e tomou um bom gole no gargalo mesmo.

"Eu e a Juana", falou Quinn. "A gente terminou."

"Como é que é?" Strange estava distraído, pensando em Janine e Lionel.

"Eu disse que eu e a Juana terminamos."

"Pô, mas que pena, cara."

"Ela me disse que eu era muito intenso."

"Imagine só, não sei por que ela foi achar uma coisa dessas." Strange mudou de posição, atrás do volante. "É um equívoco muito sério, deixar uma jovem tão bacana quanto ela escapar assim desse jeito. O rompimento teve algo a ver com a diferença de cor?"

"Teve." Quinn tentou um sorriso. "De toda forma, como meu velho costumava dizer, as mulheres são como os bondes: você perde uma e outra aparece, mais cedo ou mais tarde. Certo?"

"A frase é boa. E você tá fazendo um esforço enorme pra não dar o braço a torcer, mas a verdade é que a gente não vê muitos bondes parecidos com a Juana rodando pela rua. E também não encontra muitos com um coração do tamanho do dela."

"Eu sei disso." Quinn olhou para Strange, a seu lado. "E já que você está me concedendo o benefício de uma vida inteira de sabedoria..."

"Manda brasa."

"Quando é que você vai se casar com a Janine?"

"Casar com ela? Porra, Terry, eu já passei faz tempo da idade de pensar em me casar com alguém." Strange tornou a tampar a garrafa de água e olhou para o colo. "De todo modo, ela merece alguém melhor do que eu. Mas obrigado pelo conselho, tá?"

"Só estava tentando ajudar."

"Quer dizer então que você tem um pai. Sabe que essa foi uma das primeiras vezes que você mencionou algo da sua vida particular comigo? Ele ainda é vivo?"

"Meu pai e minha mãe estão ambos mortos. E tenho um irmão em San Francisco que raramente vejo. E você?"

"Só sobrou minha mãe, agora."

"Não tem irmãos?"

"Eu tinha um irmão. Morreu faz trinta e um anos."

"Mais ou menos na mesma época em que você saiu da polícia, então."

"Exato", e Strange não disse mais nada depois disso.

"Lá vêm eles", disse Quinn, na hora em que o Ford Taurus apareceu, vindo do leste.

"Nhô Totico e o Filho do Nhô Totico."

"Tá com o tanque cheio?"

"Completo."

"De fato eles não parecem ser exatamente das redondezas", disse Quinn. "Estou com a impressão de que temos uma longa viagem pela frente."

Saíram da cidade pelo rodoanel, depois pegaram a 270 na direção norte. O Taurus, um carro sob todos os aspectos normal, tinha o mesmo estilo básico de carroceria de mais da metade dos outros carros na estrada. O motorista do Taurus rodava no limite da velocidade permitida e Strange permanecia dez carros atrás, sem se preocupar em disfarçar sua presença. O trânsito pesado se encarregava de lhes dar cobertura.

"Você não tem um daqueles aparelhinhos de localização nesta coisa, não?", perguntou Quinn.

"Claro. Mas espera um pouquinho que antes eu vou botar os dois no meu Batmonitor."

"E eu aqui achando que você tinha um pouco de tudo. Aquela coisarada toda que você pendura na cinta, o binóculo pra visão noturna que você guarda na sacola aí atrás, essa parafernália toda, de onde é que vem? Daqueles sorteios das caixinhas de cereal matinal, é?"

"Vê se não fica tirando sarro dos meus DVNS, cara."

"Que é que a gente vai fazer, chegando lá?"

"Eu nem sei pra onde eles tão indo, mas é lá que nós vamos encontrar a irmã de Chris Wilson."

"Isso segundo informações de um viciado dedo-duro."

"Quem não tem cão, caça com gato."

O trânsito foi amainando à medida que os motoristas foram abandonando a auto-estrada nas saídas para Gaithersburg, Germantown e Darnestown, as fímbrias mais recônditas da megalópole em que se transformara a cidade de Washington, D. C. Strange deu uma diminuída e aumentou a distância entre o Lumina e o Taurus. Quinze quilômetros mais adiante viu o pisca do Ford à frente acender, dando sinal de que iria entrar à direita. Strange pegou a rampa de saída e manteve o carro na mira.

* * *

"Nós perdemos os dois?", Quinn perguntou.

"Acho que não", Strange respondeu. Estavam numa curva comprida que passava por campo aberto e, depois, por uma mata cerrada. Quando saíram da curva e pegaram a reta, o Taurus estava lá adiante. O motorista havia parado o carro numa espécie de porteira no começo de uma trilha de cascalho que cortava a mata.

"Continua reto", disse Quinn. "Não diminua nem nada."

"Por acaso eu levo jeito pra Danny Glover, é? Desde quando eu pareço o neguinho preferido da América branca, cara? Sou eu que *comando* esta investigação, Terry, caso você tenha se esquecido do fato."

"Passa reto por eles", Quinn repetiu. "Acelera, cara."

"Que *cazzo* você achou que eu *ia* fazer, me diga?"

Passaram feito um rojão pelo Taurus. O mais baixo da dupla, parado no portão de madeira, enfiando uma chave no cadeado, levantou a vista quando passaram, lançando para o carro deles um olhar duro, sem foco.

"O garoto é vesgo", disse Quinn. "Você viu isso?"

"Ahã. Reparei quando fiquei acompanhando eles com a câmera. O mais velho também tem o mesmo tipo de olhar. Deve ser o pai dele, certo?"

Estavam numa outra curva comprida, margeando mais um pedaço da mata. Strange parou no acostamento, desligou o motor e pegou a sacola do banco traseiro.

"Vambora", disse ele.

Entraram na mata densa, composta sobretudo de carvalhos e pinheiros, logo além de uma placa de Entrada Proibida, pregada numa árvore e salpicada de chumbo de caça.

Quinn disse "Por aqui", e apontou no sentido nordeste. Parecia haver uma espécie de trilha ali, e eles seguiram por ela.

"Pelo visto tem uma clareira mais adiante", disse Strange.

"Estou vendo. Mas não vai dar pra chegar muito perto deles, se é ali que eles estão. Nesta época do ano, as árvores estão peladas. Não temos cobertura."

"Certo."

"E vê se presta atenção onde enfia os pés. Melhor não ficar estralando muito graveto porque o som chega longe, em campo aberto assim. Aqui as coisas são meio diferentes da cidade, Danny. Opa, digo *Derek.*"

"Muito engraçado", disse Strange.

Quinn olhou por cima do ombro e, com a palma da mão, fez sinal de parar. Ambos estancaram na hora. Quinn olhou em volta e indicou com o queixo um carvalho próximo, com um tablado colocado sobre os galhos mais baixos, feito para tocaiar a caça. Apontou para a árvore, e Strange meneou a cabeça, concordando.

Quinn subiu primeiro, usando a escadinha de blocos de madeira que havia sido pregada no tronco da árvore. Strange jogou a sacola para Quinn e subiu em seguida. A plataforma era estreita e se moveu um pouco, com o peso dos dois.

"Será que isto aqui agüenta?", disse Strange, em voz baixa.

"Uma hora a gente descobre."

Através das árvores, enxergaram uma clareira a cerca de cento e cinqüenta metros de onde estavam. Puderam ver pai e filho saindo do Ford, estacionado entre uma caminhonete e uma motocicleta, no pátio atulhado de cacarecos. Mais adiante, havia um celeiro amplo, com uma casa mambembe do lado. Strange espiou através das lentes da Canon e bateu fotos do filho tirando uma sacola do porta-malas.

"Não consigo ver nada", disse Quinn. "Minha vista já não é mais a mesma, cara."

"Tem um par de binóculos de longo alcance na sacola. Sirva-se."

Quinn sacou o binóculo lá de dentro e ajustou-o no nariz e nos olhos.

Os dois estavam indo na direção da casa; o filho, que levava uma sacola de ginástica, olhou uma única vez na direção da mata, depois ambos cruzaram o pórtico descambado para o lado e entraram.

Strange franziu os olhos. "Ela deve estar lá dentro."

Esperaram, escutando o grito dos corvos, os estalos dos gravetos, o vento movendo o topo das árvores altas. Esquilos corriam atrás uns dos outros nos galhos mais elevados dos carvalhos. Esperaram um pouco mais, sem dizer palavra. Uma corça passou correndo pelo mato, bem embaixo deles, e sumiu atrás de um morro que havia a oeste do ponto onde estavam.

"Lá vêm eles", disse Strange.

Os dois homens saíram da casa. Sondra Wilson estava ao lado do pai.

"É ela", disse Strange.

O pai pegou-a pelo braço, quando foram descer os degraus do pórtico. Mesmo daquela distância, Strange viu que ela estava perto da morte. Por baixo do casaco que usava, os ombros eram um par de lâminas afiadas e os olhos, buracos por cima da face encovada.

Agora estavam todos parados no pátio, e o filho gesticulava feito um doido na direção da mata, a ira na voz correndo por entre as árvores e alcançando Quinn e Strange. O mais velho falava com o filho em voz baixa, tentando acalmá-lo. Dali a instantes o filho agarrou o braço de Sondra Wilson e sacudiu-a violentamente. A cabeça da moça meio que descambou para cima do ombro, e foi então que o pai avançou três passos e deu um soco no peito do filho, que caiu estatelado no cascalho.

O filho se levantou devagar, sem dizer uma palavra e também sem olhar mais para o pai ou para Sondra. O pai pegou Sondra com delicadeza e voltou com ela para dentro da casa.

O filho esperou até que tivessem entrado. Depois tirou uma arma de dentro da jaqueta e começou a atirar na direção da linha das árvores. O rosto estava retorcido numa

292

expressão que misturava careta e sorriso. Strange piscava mais forte a cada tiro, cujo som ricocheteava pela mata.

"Que porra foi essa que a gente acabou de presenciar?", disse Quinn.

De novo, a cabeça de Strange estava no pacote de fotos sobre sua mesa. Imaginou-se outra vez no quarto de Chris Wilson e reviu todos os objetos sobre a cômoda e dentro da caixa de charutos. Viu a si mesmo conversando com a mãe de Wilson, as fotos penduradas na parede, *uma foto...*

"Derek?"

"Desculpa, cara. Eu estava pensando numa coisa."

"No quê?"

"Wilson tinha um recibo de uma loja Safeway na cômoda do quarto. E havia uma máquina fotográfica ali em cima também."

"O que significa que ele mandou revelar algumas fotos que nunca chegou a ir pegar, é isso?"

"Ahã. Além do mais, se estivesse tentando descobrir o paradeiro da irmã... e se nós estivermos na pista certa, então é muito provável que haja algum tipo de documentação referente às investigações que andava fazendo. E começo a achar que talvez eu saiba onde está tudo isso."

"E o que estamos esperando?"

"O problema é que não me agrada nem um pouco a idéia de deixar a menina ali sozinha com eles", disse Strange. "Você deu uma olhada nela, cara; a garota não tem mais muito tempo."

"Não vai dar pra fazer nada, hoje. Não a menos que você queira puxar da cintura essa sua faca Buck e partir pra cima do cara armado com a automática."

"Você tem razão. Mas eu vou voltar."

29

Strange tirou a fotografia de Larry Brown e do jovem Chris Wilson da parede e pôs sobre a cama do rapaz. Como suspeitava, a moldura encobria uma espécie de buraco. Dentro dele havia um bloco pequeno de notas, enfiado entre lascas de compensado e coberto por uma grossa camada de poeira. O buraco era suficiente para acomodar apenas o bloquinho; parecia ter sido aberto pelo próprio Wilson.

Leona Wilson havia lhe contado que Chris tinha ficado visivelmente irritado no dia em que ela fora endireitar a foto. Por tudo que Strange já tinha escutado, Chris Wilson parecia ser do tipo de jovem que precisaria de um motivo muito bom para erguer a voz contra a própria mãe. Qualquer que tivesse sido a descoberta de Wilson — e Strange tinha certeza de que ela estaria refletida no bloco de notas —, ele escondera da mãe, da namorada e da polícia.

Strange enfiou o bloco na sacola, junto com o recibo dos supermercados Safeway. Era da loja de Piney Branch Road, em Takoma, D. C., perto da igreja que ele freqüentava.

Na sala de estar, Leona Wilson espiava por uma fresta na cortina o Lumina estacionado na rua. Ela soltou a cortina e virou, quando Strange entrou.

"Encontrou o que estava procurando?"

"Encontrei."

"Então está fazendo progressos."

"Estou, sim." Strange pendurou a sacola no ombro. "Senhora Wilson?"

"Sim?"

"Acho que localizei a sua filha."

Os lábios de Leona Wilson estremeceram e se abriram num sorriso. "Muito obrigada. Obrigada, Senhor." Depois esfregou as mãos diante da cintura. "Ela está... como ela está de saúde?"

"Ela vai precisar de ajuda, senhora Wilson. Ajuda profissional para tirá-la da enrascada em que se meteu. Acho melhor a senhora... a senhora *precisa* começar a procurar ajuda já. Existem programas e clínicas; a igreja pode lhe dar uma lista das instituições. Precisa organizar isso tudo *agora*, a senhora está me entendendo? Hoje mesmo."

"Por quê?"

"Porque estou planejando trazer a Sondra para casa."

Strange caminhou na direção da porta.

Leona Wilson disse: "Quem é aquele rapaz branco que está no carro aí na frente? Infelizmente só consigo enxergar a cor dele, sem os óculos".

"Um investigador independente que está me ajudando."

"Ele está ajudando o senhor neste caso meu?"

"Ahã." Strange abriu a porta.

"Senhor Strange..."

"Eu sei. Estou só fazendo o que a senhora me pagou pra fazer, senhora Wilson. Não se esqueça de que *vai* receber a conta."

"Vou rezar pelo senhor este domingo, senhor Strange."

"Reze mesmo."

Saiu e ficou alguns momentos parado no pórtico de concreto. Ele tinha prometido algo para aquela mulher e agora era melhor cumprir.

"Eu vi a mãe do Wilson me olhando por trás das cortinas", disse Quinn. "Ela me reconheceu?"

"Ela não reconheceria nem o próprio rosto no espelho sem óculos", disse Strange. Ultrapassou o finalzinho de um amarelo na Georgia e pegou o vermelho já no meio do cruzamento.

"Eu fui ao enterro do Chris Wilson. Já lhe contei isso?"

"Não."

"O boato deve ter se espalhado entre os parentes, de que eu estava lá. Aliás, eram pouquíssimos os brancos presentes, a não ser por alguns policiais. Bom, mas como eu ia dizendo, os olhos da mãe dele me acharam no meio daquela gente toda — ela estava usando óculos *naquele* dia — e eu a cumprimentei de cabeça. Ela me deu uma olhada gelada..."

"E você esperava o quê?"

"Eu não estava esperando nada, não exatamente. Estava imaginando que pudesse acontecer alguma coisa, só isso. Mas acho que eu não devia nem ter imaginado essa possibilidade."

Strange não sentiu necessidade de responder. Cruzou a Buchanan e continuou indo no rumo norte.

"Ei", disse Quinn, "a sua casa ficou pra trás."

"Vou deixar você em casa, Terry. Quando chego assim perto, tenho que dar os retoques finais completamente sozinho."

"Você não vai me cortar bem agora, vai?"

Strange disse: "Eu ligo pra você mais tarde".

Depois de ter deixado Quinn em casa, Strange foi até o Safeway da Piney Branch. Quando a mulher atrás do balcão lhe entregou o pacote de fotos, ela disse: "Isto está aqui já faz um tempão, senhor Wilson". E Strange disse: "Obrigado por ter guardado até agora".

Voltou até a locadora de veículos na Georgia, devolveu o Lumina e pegou seu Caprice, que havia deixado no estacionamento da loja. Chegando em casa, deu comida para Greco, tomou um banho, vestiu um abrigo, foi para seu escritório e sentou-se à escrivaninha. Havia um recado de Lydell Blue na secretária. Os números da viatura fotografada eram os mesmos de um Crown Victoria dirigido por um policial da ronda de nome Adonis Delgado. Strange anotou o nome de Delgado.

Depois ajustou a luminária de mesa e examinou as fotos que fora pegar no Safeway. Na metade do bolo, seu coração deu um salto. Exclamou "cacete", e repetiu mais algumas vezes a expressão enquanto olhava o resto. Abriu o bloco de notas e leu as dez páginas no estilo relatório ali registradas, detalhando por data, hora e local o progresso das investigações de Chris Wilson. Strange estendeu a mão, pegou o telefone, tirou do gancho, depois pôs no lugar de novo. Dentro de um envelope, no armário de arquivo, encontrou a fita com a conversa que havia gravado. Ouviu a fita toda. Voltou até os trechos que o interessavam e escutou essas passagens mais duas vezes.

Depois recostou na cadeira. Baixou a mão e fez um afago na cabeça de Greco. Cruzou os braços e fitou o teto. Passou o dedo na poeira que se acomodara sobre a mesa. Soltou o ar devagar, pôs o corpo para a frente e puxou o telefone mais para perto. Discou um número e, no terceiro toque, uma voz atendeu do outro lado da linha.

"Alô."

"Aqui é o Derek. Está lembrado de qual casa é a minha?"

"Claro."

"Acho melhor você dar um pulo até aqui, cara."

"Estou indo", disse Quinn.

Cherokee Coleman desligou o celular e colocou-o sobre o mata-borrão verde que tinha sobre a mesa. "Eles estão aqui."

Angelo Fodão ajustou os óculos escuros para que ficassem mais na ponta do nariz. "Estamos prontos para eles encerrarem essa história toda?"

"Amanhã à noite. Estamos vendendo a muamba mais rápido do que eu imaginava. Vamos mandar os rapazes pegar o último carregamento lá na Merdolândia. E trazer de volta a nossa grana, também. O negócio é acabar logo com a raça daqueles filhos-da-puta e dizer pros nossos irmãos colombianos que já vingamos a morte do pessoal deles. Continuar na boa com eles e ir ganhando o nosso aqui. Agora, o que eu gostaria mesmo era de ver a cara da polícia lá da Comarca do Jeca quando descobrirem o monte de presuntos. Pô, já pensou? Todo mundo coçando a cabeça, tentando descobrir que porra que aconteceu lá."

"Deixa que Deus cuida deles."

Coleman ergueu os olhos. "Taí um bom nome pro próximo carregamento, Angie."

"A gente já usou, cara."

"Fodido na capital?"

"Até que não é mau."

Coleman se levantou e foi até a janela do escritório. Dois homens saltaram de um Maxima preto e foram rodeados por vários homens mais jovens.

"O Delgado tá de carro novinho", disse Coleman. "E com umas rodas bem legais."

"Ele só quer o que a gente tem", disse Angelo.

"E que continue querendo. O querer é que faz este mundo girar, mano."

"E o parceiro dele, que tal?"

"O garoto é *cheio* de dentes."

"Ih-rá", disse Angelo, relinchando feito um cavalo e usando o pé, que ele arrastou da frente para trás no chão, para contar até três.

Coleman e Angelo ainda estavam rindo quando os dois entraram na sala.

"Qual é a graça?", perguntou Delgado.

"Nada não. Era só o Angelo aqui, me contando uma piada", disse Coleman.

"Como vão as coisas, Dentuço?", Angelo Fodão perguntou para o segundo homem.

"Eu já falei que não é pra me chamar assim. Meu nome é Eugene Franklin, compreendeu?"

30

Quinn estava sentado numa cadeira de espaldar reto na sala de estar de Strange, com o bloco de notas e uma garrafa vazia de cerveja a seus pés, e o pacote de fotos agarrado na mão. Nesse pacote havia duas fotos de Eugene Franklin e Adonis Delgado vestidos à paisana, andando do carro particular de Eugene para a casa geminada onde funcionava o escritório de Cherokee Coleman. Quinn ainda não havia lido o registro do bloco de notas, mas Strange já lhe passara os detalhes pertinentes.

"Quer mais uma cerveja?", perguntou Strange, sentado num sofá já meio gasto.

"Não. Acho melhor não."

Os olhos de Quinn estavam esbugalhados no rosto pálido, e os músculos do maxilar, travados sob a pele retesada.

"Toca a fita de novo. A parte do Eugene lá no Erika's."

Strange tocou a fita. A voz de Eugene preencheu o silêncio da sala. *Eu vi pra onde a arma do Wilson tava apontada. A intenção era óbvia, deu pra ver no olhar dele. E eu não tenho a menor dúvida, se o Terry não tivesse atirado nele, ele teria atirado em mim.*"

Strange apertou o botão e parou o minigravador.

"Ele teria atirado em *mim*", disse Strange. "O Franklin escorregou bem aí."

Quinn meneava a cabeça, sem conseguir entender, olhando para o gravador. "Põe a outra fita pra mim. A da primeira conversa que nós tivemos, lá no local da ocorrência, na D Street."

"Mas a gente já escutou uma vez."

"Repete", disse Quinn.

Strange trocou de fita. E voltou ao trecho que ele sabia ser o que Quinn queria ouvir.

Strange: *"E o que você fez em seguida?"*.

Quinn: *"Apontei pro agressor. Gritei pra ele largar a arma dele e deitar de cara virada pro chão. Ele gritou alguma coisa de volta. Não dava pra ouvir o que ele dizia porque o Eugene também tinha começado a gritar as mesmas coisas que eu..."*.

Strange parou a fita. "Seu parceiro estava *gritando as mesmas coisas que você* porque ele não queria que você escutasse o que Wilson estava falando e não queria que você soubesse que Wilson era policial."

"Toca o outro trecho", disse Quinn.

Strange: *"O que houve quando ele olhou pra você, Quinn?"*.

Quinn: *"Foi por um instante, apenas, nem isso. Ele me olhou, depois olhou pro Gene, e passou um treco ruim pela cabeça dele. Nunca vou esquecer disso. Ele estava bravo conosco, comigo e com o Gene. Estava mais do que bravo; a fisionomia dele se transformou, parecia o rosto de um matador. Ele virou a arma na nossa direção e então..."*.

Strange: *"Ele apontou a arma pra vocês?"*.

Quinn: *"Não diretamente. Ele estava balançando a arma pra lá e pra cá, como eu disse. Eu vi a boca do cano passando por mim, o cara tava com aquela expressão no rosto... Na minha cabeça, não havia a menor dúvida... Eu sabia... Eu sabia que ele ia puxar o gatilho. O Eugene gritou meu nome e eu disparei"*.

"Já deu", disse Quinn.

Strange parou o gravador.

"Do jeito que eu vejo as coisas", disse Strange, falando baixinho, "o que houve foi o seguinte. Naquela noite, quem estava no volante era o seu parceiro. E não foi por acaso que vocês toparam com o Chris Wilson. O Franklin virou na D Street porque já estava tudo armado. Ele sabia que o Kane iria atrair o Chris Wilson pra lá. E também sabia que não seria preciso muito esforço por parte do Kane pra fazer o outro puxar a arma."

"Nem pra eu disparar a minha", completou Quinn.

"Talvez. O fato é que seu parceiro estava envolvido. Temos as fotos e o bloco de notas de Chris Wilson. Aquele jovem fez um excelente trabalho policial, montando o caso todo. As fitas que eu gravei corroboram..."

"A verdade é que eu simplesmente não tenho vontade de acreditar, Derek."

"Então acredite nas suas próprias palavras. 'Ele me olhou, *depois olhou pro Gene*, e passou um treco ruim pela cabeça dele'. 'A fisionomia dele se transformou, parecia o rosto de um matador', quando ele viu Eugene. As suas palavras foram exatamente estas: 'Eu vi a boca do cano passando por mim'. Chris Wilson não queria acertar *você*, Terry. Ele apontou a arma dele pra um policial corrupto. Um policial vendido, de rabo preso com o traficante que tinha levado a irmã dele pra sarjeta. Será que dá pra entender o que eu tô dizendo?"

"Dá", disse Quinn, fixando o olhar no assoalho.

"Muito bem, então. Agora me diga, quem é esse Adonis Delgado?"

"Um cara enfezado, metido a valentão. Ele tava lá no Erika's, no dia em que a gente foi conversar com o Eugene."

"Um todo musculoso, feio que só vendo, com um nariz achatado?"

"O próprio."

"Foi o que tentou me aporrinhar no banheiro. Quis me dar algum recado, imagino."

"Do Eugene", murmurou Quinn.

"Justamente, meu caro, do *Eugene*."

Quinn levantou da cadeira. Pegou o blusão de couro que havia pendurado no espaldar e vestiu.

"Onde é que *você* vai?"

"Tirar o resto da história a limpo."

"Precisa de ajuda?"

"Deixa que isso fica por minha conta." E, virando, Quinn abriu a porta da frente. "Mas espera um pouco, antes de ir pra cama."

"Quer dizer que eu ainda vou ver você de novo hoje?"

"Vai. E eu vou lhe trazer um presente."

Eugene Franklin tinha um apartamento de quarto e sala num edifício da Maine Avenue, na calçada oposta à que dava frente para o canal. E, como grande parte dos policiais solteiros, Franklin o considerava apenas um lugar para comer, dormir e ver televisão. Esparsamente mobiliada, a sala de estar contava com um sofá e uma poltrona diante de um aparelho de televisão; havia ainda uma mesinha de centro e outra de canto, ao lado do sofá, completamente vazia, a não ser pelo telefone plantado em cima. Franklin atendeu no primeiro toque.

"Sim?"

"Gene, é o Terry, cara. Estou aqui na porta da frente, no seu saguão."

"Terry..."

"Me abra a porta, cara. Tem uma coisa que eu preciso conversar com você."

Franklin apertou um botão no telefone. Levantou-se do sofá e passou devagar o dedo sobre o lábio superior saliente. Era um hábito seu, fazer isso sempre que se sentia em apuros ou confuso.

Foi até a porta do apartamento, abriu-a e parou na soleira. Quinn vinha andando na direção dele, cruzando o longo corredor acarpetado de laranja.

"Ei", disse Quinn, com um sorriso no rosto.

Os longos cabelos de Quinn balançavam enquanto andava. Ele avançava muito rápido pelo corredor, a cabeça inclinada e um pouco adiante do corpo. Franklin pensou: Ele parece um daqueles personagens de desenho animado, decidido, caminhando com um objetivo em mente... e foi então que enxergou melhor e viu que o sorriso de

Quinn não era bem um sorriso, e sim uma espécie de esgar, um sorriso forçado que deixava transparecer a dor que havia por trás, e algo ainda pior que dor.

"Ei, Eugene", disse Quinn, ao alcançá-lo, sem reduzir o passo; Franklin viu a semi-automática saindo de dentro do cós do jeans do ex-parceiro.

Franklin recuou para dentro do apartamento na hora em que Quinn o golpeou violentamente com a coronha, o formato dela um borrão a rasgar o brilho fluorescente das luzes do corredor. A arma pegou Franklin na têmpora, a sala girou e ele tropeçou.

Os pés tinham perdido o contato com o chão. Franklin começou a cair e, enquanto despencava em meio a uma luz cada vez mais fraca, a arma o atingiu de novo e, dessa vez, mal sentiu o golpe. No fim, viu o rosto do parceiro, feio, raivoso, com medo, e então o amou. Caindo num leito macio, feito de noite, Franklin sentiu tão-somente alívio.

Quinn estava parado no meio da sala de estar de Eugene Franklin, com a automática presa frouxamente na mão.

Sentado no sofá, com a cabeça inclinada para trás, Eugene Franklin segurava uma toalha úmida junto à têmpora. Uma toalha meio rosada nos lugares onde o sangue de uma ferida funda tinha penetrado nas fibras. Quinn havia posto um bloco de folhas amarelas tamanho ofício sobre a mesinha de centro, a sua frente, e uma caneta em cima do bloco.

"Como foi que você entrou nessa, Gene?"

"Como?", Franklin repetiu.

"Foi o Delgado que te levou?"

"É. Eu sempre via ele lá no Erika's, o tempo todo. Toda noite lá, conversando, bebendo, falando uma porrada de besteiras e depois voltando pra casa sozinho. Ele era que nem eu. Não tínhamos muitos amigos, e mulher era bicho raro. De modo que começamos a conversar, o Adonis e eu. Eu sabia que ele não prestava; todo mundo sabia. Mas assim mesmo eu conversava com ele."

"E sobre o que vocês conversavam?"

"Sobre isso e aquilo, você sabe como é. Assuntos variados, até que um dia deram lá. O Delgado estava me falando que um cara com um pouco de grana no bolso não precisava se preocupar em arranjar mulher, elas é que arranjavam ele. Que você faturava quem você quisesse, se a mina encasquetasse que você tava montado na grana. Eu sabia que ele tava era falando merda, cara, mas com álcool na cuca, coisa e tal..."

"E como foi que as coisas foram parar no ponto em que pararam?"

"Ele começou a me contar das transas do Cherokee Coleman, lá na Florida. Dizia que o Cherokee nunca ia entrar em cana, que ninguém botava a mão nele porque o cara era esperto pra caramba. Que os negócios dele iam continuar enquanto houvesse um mercado pras drogas. Fodam-se todos os viciados, ele dizia sempre, esse pessoal tá no extremo oposto da teoria da evolução. E aí então me contou que tirava uma grana por fora, que se esse Cherokee era tudo aquilo e ninguém fazia porra nenhuma pra pegar o cara, então por que ele, Adonis, também não podia morder algum?

"Ele me falou que a barra não era nem um pouco pesada. Duas vezes por mês chegava um carregamento pro Coleman, e duas vezes por mês Delgado fazia a ronda da área, durante a desova, pra garantir que continuava tudo calmo e que não tinha perigo de haver interferência de nenhuma espécie, nem da polícia nem dos federais. Falou que ele nunca tinha precisado nem descer da viatura. Que era assim simples."

"Se era assim tão simples, por que contar pra você? Por que dividir o dele com você?"

"Porque não era sempre que ele estava livre pra fazer a ronda. E porque eles tinham um problema que o Delgado não podia ou não queria resolver sozinho. Claro que eu não sabia qual era esse problema, quando entrei pro esquema."

"Chris Wilson."

O olhar de Franklin foi para o assoalho. "Isso mesmo. A irmã tinha se ligado em Ricky Kane. O Wilson foi seguindo o rastro do Kane, do mesmo jeito que vocês, e deu no Coleman. Numa dessas transações, o Kane entrou no escritório do Coleman junto com a garota, a Sondra Wilson, e, quando saiu, tava sozinho. Sondra tinha virado mulher do Coleman, assim sem mais nem menos, e aí o Wilson perdeu a cabeça."

"Você já tinha entrado pro esquema, nessa altura?"

"Entrei mais ou menos nessa época, justamente. E percebi que era fácil, bem como o Delgado tinha me dito; não precisava fazer grande coisa, só dar umas voltas no quarteirão, duas vezes por mês. Eu não via nada de muito errado nisso, na época."

"Conversa."

"Só tô tentando explicar como foi que o lance aconteceu."

"Conversa", Quinn repetiu, com a voz meio travada. "E o que aconteceu?"

"O Wilson começou a investigar por conta própria, à paisana; ficava rondando o Lixão, circulava pelas esquinas. Imagino que foi aí que ele bateu aquelas fotos minhas. Ele sabia que não podia enfrentar o exército do Coleman sozinho e não tinha mais muita certeza em quem confiar dentro do departamento. Só que nessa altura ele já tinha se fodido completamente por causa da irmã, e meio que perdido o autocontrole. Ameaçou o Delgado uma noite, na porta do Erika's. E me ameaçou também."

"E então você e o Delgado foram falar com o Coleman."

"O Delgado é que foi. E eles decidiram se livrar do Wilson. Pro Delgado, seria a maior moleza. Ele já tinha feito outros servicinhos parecidos pro Coleman, como eu acabei sabendo. Mas àquela altura não tinha mais a menor importância o que eu sabia ou deixava de saber: eu

305

era parte do bando e ponto final. E eles me queriam ali do lado até o fim, de rabo preso."

"Eles queriam que você liquidasse o Wilson."

"Justamente." Franklin largou a toalha no chão. Uma gota de sangue jorrou do corte e escorreu pelo rosto.

"Eles mandaram o Kane ligar pro Wilson?"

Franklin fez que sim com um meneio de cabeça. "O Kane falou pro Wilson que tinha voltado com a irmã dele. E que era pra ele ir se encontrar com eles na D Street na hora tal. O Delgado e o Coleman sabiam que o Wilson ia ficar puto da vida quando chegasse lá e descobrisse o Kane sozinho. Eu fiquei encarregado de levar a viatura até o local. O resto, você sabe como foi."

"Não, Eugene. Me conte você o que houve depois."

"Eu nunca matei ninguém. Nunca nem disparei contra uma pessoa, Terry. Eu saquei a arma, apontei pra ele, mas..."

"Por que você *não* atirou nele, Eugene?"

"Porque você atirou primeiro."

Quinn olhou para a arma em sua mão. "Você sabia que eu iria reagir daquela forma."

"Não, eu não sabia de nada. Mas sabia que você era mais capaz disso do que eu. E sabia..."

"O quê?"

"Eu sabia quem você era. Sabia o *que* você veria na hora em que topasse com o Chris Wilson apontando uma arma pro Ricky Kane."

Quinn ergueu a arma até a altura dos quadris e apontou-a para Franklin, sentado no sofá em frente. Os lábios de Franklin tremeram e seus olhos se encheram de lágrimas.

"Você não vai atirar, Terry. Tem uma parte aqui dentro de mim que bem que gostaria que você atirasse. Mas você não vai."

"Tem razão", disse Quinn, transferindo a pontaria da Glock para o bloco de notas sobre a mesinha. "Escreva tudo, tintim por tintim. Tudinho, Gene. Vamos lá. Eu vou arrasar com a sua reputação, vou espalhar o que você fez pra sua família, pros colegas da polícia e pra todas as pessoas com quem você já teve algum contato nesta cidade. Todo mundo vai saber o grande patife que você é. E pode ter certeza de que eu vou dar um jeito pra que todos os outros presidiários fiquem sabendo que você usava farda antes de ser trancafiado lá dentro."

"Sinto muito, cara."

"Vá se foder, Eugene. E fodam-se as suas desculpas, também. Vai, escreve."

Franklin escreveu uma confissão completa, assinou e datou na última folha e, depois, largou a caneta.

"Eu queria falar com o meu pai antes que isso chegue aos noticiários", ele disse. "Quando é que você vai entregar?"

"Depois que a gente levar a moça pra casa."

"Ela não está aqui em Washington."

"Eu sei. Eu e o Strange, nós estivemos lá, hoje. Seguimos os caipiras até a chácara deles, onde ela está."

Franklin apalpou o corte na têmpora. Tinha parado de sair sangue e ele baixou a toalha. "Eu vou estar lá com o Delgado, amanhã à noite."

"Por quê?"

"Vamos largar uma grana e trazer um carregamento de drogas."

"Eu pensei que você não precisasse fazer mais nada além de rodar pelo quarteirão um par de vezes."

"A gente foi falar com o Coleman, hoje de tarde. Aqueles dois jecas que vocês seguiram, os Boone: o baixinho chama Ray, e o pai dele chama Earl. Eles mataram dois colombianos que trabalhavam de mula, fizeram o serviço lá mesmo onde eles moram. E o Coleman quer que a gente mate os Boone, pra ficar de cara limpa com os colombianos."

"E a moça, o que acontece com ela?"

"Eles não falaram nada a respeito dela, vai ver porque sabiam que eu não ia gostar do que eles tinham pra dizer. O Delgado transava com ela, às vezes, e ainda curte a garota, eu acho. Mas se ele começar a matar, não consigo imaginar o cara parando enquanto não der fim em todo mundo."

"E você faz o quê, enquanto isso?"

"Eu não consigo atirar em ninguém Terry. Já te falei..."

"E isso vai ser amanhã à noite?"

"Eu vou me encontrar com o Delgado às oito da noite... Tem uma hora de viagem, e lá pelas nove estamos chegando. Os caras vão nos buscar num outro lugar e depois levar a gente até onde eles moram."

"Tem um celeiro e uma casa, lá."

"É, tô sabendo. O Coleman falou que os Boone curtem negociar no celeiro. Eles têm um bar completo, lá; todo montado feito um daqueles cassinos antigos ou uma bosta dessa qualquer."

"E a Sondra fica na casa?"

"Até onde eu sei, fica."

Quinn guardou a Glock no cós da calça. "Amanhã à noite, você mantém todo mundo lá no celeiro, tá me entendendo? Assim Strange e eu temos uma chance de tirar a moça da casa."

"E o que eu faço quando o Delgado começar a matança?"

"Pouco me importa o que você faz ou deixa de fazer. Pra mim, dá na mesma." Quinn pegou o bloco de papel tamanho ofício de cima da mesinha de centro e enfiou a caneta no bolso da camisa. "Seja lá o que for que você decida fazer amanhã à noite, quero que saiba que pretendo levar até o fim o que prometi fazer com isto aqui."

"Eu sei disso."

"Até mais ver, Gene."

Quinn saiu do apartamento. A porta se fechou com um estalido atrás dele.

Strange dormia no sofá quando a campainha tocou. Os latidos de Greco o acordaram. Abriu a porta da frente depois de conferir pelo olho mágico. Quinn estava parado no pórtico, soltando baforadas de vapor na noite gelada.

"Consegui", disse Quinn, erguendo a confissão de Franklin para que Strange visse.

"Me conte o que eu ainda não sei."

Quinn lhe contou tudo o que sabia, ali na porta mesmo.

Depois que terminou, Strange disse: "Quer dizer então que é amanhã à noite".

E Quinn respondeu: "É".

31

Strange apertou a campainha do interfone em sua mesa e falou ao microfone: "Janine?".

"Sim, Derek?", veio a resposta abafada pela estática.

"Venha até minha sala um instante, por favor."

Strange se inclinou, pegou um envelope grosso, tamanho ofício, do chão, e colocou-o em cima da mesa. Dentro do envelope, endereçado a Lydell Blue, do 4º DP, estavam todas as provas que Strange reunira sobre o caso Wilson.

Ele tinha chegado bem cedo, feito cópias xerox de toda a papelada e posto as cópias no correio, endereçadas a si próprio. Em seguida ligara para o advogado para verificar se seu testamento continuava válido e atualizado. Aproveitou para lhe dizer onde guardava a apólice de um modesto seguro de vida que fizera tempos antes e cujos beneficiários eram Janine e Lionel.

Janine Baker entrou na sala.

"Oi", disse Strange.

"Oi."

"Eu vou ficar fora o resto do dia e quem sabe uma parte de amanhã também."

"Tudo bem."

"Se precisar de mim, me chame pelo bipe."

"Como de hábito. Até aí, tudo normal."

"Exato. Absolutamente normal." Strange esfregou o nariz que coçava. "E o Lionel, como anda?"

"Vai bem."

"Escutando seus conselhos, fazendo os deveres da escola, essa coisa toda?"

"Ele tem suas recaídas. Mas vai indo bem."

"Então está ótimo." Strange se debruçou um pouco mais sobre a mesa e deu uma palmada no envelope. "Se eu não entrar em contato, digamos, até o meio-dia de amanhã, quero que pegue isto aqui e ponha no correio pra mim, entendido?"

"Claro."

"Até lá, guarde dentro do cofre. Tem um outro envelope igual a este que foi enviado pra *cá* e que deve chegar daqui a uns dois dias. Quando chegar, quero que guarde esse *segundo* envelope no cofre também."

"Certo."

"Fez as contas dos gastos pra entregar à senhora Wilson?"

"Assim que você disser que o caso está encerrado, eu fecho tudo."

"O caso está encerrado. Ponha mais oito horas de trabalho na conta dela e não se esqueça de incluir todos aqueles recibos das minhas despesas também."

"Pode deixar."

"Perfeito. Suponho que estejamos prontos, então." Strange se levantou da cadeira, pegou o blusão de couro do cabide e vestiu. Aproximou-se bem de Janine e deu uma olhada para a porta aberta da sala. "O Ron está por aqui?"

"Saiu pra investigar uma fraude de seguro."

Strange passou os braços pela cintura de Janine e puxou-a para si. Deu-lhe um beijo na boca, um beijo comprido. Ela o olhou bem dentro dos olhos.

"É a primeira vez que você faz isso aqui no escritório, Derek."

"Não sou muito bom de pôr coisas que me passam pela cabeça em palavras", disse Strange. "Escute, o que eu estou tentando dizer é que..."

"Você já disse, Derek."

Ainda nos braços dele, Janine passou o dedo pela boca de Strange, tirando o batom que havia deixado ali.

"Preciso ir andando."

"É cedo ainda."

"Eu sei. Mas é que eu quero passar o dia com a minha mãe."

Janine viu Strange se afastar, cruzar a saleta da frente e sair. Ela pegou o pacote de cima da mesa dele e se dirigiu para o cofre.

Quinn completou seu turno mais cedo na livraria, voltou para casa, fez um pouco de musculação no porão, tomou banho, vestiu ceroula e camiseta térmicas, camisa de flanela e calça Levi's, e calçou as botas de caminhar. Esquentou uma comida congelada no microondas, jantou, fez um bule de café e tomou a primeira de três xícaras. Depois pôs *London Calling* no aparelho de som. Ouviu "Death or Glory" sentado na beirada da cama. Pôs *Born to Run* e tocou "Backstreets" bem alto. Caminhou para lá e para cá no quarto, em seguida pegou a arma e o cinturão na última gaveta da cômoda.

Parou diante do espelho de corpo inteiro. Passou o cinturão em volta da cintura e afivelou-o na frente, com o coldre baixo e bem junto ao quadril direito. Já havia removido o porta-cassetete, o estojo de balas, o porta-caneta e o chaveiro; só deixara o par de algemas, preso na parte de trás do cinturão, junto às costas. Guardou a Glock no coldre, sacou, guardou e tornou a sacar.

Retirou o pente para conferir a carga. Apanhou a Glock, fechou um olho, fixou o outro no cano, focalizou a pinta branca da mira e disparou contra a parede. Sentiu a coronha preta de material sintético bem firme na palma da mão. Tornou a encaixar o pente de balas e enfiou a Glock no coldre.

O telefone tocou e Quinn atendeu.

"Alô." Deu para ouvir música sinfônica tocando do outro lado da linha.

"É o Derek. Estou pronto pra ir."

"Eu também. Pode vir me pegar."

Strange desligou. Estava sentado diante de sua escrivaninha, em casa, com a trilha sonora de Morricone para *Era uma vez no Oeste* enchendo o ambiente. A orquestra tocava o tema principal do filme, e Strange fechou os olhos por alguns instantes. Não havia uma peça musical mais linda que aquela, e tudo o que ele queria era poder ficar ali mesmo onde estava, escutando aquele som a noite toda. Mas o céu tinha escurecido do lado de fora de sua janela molhada de chuva, e Strange sabia que chegara a hora de partir.

O Maxima preto de Adonis Delgado seguia na direção norte pela 270, com os limpadores trabalhando a espaços intermitentes para eliminar do pára-brisa a chuvinha leve que começava a cair. O grosso do trânsito já diminuíra uma hora antes e a estrada estava limpa, mais adiante.

"Eles gostam de fazer as transações deles num celeiro", disse Delgado, afundado no banco, atrás do volante. Estava com um abrigo de náilon preto, os braços musculosos enchendo as mangas do agasalho, e uma corrente de ouro em volta do pescoço cavalar.

"Eu sei", disse Eugene Franklin, a seu lado, no banco do passageiro.

"Antes dos colombianos serem apagados, tiravam o maior sarro dos dois, contavam pro Coleman como é que pai e filho gostavam de agir. A gente liga pra eles assim que sair da duzentos e setenta, e eles vão nos encontrar no estacionamento de um shopping lá. Aí eles levam a gente de volta..."

"Eu sei disso tudo."

"Eles levam a gente de volta, *Eugene*. Eles gostam de servir umas bebidas no celeiro, antes da negociação propriamente dita."

"Eu não bebo."

"Mas aceite uma ou duas doses, só pra ser educado, mas vê se não me fica bêbado. Enquanto isso, eu peço licença e vou fazer uma visitinha praquela putinha. Depois que eu me acertar com ela, aí eu volto pro celeiro."

"Você acha uma boa idéia?"

"Que porra você tá querendo dizer com *isso*?"

"Que pode ser que seja melhor você acertar com a garota depois. Que os dois vão escutar o barulho do tiro lá do celeiro, só isso."

"Eu dou um jeito no barulho."

"Você tem um silenciador ou coisa parecida?"

"Você tem um silenciador ou coisa parecida?", Delgado repetiu, imitando a voz trêmula de Franklin e soltando uma risada curta. "Caralho, Eugene, eu queria saber quem foi a porra do imbecil que te deixou entrar pra polícia. E eu lá preciso de silenciador, cara? Eu boto um travesseiro na cara dela e atiro em cima."

Delgado aumentou a velocidade dos limpadores. A chuva tinha apertado.

"Continuando. Quando eu voltar pro celeiro, e vê se presta atenção, porque é assim que eu voltar pro celeiro, vou partir direto pra cima do Ray e acabar com ele rapidinho. E você acaba com o pai dele do mesmo jeito, entendeu? O que eu não quero é ter que ficar me preocupando se você tá ou não tá me dando cobertura."

"Você não precisa ficar preocupado", disse Franklin.

"Olha aí a nossa saída." Delgado deu sinal de que iria virar à direita. "Pega o meu celular no porta-luvas, cara. Liga pro vesguinho lá e diz que a gente tá chegando."

Ray Boone abriu uma cápsula de metedrina e esparramou o conteúdo num espelho da Budweiser que tinha tirado da parede. Usou uma gilete para esticar duas carreiras e cheirou o pó grosso, salpicado de grãos azuis. Jogou a cabeça para trás e sentiu o amortecimento costumeiro na garganta. Emborcou uma latinha de cerveja, esvaziou o que restava de um gole só, atirou a lata no lixo e limpou o sangue escorrido do nariz para a boca.

"Tá tocando o telefone, papai."

"Eu ouvi." Earl tinha um cigarro na mão e jogava pôquer eletrônico com a outra.

"São eles."

"Então atende, Cria."

Ray ergueu o celular de cima da mesa de feltro verde onde estava sentado. Falou com um dos homens de Coleman, muito rapidamente, e desligou.

"Eles já tão chegando."

Ray estava com tudo em cima, prontinho para ir buscá-los. A Beretta 92F estava carregada e devidamente guardada no cós do jeans, junto às costas. Num dos bolsos do casaco, levava um vidro com cápsulas de metedrina e, no outro, um Marlboro vermelho de caixinha. A heroína, ele já havia tirado de lá de trás um pouco mais cedo e colocado as sacolas atrás do balcão.

Ray tinha se antecipado porque não queria ter de entrar naquele quarto duas vezes numa só noite; a coisa estava começando a feder muito mesmo, nos fundos. O pai estava com a razão, e ter consciência disso o deixava ainda mais perturbado do que já se sentia desde a sacanagem que Edna aprontara com ele, dando no pé assim, sem mais nem menos. O tempo havia esquentado de uma hora para a outra, e aqueles cucarachos mortos lá no túnel estavam começando a apodrecer.

Earl apanhou a geladeirinha portátil, com suas latas de Busch, e apalpou os bolsos do casaco para se certificar de que não havia esquecido os cigarros e o trinta-e-oito. Ele e Ray saíram do celeiro. No pátio, Earl atirou o cigarro na direção da mata e falou: "Volto já. Preciso ver como está a garota".

Ray sabia que o pai tinha ido até o quarto para deixar a mulatinha viciada abastecida com heroína, mas não conseguiu nem se importar com isso. Não conseguia sequer ficar puto com o pai por tê-lo empurrado no dia anterior. Tinha problemas suficientes lhe atazanando a cabeça.

Foi até a beirada da mata e examinou a escuridão, deixando que a chuva lhe caísse na cara. Onde é que a porra da Edna tinha se metido? Tudo bem que ela devia estar morrendo de medo, depois de ter roubado a muamba dele e fumado tudinho. Mas já se passara um dia e ainda não tinha tido notícia nenhuma. Chegara até a ligar para aquela amiga cabeluda dela, burra feito uma porta, a tal da Johanna, e ela tinha dito que também não sabia onde a Edna estava. Filha-da-puta mentirosa, ela *tinha* de saber onde a Edna estava, as duas eram amigas do peito desde os tempos de escola. E ainda por cima a tal da Johanna tivera o desplante de ficar toda cheia de suspeitas quando ele ligou, como se ele tivesse aprontado alguma ruindade com a Edna. Porra, ele nunca tinha machucado a garota. Bom, claro que teria que lhe dar uns tapas quando ela voltasse, mas isso era uma outra história.

"Você tá se molhando, Cria", disse Earl, parado atrás do filho. "Vai estragar todo o couro dessas suas botas aí, se ficar parado nesta chuva."

"É que eu tava pensando numas coisas, papai."

"Eu sei no que você tava pensando. Mas depois de hoje à noite você vai ter com o que comprar um puteiro inteiro, se quiser. E aí tira aquela mulher da cabeça de vez."

"É, você tem razão. Vamos lá, vamos apanhar o pessoal."

No caminho até o carro, Earl disse: "Tá começando a feder, lá no celeiro".

"Eu vou enterrar eles amanhã."

"Eu falei que o tempo tava esquentando."

Com aquela história toda da Edna, mais o pai sempre a lhe dizer o que fazer e o que deixar de fazer, e a química rolando no sangue, a vontade de Ray era a de morder fora a própria língua.

"Tudo pronto, então?", disse Strange, parado no quarto de Quinn e indicando, com a cabeça, a sacola na mão do companheiro.

"Tudo. E você?"

"Passei o dia com a minha mãe. Os médicos dizem que ela está apagando devagar. Fica só lá deitada na cama, meio que olhando para a janela. Mesmo assim, eu quis ficar com ela."

"E eu fui trabalhar. Me mantive ocupado na livraria, assim não precisei pensar demais nas coisas."

"E o Lewis, como anda? Está conseguindo ficar com a mão longe daquilo?"

Strange e Quinn deram uma risadinha, depois se entreolharam sem dizer nada. Strange entregou a Quinn um par de luvas pretas finas.

"Calce isto aqui, quando estivermos lá no mato. Elas esquentam um pouco e são fininhas, dá pra pegar até uma moedinha do chão com elas."

"Obrigado." Quinn guardou as luvas na sacola.

Strange olhou na direção da janela do quarto de Quinn. "Está chovendo pra caralho. Vai ser o maior lamaçal, mas ao menos a chuva encobre uma parte do barulho."

"E as nuvens encobrem a nossa visão toda, naquele matagal."

"Meus DVN vão nos guiar naquele mato."

"Você e as suas engenhocas." E olhou para a cintura de Strange, onde estavam pendurados o canivete Leatherman, a faca Buck e a caixinha do celular.

"Falando no assunto", disse Strange, "leve isto." Tirou o bipe da cinta e entregou-o a Quinn. "Vamos em dois carros, para o caso de não sairmos ao mesmo tempo."

Quinn concordou com um gesto de cabeça. "Caso contrário, eu te encontro na placa de Proibido Entrar, na segunda curva."

"Certo, mas se a gente se separar ou coisa parecida..."

"A gente se vê", disse Quinn, "aqui em Washington."

317

32

Ray Boone deu a volta no balcão e encontrou a garrafa de Jack no mesmo lugar em que tinha deixado, sobre o tampo de aço inoxidável ao lado da pia, junto ao balde de gelo. A Colt automática do pai estava no lugar de sempre, apoiada nos dois ganchos atarraxados na madeira em cima da pia, o cano em um, a guarda do gatilho no outro. Ray pôs a garrafa de Jack sobre o balcão, pegou um copo da prateleira dos fundos e encheu-o quase até a boca.

"Vocês querem um gole?" Teve que gritar, para se fazer ouvir acima do George Jones tocando na Wurlitzer.

Viu o crioulo dentuço, o que tinha uma cara gozada, de lata de cerveja na mão, fisionomia sombria, balançar a cabeça em sinal negativo lá da mesa de jogo coberta de feltro. O outro pixaim, o grandão mal-encarado vestido com um abrigo de ginástica metido a besta, nem sequer se deu ao trabalho de responder à pergunta. Estava parado no meio do salão, entortando a cabeça de um lado para o outro dos ombros imensos, como se estivesse tentando derreter um pouco a banha do pescoço. Levava um charuto cerrado entre os dentes.

"E o senhor papai, vai um aí?", disse Ray.

"Eu tomo um gole", disse Earl. Ele estava junto à *jukebox*, apertando uns números e tomando uma lata de Busch.

Ray serviu uma dose para o pai. Quase deu risada, pensando nele, no pai e nos convidados, todos ainda de casaco ali dentro do celeiro aquecido. Ele sabia, todos eles sabiam, que os quatro estavam armados. Fazia parte do jogo. Ray e Earl haviam optado por cair fora, e com todo o dinheiro que a coisa rendera, de fato não precisavam mais fazer parte do tráfico. Mas, quando pensava a respeito, Ray tinha de admitir que iria sentir falta dessa parte, dos drinques com os clientes, da tensão, das armas... do jogo.

Os policiais a soldo de Coleman tinham posto a sacola de dinheiro numa extremidade do balcão. Ray pusera as sacolas de heroína bem do lado. Nenhum deles fizera a menor menção de querer pesar ou mesmo examinar a mercadoria. Ray tinha dito que seria grosseria da parte deles não tomar alguma coisa primeiro, e eles concordaram.

Ray abriu uma cápsula de metedrina e espalhou o pó sobre o balcão. Não se deu ao trabalho de esticar as carreiras. Debruçou-se e cheirou tudo de uma vez. Estava pouco se lixando para o que o pai ou aqueles pixains pensavam, porra, ia celebrar o fim da jogada e ponto final.

"Puta que o pariu, que bom!", exclamou ele. E acendeu um cigarro.

"Esta noite, a garrafa me deixou na mão", dizia a letra da música saindo da *jukebox*.

Jeca filho-da-puta, babaca viciado, pensou Adonis Delgado, terminando o resto da cerveja barata com gosto de mijo que haviam lhe oferecido. Primeiro o obrigavam a deitar no banco de trás daquele Ford, com a cabeça enfiada no rabo de Eugene — tinha ficado com dor no pescoço por causa da viagem —, e agora se via forçado a escutar música sertaneja. Delgado estava com uma automática no coldre, uma Browning 9. E dessa vez acharia ótimo puxar o gatilho.

Eugene Franklin viu quando Earl Boone passou por ele e sentou num banquinho em frente a um videogame que exibia cartas de baralho na tela. Franklin enfiou a mão no bolso do casaco e apalpou a Glock 17, sua arma de serviço, solta lá dentro. Conferiu o relógio, pensando em Quinn e Strange.

"Tá com hora marcada em algum lugar"?, Ray perguntou, aproximando-se com um copo de uísque na mão e um cigarro pendurado na boca. "Hein, Eugene? É Eugene mesmo, certo?"

"Estou bem assim", falou Franklin, sem olhar nos olhos estrábicos de Ray Boone. "Estou muito bem."

"*Eu* não estou bem", disse Delgado. "Preciso usar a privada."

"Mija lá fora", disse Ray, "como a gente fez até agora."

"Tô precisando dar uma cagada. Não tem um banheiro aqui não?"

"Tem um nos fundos, mas tá quebrado", disse Earl.

"Usa o da casa", disse Ray. "Tá aberta."

Delgado percebeu quando o pai voltou a cabeça e deu uma olhada no filho.

"Não se preocupem, não vou tocar em nada", disse ele. "Onde é que fica?"

"No topo da escada", disse Ray.

Virando para Franklin, Delgado disse: "Eu volto já". Quebrou ao meio o charuto que estava fumando e atirou-o no cinzeiro da mesa de jogo.

Franklin acompanhou com os olhos a saída de Delgado do celeiro. Levou a cerveja até a boca e agradeceu por a música estar alta e pelo barulho da chuva sobre o telhado. Sentia os dentes baterem de leve contra a lata.

Quinn e Strange cruzaram a mata, Strange com seus óculos de visão noturna e Quinn logo atrás dele. O vento e a chuva batiam no rosto de ambos. Estavam com várias camadas de roupa debaixo do casaco e as mãos protegidas pelas luvas pretas fininhas, mas não era suficiente. Strange escorregou numa elevação enlameada do terreno, mas Quinn o segurou a tempo pelo cotovelo, impedindo que caísse.

Chegaram quase até a beirada da mata e puseram as respectivas sacolas no chão, um tapete úmido de agulhas mortas debaixo de um denso pinhal. Havia uma lâmpada acesa na porta do celeiro, que clareava uma parte do pátio, e a água da chuva traçava rabiscos no amplo triângulo iluminado. Dentro da casa tremulava um brilho fraquinho por trás da escuridão da janela de um quarto.

Strange guardou os óculos especiais na sacola e tirou lá de dentro um pé-de-cabra pequeno. Quinn remexeu na dele e pegou o cinturão com a arma. Endireitou o corpo, afivelou o cinto e abriu o coldre.

"Olha só pra você", comentou Strange. "Todo vestido de Lee Van Cleef."

"Alguém tem que fazer o papel."

"É, eu sei. Sempre fico com o trabalho leve, quando dá."

Strange olhou para o andar de cima da casa. Depois olhou de volta para Quinn, ensopado, os cabelos compridos escorridos e grudados na lateral do rosto. "Eu suponho que ela esteja lá. E suponho que os outros todos estejam no celeiro."

"É suposição que não acaba mais."

"De toda maneira, nós vamos descobrir isso já, já." Strange respirou fundo algumas vezes. "Põe aquele bipe no cinturão, cara."

Quinn prendeu-o junto ao quadril esquerdo. "Pronto, já pus."

"Se eu voltar aqui pra fora e não vir você, vou continuar saindo com a Sondra, entendido? Não curto nem um pouco a idéia de te largar aqui sozinho, mas o importante, hoje, é levar aquela moça de volta pra mãe dela, Terry..."

"Tô sabendo."

"De modo que não vou parar pra te esperar, cara. Assim que eu estiver com a Sondra no carro, te ligo do celular. Se esse bipe aí tocar, significa que eu consegui sair daqui a salvo, entendeu? E aí então você se manda, mas antes não. Até receber um sinal meu, você mantém eles todos lá no celeiro."

"Pode deixar que eu seguro os caras lá até o inferno congelar ou você mandar um sinal."

"Porra, cara, você é fora de série, mesmo."

"Manda ver, Derek."

"Escuta, Terry..."

"Manda ver", Quinn repetiu. "A gente se encontra na frente da casa da Leona Wilson, combinado?"

Strange entrou no pátio fazendo um ziguezague no estilo combate para fugir um pouco da luz. Alcançou o pórtico descambado para o lado, pronto para usar o pé-de-cabra no batente da porta. A maçaneta, no entanto, girou na sua mão; Strange abriu a porta e entrou.

Quinn tirou o casaco. E enfiou na sacola largada sobre o tapete de agulhas que forravam o chão.

Adonis Delgado tirou a camisa e a calça e largou-as no mesmo lugar onde tinham caído. Depois tirou a cueca, jogou-a sobre a pilha que fizera com as roupas, e atravessou pelado o quarto até onde estava a moça, apoiada na cabeceira da cama, sentada por cima do lençol. Pensou ter ouvido um estralo na madeira da escada, do lado de fora da porta fechada, mas depois se distraiu com a própria imagem refletida no espelho da cômoda: tinha um físico legal, sem barriga, de braços, ombros e peito musculosos. O pênis já estava totalmente intumescido até chegar ao pé da cama.

"Vem cá, mocinha", disse ele para Sondra Wilson, a viciada que era só pele estirada sobre uns ossos ressequidos, muito diferente da moça que tinha comido pela primeira vez lá no Lixão. Mas até aí, não tinha problema. As íris dos olhos quase não existiam. Sabia que ela tinha acabado de cheirar heroína, mas até aí também não tinha nenhum problema.

"Por favor", disse Sondra Wilson, a voz pouca coisa mais que a emanação de um gemido.

Delgado agarrou seu pulso magro. "Putinha sacana."

Do lado de fora do quarto, Strange vinha subindo a escada.

* * *

"Cadê o seu sombra?", perguntou Ray. "Já faz uns vinte minutos que ele saiu."

"Ele volta", disse Franklin.

"Eu vou *buscar* ele", disse Earl, se levantando da cadeira em frente ao jogo eletrônico de pôquer.

"Pode deixar que eu vou, papai", disse Ray. "Tô precisando mesmo aliviar a bexiga."

Earl viu o filho atravessar a porta do celeiro. Foi até o bar preparar uma bebida para si, sempre de olho no dente de cavalo. A garrafa de Jack estava sobre a pia. Enquanto as mãos desciam para pegá-la, aproveitou para tirar a automática Colt dos dois ganchos, engatilhar e colocá-la deitada sobre o aço inoxidável.

Ele estava com o trinta-e-oito no bolso do casaco, mas achou uma boa idéia manter uma outra arma pronta e ao alcance da mão. Nunca há excesso de armas na hora de lidar com a escória.

"Essa daí é ótima", disse Earl, fazendo um gesto com o queixo na direção da *jukebox*. "Orange Blosson Special." Mas o policial preto sentado na mesa de jogo não moveu um músculo. "Que que há, companheiro? Não gosta do Johnny Cash, não?"

Quinn avançou para o pátio assim que viu a porta do celeiro começar a abrir. Agachou e grudou o corpo na carroceria da caminhonete Ford estacionada ao lado do Taurus. Sacou a Glock e meteu uma carga na câmara, sempre com o cano apontado para cima, junto do rosto. Levantou-se bem devagar, vendo o filho, o que se chamava Ray, passar na direção da casa.

Durante alguns instantes, estudou o ritmo dos passos de Ray. Contou até três em silêncio e entrou com tudo no pátio, bem atrás de Ray, aproximando-se rápido dele para

323

em seguida berrar: "Pode parar bem aí!" quando Ray pôs um dos pés nos degraus do pórtico.

Ray parou de andar. Quinn disse: "Põe as mãos pra cima e entrelaça os dedos atrás da cabeça. Anda logo. E abre as pernas!".

Ray ergueu as mãos para o alto, virando muito de leve a cabeça. Demorou para abrir as pernas, e Quinn, avançando um pouco mais, chutou-as para fora, na altura da canela.

"Quem é você, *caralho*?", disse Ray.

"Cala a boca." Quinn comprimiu o cano da Glock contra a região macia atrás da orelha direita de Ray. Fez uma revista rápida, encontrou uma automática enfiada nas costas, na altura da cintura, e puxou-a de lá; sem dificuldade, soltou o pente de balas, deixou que caísse na terra lamacenta e, em seguida, jogou a arma longe. Quase sorriu: não tinha dado um fora nem esquecido uma porrinha de nada.

"Agora vai andando lá pro celeiro", disse.

"Moleza", disse Ray.

"Eu disse pra andar."

Ray se virou e Quinn se virou com ele. Moveram-se em conjunto, a arma ainda na orelha de Ray, até chegarem à porta do celeiro. Em seguida cruzaram a porta, Quinn piscando para tirar a água da chuva dos olhos. E, então, estavam lá dentro.

Quinn deu uma examinada-relâmpago em tudo: o pai se achava atrás do balcão, o olhar preguiçoso e impassível, com as mãos fora do campo de visão. Eugene, sentado numa espécie de mesa de jogo, tomava uma cerveja. Delgado não estava à vista.

"Ponham as mãos pra cima, vocês dois!", gritou Quinn. "Não mexam em nada, senão eu juro por Deus que arrebento os miolos do rapaz aqui na hora."

"Vai com calma, companheiro", disse Earl, erguendo lentamente as mãos.

Quinn mal conseguiu escutá-lo. A música que saía em volume muito alto da *jukebox* ecoava pelo enorme salão.

"Você aí na mesa", disse Quinn. "Ponha as mãos em cima dela, as duas!"

Franklin fez o que lhe mandaram.

"Você, vai indo lá pro bar", disse Quinn, dando um empurrão em Ray. "E encosta a bunda na madeira, entendeu?"

Ray caminhou até lá e parou a menos de dois metros de onde estava o pai, do outro lado. Virou, encostou as costas no balcão e pôs o salto de uma das botas Dingo no gradil de latão. Os braços estavam em cima do mogno e as mãos pendiam moles no ar. O sangue escorreu de uma narina até o lábio.

Quinn fez mira primeiro no pai, depois no filho. Em seguida passou para Franklin e voltou depressinha para os Boone.

"Você", ele disse, com uma olhada rápida para Franklin. "Levanta e tira aquela *jukebox* da tomada. Faz isso e depois volta pro seu lugar."

Eugene Franklin levantou da cadeira, foi até a *jukebox*, se pôs de joelhos e arrancou o plugue da tomada. A música morreu na hora. Franklin voltou até a cadeira, sentou-se e pôs as mãos sobre o feltro verde da mesa.

Agora havia apenas o barulho da chuva. Ela batia nas tábuas do celeiro e caía num batuque constante nas telhas de zinco.

"Você, de onde é?", Ray perguntou. "FBI? Agência Antidrogas?"

"Seja de onde for", Earl disse, "tá sozinho."

"Deve ser um daqueles agentes que não curtem parceria", disse Ray. "Um caubói. Então quer dizer que é isso que você é?"

É justamente o que eu sou, pensou Quinn.

Eles escutaram o grito abafado de uma mulher. Depois só o ruído da chuva, depois os gritos abafados e constantes dela.

"Você ouviu isso, Cria?"

"Ouvi sim."

"Calem essa boca já", disse Quinn.

Delgado enroscou a mão carnuda no cabelo de Sondra Wilson e puxou-a para si, por sobre os lençóis.

A porta se abriu com estrondo. Delgado virou, nu. Um homem corria na direção dele, com um pé-de-cabra suspenso nas mãos. Delgado levou a pancada no braço e usou o punho para esmurrar o sujeito na orelha na hora em que o cara o jogou contra a cômoda. Delgado afastou o sujeito de cima dele, e o pé-de-cabra escapou-lhe das mãos. O cara tropeçou, recuperou o equilíbrio e retomou a posição, com os pés firmemente plantados no chão, os dedos das mãos bem espalmados.

"Strange", disse Delgado, e riu.

Strange viu o olhar de Delgado se dirigir para a pilha de roupas no chão. Chutou tudo para um lado. Delgado fechou os punhos, roçou os polegares no queixo, primeiro um, depois o outro, e avançou, forçando Strange a recuar na direção da parede.

Quando se deu conta, Delgado já estava em cima. Ele começou com um soco de esquerda que ardeu nas costelas de Strange, depois desfechou uma direita. Strange armou a proteção com os cotovelos e quem absorveu a força toda do murro, até o osso, foi o bíceps esquerdo. Strange grunhiu e soltou um golpe curto, de baixo para cima, na direção do queixo de Delgado. Delgado recuou sentindo o tranco, e o olhar se encheu de ódio. Atravessou o quarto com duas passadas. A direita desceu furiosa. A direita foi uma mancha e pegou Strange no rosto. Strange caiu no chão.

Rolou, levantou e sacudiu a tontura da cabeça. A mão achou o estojo preso na cintura. Abriu e retirou a Buck da bainha. Puxou a lâmina que ficava encaixada no cabo e ergueu a faca na mão. Delgado sorriu do outro lado da sala. As gengivas estavam vermelhas de sangue.

"Eu vou arrancar essa merda da *sua* mão, velhote."

"Então vem."

Delgado bamboleou, aproximou-se, fingiu uma esquerda e mandou uma direita, pondo tudo nela e mirando um metro além da cabeça de Strange. Strange se esgueirou do golpe. A força do murro impulsionou Delgado para a frente. Ele tropeçou, escorregou e parou com um joelho no chão, bem na frente de Strange, olhando para ele de olho esbugalhado, quase todo branco. Strange desceu o braço violentamente e enterrou a lâmina até o cabo no pescoço grosso de Delgado. A lâmina cortou a carótida e perfurou a traquéia. Uma fonte carmim irrompeu no quarto. Sondra berrou.

Delgado ainda tentou puxar o cabo, com um gesto fraco, enquanto despencava no chão. Tossiu uma névoa vermelha e se debateu à procura de ar. O cérebro de Delgado morreu e ele chutou feito um bicho enquanto a cabeça caía numa poça de sangue cada vez maior.

Strange meteu a sola da bota na lateral do rosto de Delgado e puxou a faca. Limpou a lâmina no jeans, apertou o dispositivo de segurança e dobrou a lâmina de volta no cabo. Depois de embainhá-la, virou para a moça. Ela tinha se embolado toda junto da cabeceira, e seus gritos soavam ardidos no quarto. Strange apanhou o pé-de-cabra e enfiou-o no bolso de trás do jeans.

Atravessou o quarto e estapeou Sondra com força no rosto. Estapeou de novo. Ela parou de berrar e começou a soluçar e tremer. Estava com medo dele, e isso era bom. Ele arrancou o cobertor da cama e enrolou nos ombros dela.

Pegou Sondra no colo e carregou-a para fora do quarto, na direção das escadas. Desceu, chegou à porta, alcançou o pórtico, desceu os degraus e saiu na chuva. Nem olhou para o celeiro. Parou no pinhal, pôs Sondra no chão para pendurar a sacola no ombro e pegou a moça de novo no colo. Viu a sacola e o casaco de Quinn e deixou onde estavam. Refugiou-se mais que depressa no abrigo escuro das árvores e não olhou para trás.

327

* * *

"A gritaria parou", disse Ray.

"Eu sei", disse Earl, olhando para Franklin.

"Eu já não falei que é pra vocês calarem essa boca", disse Quinn, olhando de lado para Franklin, vendo a mão direita de Eugene escorregar do feltro verde.

"Pois eu acho que prefiro continuar falando", disse Ray, "se você não se importa."

"Continua falando, Cria."

"Eu me sinto melhor, falando. O senhor não se sente melhor, papai, esclarecendo esse negócio todo?"

"Opa se não", disse Earl, coçando o nariz.

"Continua com a mão no balcão", disse Quinn.

"Sim sinhô", disse Earl; Ray deu risada.

"O que é que você está querendo, exatamente", Ray perguntou. "Dinheiro? Drogas? Porra, rapaz, tá tudo aí em cima do balcão. Pega e se manda, se foi pra isso que veio."

Quinn não disse nada.

"O seu braço já não cansou, não?", disse Earl.

A chuva fustigava as paredes do celeiro.

"Você vai ficar aí parado desse jeito a noite inteira, é?", continuou Ray. "Cacete, rapaz, você tem que fazer *alguma coisa*. Olha só, ou você atira na gente, ou assalta, ou se manda. Qual das três vai ser?"

O bipe soou no quadril de Quinn. Ninguém disse nada, todos atentos ao chamado. Depois voltou o silêncio.

Quinn começou a recuar, ainda mantendo os três na mira da arma.

Ray deu risada e ele sentiu o sangue subindo para o rosto.

"Olha só pra isso, papai. E não é que agora ele vai se mandar?"

"Estou vendo", disse Earl, enquanto as rugas nas bochechas se aprofundavam num sorriso compacto.

"Então é isso que você vai fazer, seu veadinho? Ir embora assim, sem mais nem menos?"

328

Quinn parou. Endireitou o corpo e guardou a arma no coldre. Deu uma olhada para Eugene Franklin, virou e deu as costas para os três. Estava indo para a porta do celeiro.

Earl apanhou a Colt e, por cima do balcão, empurrou-a na direção do filho. O salto da bota de Ray enganchou por alguns instantes no gradil, na hora em que ele girou os quadris. Perdeu um segundo de tempo, estendeu a mão para pegar a coronha da automática, pôs a mão em volta da arma e girou o cano para Quinn, enquanto Earl pegava e tirava seu trinta-e-oito do bolso do casaco.

"Ei, Terry", disse Franklin, num tom de voz baixo, calmo.

Quinn arrancou a Glock do coldre. Agachou-se no chão, girou e disparou com a arma na altura do quadril. O balcão explodiu em lascas à volta de Ray. Quinn disparou de novo e o projétil rasgou a camisa de Ray bem no meio do peito. Ray deixou cair a arma e tombou no chão de tábuas.

Um tiro explodiu no salão. A automática de Earl deu um salto e Quinn sentiu ar e fogo queimando na lateral do couro cabeludo.

Franklin chutou a mesa de jogo para o lado e se levantou. Apertou o gatilho da sua Glock quatro vezes, a arma escoiceando na mão dele. Earl foi atirado para trás, de encontro ao espelho do bar. As garrafas da prateleira de cima explodiram em volta dele, numa chuva de vidro e de sangue. Earl girou, caiu e sumiu.

Um badalar de sinos tocava sem parar nos ouvidos de Quinn. Escutou alguém gemer. Depois uma tosse curta e então apenas o badalo e a chuva.

Avançou alguns passos em meio à fumaça irritante do tiroteio. Chutou a arma de Ray para longe do cadáver. Deu a volta no balcão, fazendo mira, e olhou para o chão, onde estava o pai. Guardou a Glock no coldre.

"A moça", disse Franklin.

"Strange está com ela", disse Quinn.

"E o Delgado?"

"Se Strange pegou a moça, ele pegou o Delgado também. Vamos embora."

Quinn apanhou o casaco e a sacola que tinha largado no pinhal. Ele e Franklin entraram na mata e tomaram a direção da fila de luzinhas que cintilavam fracamente à distância, na interestadual.

Uma hora depois, Quinn parou o Chevelle no estacionamento do prédio de Franklin, mas não desligou o carro.

Franklin perguntou: "E agora o que acontece, Terry?".

"Você ainda tem um tempo. O Strange despachou um envelope hoje prum cara da confiança dele na polícia. Com o bloco de notas e as fotos do Chris Wilson."

"E a minha confissão?"

"O Strange tirou uma cópia." Quinn passou o braço por Franklin e abriu o porta-luvas. "Estou com o original aqui."

Franklin pegou a folha amarela da mão de Quinn. Quinn meneou a cabeça, em sinal de assentimento, e Franklin enfiou o papel no bolso do casaco.

"Obrigado, Terry."

Quinn continuou olhando fixo para a frente e pôs uma mecha de cabelo atrás da orelha, tomando cuidado para não tocar na região sensível, onde a bala de Earl Boone passara de raspão.

"Mas não pense que a sua barra está limpa. As provas que o Strange botou no correio são suficientes pra condenar você. Mas se quiser alegar inocência, o problema é seu. Quanto ao que aconteceu esta noite e o negócio da garota..."

"Nunca ninguém vai ficar sabendo sobre o que aconteceu esta noite, nem sobre a garota. Pelo menos não de mim." Franklin engoliu em seco. "Terry..."

"Sim?"

Franklin lhe estendeu a mão. Quinn manteve as dele agarradas ao volante.

"Tá certo." Franklin saltou do carro e atravessou o estacionamento, a cabeça baixa para se proteger da chuva.

Mais tarde, e pelo resto da vida, Quinn se lembraria da expressão tristonha e esquisita no rosto de Eugene Franklin, e daquela mão que ele deixara estendida.

Já perto de amanhecer, Derek Strange saiu da casa de Leona Wilson, fechando a porta da frente bem de mansinho. A chuva tinha parado. Ele estancou no concreto da calçada e aspirou o ar gelado da manhã, erguendo a gola do blusão para se proteger do frio.

Um pouco mais abaixo, estacionado atrás do seu Caprice, tinha um lindo Chevelle azul. Um rapaz branco de cabelos compridos estava atrás do volante.

"Obrigado, Senhor", disse Strange.

Cruzou o olhar com Quinn e sorriu.

33

O suicídio de Eugene Franklin apareceu no telejornal das seis da tarde.

O morador do apartamento ao lado havia escutado o tiro por volta do meio-dia e ligado para a polícia. Eles encontraram Franklin sentado ereto no sofá. Com os olhos esbugalhados, devido ao choque dos gases, e o nariz chamuscado. Sangue, ossos e pedaços de cérebro tinham salpicado as paredes e o tecido do sofá. A arma de serviço estava no colo. Havia uma carta manuscrita, dobrada sobre a mesinha de centro, na frente dele.

No noticiário das onze da noite, o suicídio de Franklin foi passado para segundo plano devido à descoberta de um homicídio em massa numa propriedade cercada por matas no centro-leste da comarca de Montgomery. Haviam sido encontrados seis corpos em vários estágios de putrefação. A polícia fora alertada pela amiga de uma das vítimas, uma mulher chamada Edna Loomis. A amiga, Johanna Dodgson, havia passado vários dias sem notícias de Edna, e no fim, preocupada demais, resolvera ligar para a delegacia local. Depois de encontrar dois corpos no celeiro e um terceiro dentro da casa, a polícia havia descoberto três outros cadáveres, inclusive o de Edna Loomis, num túnel escavado sob a propriedade. Johanna Dodgson havia mencionado a existência desse túnel no telefonema inicial para a polícia.

O Massacre de Montgomery, como foi denominado imediatamente pela imprensa, dominou os noticiários pelos três dias seguintes. Houve rumores de que uma das vítimas era um policial de Washington, D. C., e depois o boato foi confirmado de forma oficial. Constava que tinham sido encontradas grandes quantidades de drogas e dinheiro no local. Circularam novos boatos de que o suicídio do policial Eugene Franklin estaria de alguma forma ligado ao Massacre de Montgomery, mas estes nunca foram confirmados. O porta-voz da polícia prometeu uma solução rápida para o caso, dizendo que um anúncio sobre as descobertas era "iminente".

Strange ia todos os dias para o escritório e mantinha sua rotina de sempre. Seguia as reportagens de perto, mas não discutia o assunto, a não ser com Ron e Janine, e assim mesmo de passagem. Ligou e falou duas vezes com Quinn e, em ambas as ocasiões, encontrou-o bem pouco comunicativo, distante e, muito possivelmente, em meio a uma crise de depressão. Fez uma visita rápida para Leona e Sondra Wilson e gostou do que viu.

Foi uma época meio incerta para Strange, e embora tivesse aceitado dois trabalhos fáceis, o que mais fez nesse período foi esperar. Lá pelo final da semana, recebeu o telefonema que ele tinha certeza de que acabaria vindo, mais cedo ou mais tarde. A chamada veio no sábado de manhã, quando voltava de um longo passeio com Greco, bem no momento em que entrava no hall da sua casa geminada em Buchanan Street.

"Alô", disse Strange, levantando o fone.

"Aqui é o Lydell. Está pronto pra conversar, Derek?"

"Diga onde", falou Strange.

A Oregon Avenue, ao sul da Military Road, desembocava num trecho do Rock Creek Park onde havia uma reserva natural, estábulos para cavalos e muitos quilômetros de trilhas entre as colinas. À direita da entrada havia um estacionamento colossal, usado pelas pessoas que iam treinar e correr com seus cães no descampado vizinho. O estacionamento era também um ponto muito freqüentado por casais adúlteros.

Strange e Lydell Blue estavam sentados no Caprice de Strange, que ele havia estacionado ao lado do Park Avenue de Blue, de frente para o descampado. O cabelo de Blue rareara e estava todo grisalho, assim como o grosso bigode, que ele ostentava havia trinta anos no rosto largo de feições bem marcadas. A barriga caía por cima da linha da cintura. Empunhava um copo de papel de quase meio litro com café quente, fumegando pelo buraco da tampa.

Havia mais de uma dúzia de cães de grande porte correndo e brincando ali em frente, todos pertencentes a pessoas brancas, bem de vida, que trajavam roupas caras de lazer. Na extremidade do estacionamento, já perto das árvores, um homem de meia-idade e uma jovem namoravam no banco da frente de um Pontiac novo.

"Você devia ter trazido o Greco", disse Blue, olhando pelo pára-brisa para um *wolfhound* irlandês e um siberiano branco sentados lado a lado numa colina, com uma mulher de casaco da Banana Republic lhes dizendo para continuarem onde estavam de uma distância de mais de cinco metros.

"O Greco não é muito fã de cachorros", disse Strange. "Se estivesse aqui conosco, já estaria mostrando os dentes pra aqueles dois lá."

"E ninguém iria querer estragar o dia perfeito desse pessoal todo, não é mesmo?"

Strange olhou para Blue. "Me conte o que você sabe, Lydell."

"Você vai me abrir o jogo, se eu contar?"

"Há quanto tempo a gente se conhece, cara?"

"Então tá. Certo." Blue passou o polegar pelo bigode. "Os policiais que encontraram Eugene Franklin encontraram também um bilhete no local. Na verdade era mais uma confissão que um bilhete de suicida."

"Você viu o bilhete?"

"Um amigo meu da Homicídios me mandou uma cópia. Escrito com caneta tinteiro numa folha de papel branco. A letra estava nítida e firme, não mostrava o menor sinal de que estivesse sendo coagido na hora em que escreveu. A assinatura batia com a que tínhamos na ficha de Franklin."

"O que dizia o bilhete?"

"O Franklin admitiu que ele e o Adonis Delgado trabalhavam para o traficante Cherokee Coleman. Ele deu detalhes sobre o papel que teve na morte do Chris Wilson. Contou que o Wilson tinha descoberto tudo sobre ele e o Delgado e que, por isso, o Coleman havia dado ordens para liquidá-lo. Eles usaram o Ricky Kane — que era quem passava a droga pro pessoal dos bares e restaurantes, ou seja, um cara muito distante daquele rapaz de boa família que os jornais impingiram ao público — pra armar uma arapuca pro Wilson. O Franklin é que deveria ter atirado. Mas o parceiro dele, o policial Quinn, que segundo o Franklin está limpo, atirou primeiro."

Strange digeriu o que Blue havia lhe contado. "Os jornais andam divulgando boatos de que o Franklin estaria de algum modo relacionado com o tal Massacre de Montgomery. Se ele era de fato parceiro do Delgado, então..."

"O Franklin pôs tudo isso no bilhete. O Coleman mandou ele e o Delgado até aquela propriedade pra efetivar uma transação e também pra matar dois traficantes chamados Earl e Ray Boone. Alguma coisa a ver com acertar as contas por causa de dois colombianos que os Boone tinham liquidado. Essa parte toda confere; foram encontrados dois homens no túnel da propriedade, mortos bem antes da data da morte dos Boone. A perícia identificou os cadáveres como sendo de dois irmãos colombianos, Nestor e Lizardo Rodriguez, que não faz muito tempo foram dados como desaparecidos em Richmond."

"E os Boone e o Delgado? Quem foi que acabou com eles?"

"Segundo a nota, foi o próprio Franklin. Disse que teve uma crise de consciência e que se sentiu obrigado a acabar com aquilo da única forma que ele sabia. Discutiu com o Delgado, os dois brigaram dentro da casa e ele matou o parceiro. Depois foi até o celeiro e atirou no pai e no filho. Deixou as drogas e o dinheiro lá mesmo e voltou pra Washington. No dia seguinte, meteu uma bala na cabeça."

"Também encontraram uma moça naquele túnel."

"Edna Loomis. Morreu de causas naturais. Quer dizer, se você quiser chamar de 'natural' uma mulher morrer de ataque cardíaco aos trinta anos de idade. A metanfetamina faz isso com a pessoa, se você ingere demais."

"Uma história e tanto", disse Strange.

"Pois é. Só que não fecha."

"Qual é o problema?"

"Um monte de coisas. A começar pela cena do crime, tanto no celeiro quanto na casa. Tudo bem, o Franklin diz que mudou de idéia e que ele e o Delgado chegaram às vias de fato. Mas então por que o Delgado estava pelado? Além do mais, ele foi esfaqueado. Por que o Franklin não lhe deu um tiro simplesmente, como fez com os outros?"

"Eu não sei."

"Eles encontraram uma pegada de bota, feita com o sangue do Delgado. Tamanho quarenta e quatro, se não me engano. O Franklin calçava quarenta e dois."

"E o que mais?", Strange perguntou.

"Os Boone foram mortos pelo mesmo tipo de arma, uma Glock Dezessete. Mas foram duas Glock Dezessete *diferentes* que fizeram o serviço. As marcas do projétil encontrado no corpo do filho e as de uma outra bala encontrada na madeira do balcão não foram consistentes com as marcas dos projéteis encontrados no corpo e em volta do corpo do pai. Os ângulos de trajetória também não foram consistentes. Havia duas pessoas atirando aquela noite, Derek. *Tinha* que haver."

"E impressões digitais? Acharam alguma coisa?"

"Impressão nenhuma, a não ser as digitais dos mortos, do Franklin e de uma outra mulher não identificada."

"De uma mulher, é?"

"Eles encontraram fluido vaginal e pêlos púbicos no mesmo quarto onde encontraram o Delgado."

"Eram daquela que foi encontrada morta, a Edna Loomis?"

"Não. Mas se havia algum tipo de mulher-fantasma por lá, então isso explica por que o Delgado morreu como veio ao mundo."

"Pelo visto vocês tão com um caso bem complicadinho nas mãos."

"Ahã."

Blue virou e encarou Strange de frente.

"Por que você me chamou pra vir até aqui, Lydell?"

"Bom, Derek, eu vou lhe dizer por quê. É que recebi um pacote anônimo pelo correio, não tinha endereço do remetente e chegou com uma etiqueta impressa da mesma maneira como se imprimem milhares de outras etiquetas nesta cidade, numa impressora doméstica, ou seja, nada que pudesse me ajudar a identificar de onde veio. E lá dentro encontrei o bloco de anotações do Chris Wilson, com um relato minucioso das investigações dele, além de fotos do Franklin e do Delgado entrando no escritório do Coleman." Blue deu um gole no café. "Foi você que me enviou isso, confere?"

"Confere", disse Strange.

"Não precisei ser nenhum gênio pra sacar. Você já tinha me ligado, pedindo pra eu checar o número da viatura do Delgado, lembra?"

"Lembro."

"Então agora me conte como foi que você levantou todas aquelas informações."

Strange deu de ombros. "A mãe do Wilson, Leona Wilson, me contratou pra ver se eu conseguia limpar a reputação do filho. Entre outras coisas, ela queria que o nome

337

dele fosse inscrito no memorial que a polícia tem lá no centro. Eu comecei tendo uma conversinha com Quinn, depois com Franklin, e a progressão natural das investigações me levou a seguir o Ricky Kane pra ver do que se tratava aquela história toda."

"Certo. E o que foi que você descobriu?"

"A mesma coisa que o Wilson. Kane me levou até o Coleman e foi então que eu reparei na mesma viatura, um Crown Victoria, patrulhando a área em dois dias diferentes. Liguei pra você e obtive o nome do Delgado. Achei o bloco de notas do Wilson e as fotos, e mandei pra você pelo correio. É que eu achei que o negócio todo era maior que eu, Lydell. Achei que se vocês pudessem unir os pontinhos e preencher os vazios, a história do Chris Wilson viria naturalmente à tona e se faria pública. Eu não estava atrás de conspirações nem nada disso, cara. Eu só estava tentando fazer o que Leona Wilson me contratou pra fazer."

"Tem pelo menos dois policiais que se apresentaram dizendo que viram você e o Quinn conversando com o Franklin lá no Erika's."

"É verdade."

"Eles vão chamar você pra depor, cara. E vão chamar o Quinn também."

"Você contou pro departamento que fui eu que enviei as informações?"

Blue bebeu o resto do café num único e imenso gole. Largou o copo vazio a seus pés.

"Eles nem sabem que eu recebi aquilo tudo. O bloco e as fotografias estão no porta-malas do meu Buick, cara. Vou devolver tudo pra você antes da gente ir embora."

"Não dá pra você usar nada?"

"E como é que eu explico o fato de aquelas provas terem sido enviadas pra mim, pra começo de conversa?"

"É, acho que não haveria como."

"Ou eu teria de mentir ou teria de implicar você no caso. E essas são duas coisas que eu não vou fazer. De qualquer forma, o departamento não precisa nem do bloco de notas nem das fotos pra esclarecer esse caso. O Kane já foi detido. Pelo que ouvi dizer, abriu as pernas e confirmou as informações dadas pelo Franklin, naquele bilhete. E parece que entraram num acordo: o Kane entrega o Cherokee Coleman pra eles, em troca de algumas mordomias, um presídio mais maneiro, coisa e tal. Agora, se vai dar pra enquadrar o Coleman ou não, não se sabe ainda. Por enquanto, ninguém conseguiu a façanha."

"O Kane disse como foi que eles fizeram pra obrigar o Wilson a sair de casa, aquela noite?"

"Ele disse que ficou sabendo que o Wilson tinha uma irmã viciada em heroína. E então ligou pro Wilson dizendo que tinha encontrado a garota e que era pra ele ir até a D."

Kane *ficou sabendo* que o Wilson tinha uma irmã... Filho-da-puta mentiroso, pensou Strange, tentando não demonstrar a raiva.

"Você sabia sobre essa irmã dele?", Blue perguntou.

"Ela mora com a mãe", disse Strange, com um meneio casual de cabeça. "Com tudo o que a família já foi obrigada a passar, eu detestaria ver esses rumores sobre a irmã viciada chegarem até a mídia."

"A polícia sabe o quanto a família já teve que passar. Como o Kane conseguiu atrair o Wilson pra rua aquele dia não vem ao caso. No que diz respeito ao público em geral, a irmã dele está limpa."

"E quanto ao Chris? Como é que fica?"

"Ah, sim, o Chris Wilson. É um assunto delicado, e o departamento vai ter que tratar com cuidado da questão. Por motivos óbvios, eles não querem muitos holofotes em cima dessa coisa de policial corrupto etc. e tal, mas também não querem que o público pense que as ações do Wilson — isso de bancar uma espécie de vingador solitário e sair por aí trabalhando por conta própria — seja algo que eles aprovem. Pra ser bem sincero, não sei direito como é que a história vai chegar ao público. Mas sei o que estão dizendo sobre o Wilson, lá na central. Ele vai receber algum tipo de homenagem póstuma, sem grandes estardalhaços, do Ramsey."

"Ótimo", disse Strange. "Isso é muito bom mesmo."

"Você revirou o fundo do tacho, Derek."

"Suponho que sim."

"Gozada a história daquele outro policial, o Quinn."

"Pois é. Ele não vai sair disso tudo cheirando melhor do que cheirava quando a história começou."

"E você acha que ele devia?"

"Ele cometeu um erro. Mas eu acabei conhecendo até que bem o rapaz e posso lhe dizer uma coisa: ele ainda está pagando pelo que fez. E acho que vai pagar pelo resto da vida."

"Acabar com a vida de um homem na flor da idade, como ele fez, não é apenas um erro. E você sabe tão bem quanto eu que se o Chris Wilson fosse branco..."

"Eu sei disso, Lydell. Não precisa me dizer porque eu sei."

Strange abriu a janela do carro. O sol da tarde aquecera o interior do veículo.

"Com tanta gente decente nesta cidade", disse Blue. "E só se ouve falar dos maus. Agora é a vez dos maus policiais, dos policiais corruptos, sendo que a grande maioria é de bons policiais. E a maioria das pessoas com quem eu cruzo, todos os dias, vem de famílias boas. Estou falando das pessoas que freqüentam a igreja, das pessoas que vão trabalhar todos os dias, que tomam conta dos seus, que são bons professores, gente boa, trabalhadeira... e cá estamos nós, nesses anos todos de trabalho, às voltas com os maus. Por que fomos escolher esta profissão, Derek?"

"Sei lá. Imagino que tenha sido ela que nos escolheu."

"Se ao menos soubéssemos, quando éramos jovens." Blue soltou uma risada curta, olhando para o amigo. "Deus meu, a gente se conhece já faz quase cinqüenta anos. Eu me lembro até do jeito que você corria, quando era bem garoto, com as mãos fechadas e os punhos junto do peito, na escola. E lembro direitinho da sua cara de farda, lá por volta de sessenta e oito."

"Sessenta e oito. Aquele foi um ano e tanto, Lydell. Não concorda?"

"Se foi."

Strange e Blue trocaram um olhar.

"Obrigado, Lydell."

"*Você* sabe como a gente age."

Strange apertou a mão do amigo. "Quer dizer então que o departamento vai me chamar pra depor?"

"Qualquer dia desses. O jeito como você acabou de me explicar..."

"O que foi, não gostou de alguma coisa?"

"Não, só que ficou meio tosco, só isso. Eu daria uma garibada, se fosse você."

Strange voltou para casa e ligou para Terry Quinn. Transmitiu a conversa que acabara de ter com Lydell Blue.

"Foi péssimo ter de mentir pro meu amigo", disse Strange. "Mas era o único jeito, não tinha outro."

"Imagino que Eugene tenha destruído a confissão original", disse Quinn.

"Pelo visto sim. A que a polícia encontrou foi escrita em papel branco. E eu estou pensando em destruir algumas coisas também. Vou dar sumiço nas roupas que usei aquela noite, nas botas, na faca... você precisa fazer a mesma coisa. Se livra da sacola e da Glock."

"Já fiz isso."

"Não estou gostando do seu jeito, Terry. Veja se não vai me fazer alguma besteira, ouviu bem?"

"Não se preocupe. Não sou tão corajoso quanto Eugene."

O telefone desligou com um estalido no ouvido de Strange.

34

Numa manhã de domingo, no começo de abril, quando as cerejeiras ao longo da bacia fluvial estavam todas floridas e luminosas, e as magnólias e os cornisos despontavam em rosas e brancos nos gramados de toda a cidade, Strange, Janine e Lionel se encontraram na igreja.

Fazia um tempinho que Strange não comparecia ao culto. Decidira ir nesse dia, um domingo após a Páscoa, para rezar pela mãe, porque, embora de vez em quando rezasse na privacidade de sua casa, achou que talvez fosse conveniente ir até a casa do Senhor, daquela vez, considerando o estado precário em que ela estava. Sabia que ir à igreja pedir favores pessoais era um erro e, em algum nível que não entendia de todo, até um ato hipócrita, mas foi assim mesmo.

Os bancos no interior da Igreja de Deus em Cristo, na esquina da Georgia com a Piney Branch Road, estavam quase lotados. Strange prestou certa atenção ao sermão, rezou com intensidade pela mãe, com a mão de Janine pousada sobre a sua, e escutou com prazer as músicas *gospel* cantadas pelo coral, sua parte predileta do culto.

Do lado de fora, à medida que a congregação ia saindo, Strange ia examinando as fisionomias conhecidas. Reconheceu, no rosto de algumas crianças, os pais que conhecia desde meninos. Viu também vários ex-clientes, a quem cumprimentava e que o cumprimentavam com apertos firmes de mão e pancadas no braço. Embora muitas vezes tivesse dado àquela gente notícias pouco auspiciosas, havia ao menos a satisfação de jamais ter feito um serviço nas coxas ou desperdiçado tempo. Eles sabiam quem ele era e o que ele era, e Strange sentia orgulho disso.

"A gente vai naquele lugar grego tomar o café?", Lionel perguntou.

"O Billy tá fechado, hoje", disse Strange. "É o domingo de Páscoa dele."

"Eu estava pensando em assar um belo peru", disse Janine. "Você não quer vir jantar conosco?"

"Estava pensando em levar o Greco pra fazer um longo passeio por Rock Creek", disse Strange. "Mas claro, eu adoraria ir jantar com vocês, desde que seja cedo. Preciso passar a noite com a minha mãe."

"A gente põe mais cedo o jantar, então", disse Janine. "Por volta das cinco?"

"Estarei lá sem falta, Janine."

E deu-lhe um beijo ali mesmo, junto às azaléias plantadas ao lado da igreja.

"Olha só pra vocês dois", disse Lionel. "E na frente de Deus, ainda por cima."

Strange caminhou até o carro, estacionado na Tuckerman. Parado na outra calçada, na mesma altura do Cadillac, havia um Plymouth cinza. Leona Wilson abriu a porta do lado do passageiro para que a filha Sondra, que curvava a cabeça, entrasse. Strange ainda teve tempo de ver um pouco da moça: continuava muito magra, sem nenhuma curva para encher o vestido, mas estava bem penteada, cabelo arrumado em cabeleireiro batendo na altura dos ombros, e tinha uns olhos brilhantes, meio sem foco. Ainda não se aprumara de todo, mas estava se *aprumando* aos poucos, dava para ver.

Quando atravessou a rua para cumprimentar Leona Wilson, o rosto de Terry Quinn lhe veio à mente. Não via nem conversava com ele já fazia um tempinho.

Leona Wilson ia dando a volta no carro, para chegar à porta do motorista, quando viu Strange se aproximar. Por uns poucos instantes, deu a impressão de não reconhecê-lo naquelas roupas, mas depois sorriu para o homem bonitão, de ombros largos, dentro do terno de risca-de-giz. Estendeu a mão enluvada e inclinou a cabeça.

"Senhora Wilson", disse Strange.

"Senhor Strange."

Strange estava ao volante de seu Cadillac Brougham, estacionado na Bonifant Street, em Silver Spring. Greco roncava, deitado na almofada vermelha, no banco de trás. Strange e o cachorro estavam ambos de barriga cheia, depois de comerem o belo jantar de Janine, e Greco aproveitava para tirar uma soneca.

Do outro lado da rua, Terry Quinn trancou a porta da frente da livraria, conferiu para ver se estava mesmo fechada, e virou de frente para a calçada.

Strange pôs a cabeça para fora da janela. "Ei, Terry!"

Quinn localizou de onde viera a voz e sorriu. Atravessou a rua e caminhou na direção do carro. Strange achou que Quinn tinha perdido peso, mas se deu conta de que fora o cabelo que provocara aquela falsa impressão: Quinn estava de cabelo curto.

"Entra um pouquinho aqui, cara", disse Strange.

Quinn deu a volta no Cadillac e sentou ao lado de Strange, no banco da frente. Greco acordou, sentou-se ereto e cheirou a nuca de Quinn, enquanto os dois se cumprimentavam.

"Derek."

"Terry."

"O que o traz a estas bandas?"

"Andei pensando em você, só isso", disse Strange. "E veja só, de visual todo novo."

"Pois é. Dei um pulo naquele barbeiro da Georgia, o Elegant & Proud. Conhece?"

"Claro que sim."

"Eles não ficaram muito satisfeitos de me ver ali. Mas

tudo o que eu queria era um bom corte de cabelo, e eles me atenderam. Aliás, foi muito bom me livrar daquele cabelo todo."

"Está com cara de policial de novo."

"Eu sei." Quinn passou o polegar no lábio. "Você falou que estava pensando em mim. Por quê?"

"Bom, primeiro porque somos amigos."

"Ah, quer dizer que somos amigos agora, é?"

"Claro."

"E o que mais?"

"Eu vi a Leona e a Sondra Wilson na igreja, hoje."

Quinn meneou a cabeça. "Como é que vai a moça?"

"Você sabe como é esse caminho. Depois que você bota o pé lá, fica lá pra sempre. Vai ser uma batalha constante, até o fim da vida. Mas ela tá num dos melhores programas de desintoxicação da cidade, a mãe é que conseguiu pra ela. Vai sair dessa, eu espero."

"Você fez um belo trabalho."

"E você também." Strange olhou para Quinn. "O Chris Wilson recebeu uma homenagem. A cerimônia que fizeram foi bem discreta, mas ele foi homenageado. E puseram o nome dele naquele memorial lá do centro, para os policiais que morreram em serviço."

"É, eu soube. O departamento não divulgou nada pra imprensa, mas gente de lá de dentro me informou."

"É, o departamento levou a imprensa no bico direitinho sobre o caso todo. Mas o que mais eles poderiam ter feito? Eles não têm as respostas todas do quebra-cabeças. Têm a confissão do Franklin e as provas periciais conflituosas do local, além do testemunho do Kane, feito, aliás, em benefício próprio. Eles sabem que tem mais coisa, mas não conseguem atinar com o que é."

"E de nós é que eles não vão conseguir arrancar nada."

"Não." Strange examinou Quinn com atenção. "Você tá com bom aspecto."

"Eu estou bem."

"Quer dizer que já saiu da depressão?"

"Acho que sim. Você falou que um dia eu iria aprender a me afastar de uma briga. Talvez eu esteja chegando lá."

"Imagino que trabalhando nessa livraria, com o Lewis e o pessoal todo, você tenha tempo de sobra pra meditar."

"Pois é, Derek, só me restou isso: tempo."

"Eu andei pensando, sabe, que tem ocasiões especiais em que bem que me faz falta um outro investigador. E você fez um trabalho excelente comigo, cara. Eu estava me perguntando se você gostaria de assumir um caso ou outro, de vez em quando, e trabalhar pro meu escritório?"

"Enquanto você fica com o trabalho leve?"

"Muito engraçado."

"E o Ron Lattimer, que fim levou?"

"Nesta época do ano ele só quer saber de escolher o guarda-roupa de primavera e coisas do gênero. Não tenho visto muito a cara dele, nos últimos dias."

"Eu não tenho licença pra ser investigador particular."

"É facílimo obter uma."

"Vou pensar no assunto, certo?"

"Claro, *pense* a respeito. Com todo o tempo que você tem... pra pensar."

Greco lambeu o pescoço de Quinn. Quinn virou no banco e coçou o boxer atrás da orelha.

"Está saindo com alguma mulher?", Strange perguntou.

"Ninguém em especial. Como vai a Janine?"

"Bem. Acabei de jantar com ela e o Lionel."

"Andam passando um bocado de tempo juntos, então?"

Strange meneou a cabeça, em sinal afirmativo. "Acordei, finalmente. Eu vivia à procura de uma outra pessoa... andando atrás de mulheres que não davam a mínima pra mim, inclusive andando atrás daquele tipo anônimo de sexo..."

"De prostitutas, é isso que você quer dizer."

"É. Sempre em busca de uma outra coisa qualquer, quando a melhor delas estava ali bem do lado, me olhando direto na cara. Bem do jeito como minha mãe vivia me dizendo. Não que eu esteja pensando em me casar nem nada parecido. Mas tenho planos de estar sempre lá, pra ela e pro garoto."

"Diga que eu mandei um oi."

"Pode deixar."

Quinn olhou o relógio. "Acho melhor ir andando."

"Eu também. Cadê o seu carro?"

"Eu vim a pé."

"Quer uma carona até em casa?"

"Não, obrigado. Eu vou andando mesmo."

Quinn pegou na maçaneta. Strange pôs a mão no braço de Quinn.

"Terry."

"O quê?"

"Eu só queria lhe dizer, tendo em vista como tudo terminou, quero dizer... eu só queria lhe dizer que eu me enganei a seu respeito, cara."

Quinn lhe deu um sorriso triste. "Você se enganou a respeito de certas coisas, Derek. Mas não a respeito de tudo."

Quinn saltou. Strange o viu atravessar a rua e sumir aos poucos na escuridão em torno.

Terry Quinn subiu a Bonifant e dobrou à esquerda na Georgia Avenue. A iluminação pública e as luzes nas janelas cintilavam muito de leve no lusco-fusco. Na Georgia, um grupo de quatro jovens negros, de calças largas, veio se aproximando pela mesma calçada, pelo lado oposto. Eles se separaram, vendo que Quinn não iria ceder passagem. Um deles esbarrou muito de leve em seu braço, ao passar, e Quinn reagiu com o cotovelo.

Eu menti para Strange, pensou ele. Estou mentindo para mim mesmo. Eu nunca vou mudar. Eu nunca vou ceder passagem.

Escutou risadas vindo do grupo e seguiu adiante, cruzou a frente do Rosita sem olhar pela vitrine do restaurante, entrou na galeria coberta, deu um tapinha na cabeça do bronze de Norman Lane, pegou a viela e continuou na direção sul.

Atravessou a Silver Spring Avenue, continuou até a Sligo Avenue e depois pegou a Selim, passando em frente à loja Napa de autopeças, da *pho house* My-Le e das oficinas especializadas em carros importados que davam frente para a ferrovia e para as linhas do metrô. Em seguida estava no pontilhão para pedestres que cruzava a Georgia Avenue e, do outro lado dele, saltou a cerca, passou pela estação ferroviária e desceu os degraus que levavam ao túnel iluminado sob os trilhos.

Caminhou pela plataforma de madeira junto à cerca que delimitava a fábrica de refrigerantes Canada Dry. Virou, as mãos bem enterradas nos bolsos do jeans, e assistiu à aproximação de um trem que seguia no sentido norte.

Esse lugar sempre fora dele. Só que agora tinha de dividi-lo com uma mulher em quem havia dado um beijo numa noite clara e gelada de inverno.

Quinn fechou os olhos e escutou os ruídos do trem, sentiu a passagem dos vagões, levantando poeira e fazendo vento.

Não tinha ido até ali para obter respostas. Não havia respostas. Apenas sensações.

Não havia respostas e não haveria encerramento. Chris Wilson fora exonerado de culpa, mas para Terry Quinn nada tinha mudado. Porque Strange estava com a razão o tempo inteiro: Quinn matara um homem por causa da cor de sua pele.

Strange atravessou o corredor monótono do terceiro andar da Casa do Convalescente, passando por duas atendentes que riam alto de alguma coisa que uma delas tinha dito, sem tomar conhecimento de um homem numa cadeira de rodas ali perto que repetiu a palavra "enfermeira" várias vezes. Havia uma televisão ligada em volume altíssimo em algum quarto. O corredor estava quente, cheirando a comida pastosa e, por baixo da máscara de desinfetantes, a excremento e urina.

Strange entrou no quarto da mãe. Ela estava deitada de lado, debaixo das cobertas, acordada e olhando fixo para a janela. Ele se aproximou da beirada da cama.

"Mamãe", disse Strange, beijando a testa úmida e fria. "Cá estou eu."

A mãe fez um pequeno gesto com a mão e sorriu fracamente, mostrando a ele o cinza das gengivas. O corpo dela era do tamanho do de uma criança, sob os lençóis.

Strange encontrou um pente na cômoda e passou-o pelos ralos cabelos brancos, assentando os poucos fios restantes no couro cabeludo sarapintado. Quando terminou, ela apontou para algum ponto além do ombro do filho. Ele foi até a janela e olhou o parapeito.

Uma corruíra fizera ninho ali e estava chocando os ovos. O pequeno pássaro levantou vôo, assustado, ao vê-lo.

Strange sabia o que a mãe queria. Destacou diversas folhas de papel-toalha de um rolo que havia no banheiro, achou fita adesiva num carrinho de suprimentos parado no corredor e prendeu os quadrados de papel nos vidros da janela. A mãe fizera isso todas as primaveras, na janela da cozinha da casa onde Strange crescera. Ela lhe explicara que uma mamãe passarinho era igual a qualquer outra mãe, e que precisava cuidar dos filhos com privacidade e em paz.

De sua cama, Alethea Strange piscou os olhos para o filho, em sinal de aprovação, e examinou o trabalho que ele tinha feito.

Strange levou uma cadeira estofada até a beira da cama e se acomodou. Ficou ali um bom tempo, contando à mãe os acontecimentos do dia.

"Janine", a mãe disse bem baixinho.

"Ela é uma boa mulher, mãe. E manda lembranças."

"Os diamantes..."

"No meu quintal. Sim senhora, eu sei."

Sentado ao lado dela, Strange pegou no sono. Despertou no meio da noite. Alethea continuava acordada, os belos olhos castanhos postos nos dele.

Strange começou a falar sobre sua infância em Washington. Falou sobre o pai e, ao ouvir a menção ao marido, Alethea sorriu. Falou sobre o irmão, sobre o problema que ele tinha tido e sobre seu coração, que era bom, apesar dos pesares.

"Eu te amo, mãe", disse Strange. "Tenho tanto orgulho de ser seu filho."

Durante o tempo todo em que falou, segurou a mão da mãe e olhou bem nos olhos dela. Ainda segurava a mão de Alethea, ao amanhecer, e os pássaros cantavam do lado de fora da janela, quando ela morreu.

ESTA OBRA FOI COMPOSTA PELO GRUPO DE CRIAÇÃO EM GARAMOND E
IMPRESSA PELA GEOGRÁFICA EM OFSETE SOBRE PAPEL PAPERFECT DA
SUZANO BAHIA SUL PARA A EDITORA SCHWARCZ EM FEVEREIRO DE 2006